ДАНИЭЛА СТИЛ

КАК ДВЕ КАПЛИ ВОДЫ

аст
ИЗДАТЕЛЬСТВО

Москва
2004

УДК 821.111(73)
ББК 84 (7Сое)
С80

Danielle Steel
MIRROR IMAGE
1998

Перевод с английского Т.А. Перцевой

Серийное оформление А.А. Кудрявцева

Печатается с разрешения автора и литературных агентств
Janklow & Nesbit Associates и Permissions & Rights Ltd.

Подписано в печать 25.03.04. Формат 84×108¹/₃₂.
Усл. печ. л. 20,16. Тираж 3000 экз. Заказ № 925.

Стил Д.

С80   Как две капли воды: Роман / Д. Стил; Пер. с англ. Т.А. Перцевой. — М.: ООО «Издательство АСТ», 2004. — 381, [3] с.

ISBN 5-17-006015-7

Оливия и Виктория Хендерсон. Сестры-близнецы, похожие как две капли воды, и такие разные!..

Одна — живая, искрометная, вечно жаждущая новых острых ощущений, и в то же время бесконечно чистая душой...

Вторая — спокойная, уверенная в себе, целеустремленная, но при этом — нежная и ранимая...

У каждой — своя судьба, свои удачи и разочарования, взлеты и падения, у каждой — свои надежды и мечты, у каждой — своя любовь...

УДК 821.111(73)
ББК 84 (7Сое)

Всем, кого мы любим, посвящаю,
Тем, кто нам является в мечтах,
Тем, кем станем, робко расцветая
В бережных и любящих руках.
Посвящаю мудрости, отваге,
Цели, увлекающей в полет,
Тем, кто нам забыть поможет страхи,
От надежды к счастью проведет,
И любви погибшей — жаркой, страстной,
И другой, пусть маленькой, смешной;
И тому, что часто мы за счастье
Горько платим дорогой ценой;
Дочерям — Саманте, Беатрисе,
Заре и Ванессе, милой Вик, —
Пусть дурного с ними не случится,
Пусть мечты исполнятся для них.
Сыновьям — да будет Никки счастлив,
Так же добр, отважен, как всегда,
Да не будет горя в жизни Макса,
Пусть ему не встретится беда.
Пусть надежда наяву вас встретит
(И меня — возможно, в некий час),
Пусть весь мир любовью вам ответит...
Дорогие, мама любит вас!*

---

* Перевод Н. Эристави.

Глава 1

Тяжелые парчовые шторы на окнах заглушали доносившиеся снаружи звуки, и даже птичий щебет почти не проникал в окна роскошно обставленных комнат Хендерсон-Мэнор. Нетерпеливо откинув за спину длинный темный локон, Оливия Хендерсон вновь углубилась в составление описи отцовского фарфора. На дворе стояла теплая летняя погода, и ее сестра, как обычно, спозаранку исчезла куда-то. Эдвард Хендерсон, отец Оливии, сегодня ожидал адвокатов, довольно часто наезжавших в маленький городок Кротон, находившийся всего в трех часах езды от Нью-Йорка. Эдвард почти не покидал поместья, предпочитая давать указания поверенным и осуществлять общее руководство сталелитейными заводами, которыми давно уже не управлял сам. Он полностью удалился от дел два года назад, в тысяча девятьсот одиннадцатом, сохранив при этом все свои владения, но целиком полагаясь на адвокатов и директоров заводов. Жена так и не родила ему сыновей, и со временем его интерес к бизнесу значительно охладел, так что Эдвард мирно жил отшельником в своем уютном гнездышке.

Здесь его дочери могли вести спокойную, ничем не омраченную жизнь, и хотя подобное существование не назовешь волнующим, скука и тоска никогда не посещали Хендерсонов. Кроме того, у них было немало друзей среди многих выдающихся семейств, обитавших вверх и вниз по течению Гудзона, из которых самыми близкими соседями были Ван Кортлендты и Шепарды. Джей Гулд, отец Хелен Шепард, умерший почти двадцать лет назад, оставил всю недвижимость и огромное состояние дочери. Хелен вместе с мужем, Финли Шепардом, приумножили деньги отца и к тому же нередко давали балы и приемы для соседей. Рокфеллеры, недавно достроившие поместье Кайкьюит, в Таррнтауне, с великолепными садами, изумительно распланированными газонами и домом, не уступавшим особняку Эдварда Хендерсона, соперничали в гостеприимстве с Шепардами.

Хендерсон-Мэнор считался одним из красивейших поместий в округе, и люди приходили за много миль, чтобы полюбоваться им и чудесными окрестностями. Сквозь решетку ограды с трудом можно было разглядеть дом, окруженный высокими деревьями, и дорожку, ведущую к главной подъездной аллее. Сам особняк располагался на высоком холме, выходившем на реку Гудзон. Эдвард часами просиживал в кабинете, наблюдая, как течет жизнь в большом мире, вспоминая прошлые времена, старых друзей и дни, когда земля вращалась куда быстрее... семидесятые годы, когда он принял руководство отцовскими заводами... стал свидетелем многих великих изобретений на рубеже столетий...

Тогда он был занят с утра до вечера и будущее казалось совершенно безоблачным. Но все пошло не так, как думалось. Женился Эдвард совсем молодым, но дифтерия унесла жену и маленького сына. После трагедии он много лет жил один, пока не появилась Элизабет — воплощение всего, о чем может мечтать мужчина: ослепительный солнечный луч, комета в летнем небе, такая эфемерная, яркая и прекрасная, так быстро исчезнувшая. Они поженились через несколько месяцев после знакомства. Ей было девятнадцать, ему — за сорок. Но, не дожив до двадцати одного года, Элизабет умерла в родах. После ее кончины Эдвард с головой погрузился в работу, доводя себя до изнеможения.

Сначала он поручил дочерей заботам нянь и экономки, но наконец, осознав свои обязанности перед ними, приступил к строительству Хендерсон-Мэнор. Он хотел, чтобы девочки вели привольную жизнь вдали от нездоровых соблазнов большого города. В тысяча девятьсот третьем году Нью-Йорк был неподходящим местом для детей. Им было десять, когда семейство Хендерсонов переехало в новый дом. Сейчас девушкам исполнилось двадцать. Отец оставил за собой особняк в Нью-Йорке и жил там, но навещал дочерей при каждой возможности, сначала по уик-эндам, потом все чаще. И когда возвращался в Нью-Йорк, Питсбург или Европу, сердце оставалось в этом маленьком городке, там, где обитали девочки.

Эдвард наблюдал, как дети росли, расцветали, и мало-помалу его жизнь сосредоточилась в них и словно замедлила течение. Он уделял им каждую свободную минуту, а вскоре окончательно поселился в Кротоне. Последние два года он никуда не выезжал, тем более что здоровье его сильно ухудшилось. Сердце давало знать о себе, когда Эдвард чересчур много работал, расстраивался или волновался, что теперь случалось крайне редко. Он был счастлив здесь, с дочерьми.

Прошло двадцать лет со дня смерти жены, того теплого весеннего дня, когда Господь окончательно отвернулся от него. Эдвард, преисполненный гордости и счастья, ожидал за порогом спальни, когда раздастся крик новорожденного. Он и подумать не мог, что трагедия повторится. Его первая жена вместе с малышом стали жертвами эпидемии дифтерии, и на этот раз, потеряв Элизабет, он едва не умер. Первое время Эдвард не хотел жить и постоянно чувствовал присутствие Элизабет в их нью-йоркском доме. Позже он возненавидел пустоту огромных комнат и старался как можно больше путешествовать, но потом осознал, что забросил малышек-близнецов, последний дар Элизабет. И хотя не мог заставить себя продать особняк, выстроенный отцом, в котором родился и вырос, все же закрыл его и перебрался поближе к детям. С тех пор он никогда не скучал ни по дому, ни по Нью-Йорку, ни по светскому обществу.

Не обращая внимания на окружающее, Оливия продолжала заполнять длинные бумажные полосы своим мелким аккуратным почерком, отмечая, что нужно заменить и какие вещи заказать заново. Иногда она посылала слуг в городской дом привезти необходимое оттуда, но по большей части обращалась в магазины, зная, что отец не любил нью-йоркское поместье. Она, как и Эдвард, была счастлива спокойствием здешней жизни и очень редко ездила в Нью-Йорк, если не считать своего дебюта, когда отец представлял дочерей своим друзьям и всему высшему обществу. Оливия находила светскую жизнь довольно интересной и забавной, но крайне утомительной. Ее изматывали каждодневные выезды в театры, на балы, в гости, необходимость соблюдать строжайшие правила этикета. Она чувствовала себя так, словно постоянно находится на сцене, разыгрывая несвойственную ей роль, так что под конец возненавидела и себя, и окружающих — в отличие от Виктории, которая буквально расцветала в лучах всеобщего внимания. Оливия же облегченно вздохнула, вернувшись к своим книгам, лошадям, цветам и каждодневным прогулкам по холмам к близлежащим фермам.

Она обожала скакать верхом, прислушиваться к весенним звукам, наблюдать, как медленно, неохотно уходит зима, любоваться многоцветьем осенних красок. И едва ли не с малолетства вела отцовский дом с помощью Алберты Пибоди, женщины, вырастившей сестер и заменившей им мать. Хотя зрение у Берти было неважным, ум по-прежнему оставался острым, и она с закрытыми глазами могла отличить Оливию от Виктории.

Вот и теперь Берти пришла справиться, как подвигается работа. У нее уже не хватало ни терпения, ни сил, чтобы сделать все самой, и она была благодарна Оливии за помощь. Оливия тщательно проверяла состояние гобеленов, хрусталя, постельного белья; ничто в доме не ускользало от ее внимания. Виктория же терпеть не могла кропотливые и бесконечные домашние хлопоты. Странно, какими разными могут быть близнецы!

— Ну что? Все тарелки перебиты или дотянем до рождественского ужина? — осведомилась Берти, ставя на стол стакан ледяного лимонада и тарелку свежеиспеченного имбирного печенья. После двадцати лет беспорочной службы Алберта привыкла считать девочек своими дочерьми. С того дня как она взяла в руки два кричащих свертка, они не расставались ни на день.

Эта маленькая пухленькая женщина с белоснежными, собранными в пучок волосами и пышной грудью утешала девочек, выслушивала их детские секреты, помогала в невзгодах и подставляла плечо, когда им хотелось поплакать. Словом, заменяла обоих родителей именно в том возрасте, когда так трудно без матери. Отец редко бывал с ними и, целиком поглощенный скорбью о жене, держался отчужденно. Правда, за последние годы, растеряв бодрость духа и здоровье, он смягчился и искренне привязался к детям. Сердечная болезнь, причиной которой он считал потрясения и скорби по так рано ушедшим женам, не позволяла вести активный образ жизни. Теперь же, получив возможность передать управление заводами в руки доверенных лиц, он стал куда счастливее и спокойнее.

— Нам нужны суповые тарелки, Берти, — торжественно объявила Оливия, продолжая сражаться с непокорными волосами и совершенно не представляя, как ошеломляюще красива в эту минуту. Белоснежная кожа резко контрастировала со смоляными прядями, а огромные темно-синие глаза сверкали двумя сапфирами.

— Да и рыбные тоже. На следующей неделе закажу у Тиффани. Кстати, следует предупредить судомоек, чтобы поосторожнее обращались с посудой.

Берти с улыбкой кивнула. Оливия к этому времени должна бы иметь собственный дом, вместо того чтобы переписывать отцовский фарфор и разыгрывать роль хозяйки. Но у нее не было ни малейшего желания покидать этот дом. Девушка была безмерно счастлива здесь, в Хендерсон-Мэнор. Совсем не то что Виктория, без умолку тараторившая о каких-то невиданных городах и странах. У нее портилось настроение каждый раз при мысли о пустующем в Нью-Йорке доме и веселых вечеринках, которые они могли бы там устраивать.

Оливия одобрительно оглядела светло-голубое шелковое платье Берти, в котором та напоминала кусочек летнего неба. Оливия сама скопировала фасон в журнале и отослала местной модистке. Именно Оливия всегда выбирала платья всем троим. Виктории было не до того. Она лишь снисходительно предоставляла сестре заботиться о ней.

— Печенье удалось как никогда. Отцу понравится, — заметила Оливия, которая велела испечь его специально для Эдварда и главного поверенного, Джона Уотсона. — Пожалуй, надо попросить повара отослать в кабинет поднос с завтраком. Или ты уже все сделала?

Женщины обменялись понимающими улыбками людей, привыкших много лет делить нелегкие обязанности. Берти, на глазах которой Оливия росла, превращаясь из девочки в молодую женщину и хозяйку дома, прекрасно знала, как скрупулезно исполняет свой долг воспитанница. Знала и уважала Оливию и считалась с ее мнением, хотя, не задумываясь, журила, если та выбегала под дождь, или легко одевалась, или совершала нечто столь же легкомысленное. Но с годами Берти все реже корила девушку. Оливия и без того слишком серьезна, не мешает иногда и отвлечься.

— Я все приготовила, но сказала повару, что ты сама пошлешь за подносом, когда время придет, — сообщила Берти.

— Спасибо, дорогая.

Оливия грациозно спустилась со стремянки и, поцеловав старушку в щеку, на мгновение по-детски уткнулась головой в ее плечо. Еще один поцелуй, и девушка упорхнула на кухню. Одобрительно кивнув при виде посуды и салфеток, расставленных Берти на серебряном подносе, она приказала подать кувшин с лимонадом, большую тарелку печенья и крошечные сандвичи с кресс-салатом, огурцами и тонко нарезанными ломтиками помидора с их собственного огорода. В кабинете должен быть графин с хересом и напитками покрепче, если понадобится. Оливия, росшая среди друзей отца, была не из тех девушек, кто презрительно морщит носик при виде мужчин, пьющих виски и курящих сигары. По правде говоря, она даже любила запах табачного дыма, впрочем, как и ее сестра.

Удостоверившись, что все в порядке, она отправилась к отцу в библиотеку.

— Как ты себя чувствуешь сегодня? Ужасно жарко, верно?

— Не жалуюсь, — покачал головой Эдвард, с гордостью оглядывая дочь.

Какая она молодец! Он часто говаривал, что, не будь Оливии, в доме царил бы вечный беспорядок. Недаром он шутил, что опасается, как бы один из Рокфеллеров не женился на Оливии, с тем чтобы было кому управлять Кайкьюитом. Он не раз бывал в великолепном доме, построенном Джоном Д. Рокфеллером и снабженном всеми возможными современными удобствами, включая телефоны, центральное отопление и генератор в гараже, и не уставал повторять, что по сравнению с этим дворцом его особняк выглядит настоящей сельской лачугой. Это, конечно, было не совсем так, но жилище Рокфеллеров явно выделялось среди всех поместий небывалой роскошью.

— Жара полезна для моих старых косточек, — заметил отец, раскуривая сигару. — Кстати, где твоя сестра?

Оливию всегда так легко найти в одной из комнат, где она составляет длинные списки, пишет приглашения и указания слугам, расставляет цветы... Виктория же вечно где-то пропадает!

— Кажется, отправилась к Асторам, поиграть в теннис, — уклончиво заметила Оливия, не имея ни малейшего представления о том, куда делась сестра.

— Неужели? А по-моему, Асторы уехали на лето в Мэн.

Как, впрочем, и большинство соседей. Раньше Хендерсоны тоже следовали примеру соседей, но теперь Эдвард отказывался покидать Кротон даже в самое пекло.

— Прости, отец, — смущенно пробормотала Оливия, краснея до кончиков волос. — Я думала, они вернулись из Бэл-Харбор.

— Разумеется, дорогая, — усмехнулся отец. — Одному Богу известно, куда подевалась Виктория и что у нее на уме.

Однако оба знали, что проделки и выходки девушки достаточно безобидны. Просто Виктория — натура живая, энергичная и независимая, совсем как ее покойная мать, и Хендерсон всегда подозревал, что она достаточно эксцентрична. Но пока это не проявлялось слишком откровенно, Эдвард вполне мог выносить чрезмерную резвость дочери. Кроме того, она пока не натворила особых бед, и самое худшее, на что была способна, — свалиться с дерева, получить солнечный удар, прошагав по жаре несколько миль до ближайшего поместья, и заплыть слишком далеко. Развлечения здесь были достаточно скромными. До сих пор у Виктории не было романтических увлечений и пылких поклонников, хотя несколько молодых представителей семейств Рокфеллеров и Ван Кортлендтов проявляли явный интерес к юной красавице. Но все было в рамках приличия, и даже отец понимал, что Виктория была скорее интеллектуалкой, чем пылкой, страстной особой.

— Я поищу ее, как только будет время, — пообещала Оливия, хотя на самом деле ни она, ни отец не встревожились по-настоящему.

Поваренок втащил поднос, и она показала мальчику, куда его поставить.

— Нам понадобится еще стакан, дорогая, — обратился к ней отец, закуривая сигару, и поблагодарил парнишку, имени которого никогда не мог запомнить.

Оливия, однако, знала имена, родственников и семьи всех слуг, их достоинства и недостатки, и даже проступки, когда-либо ими совершенные. Она была истинной хозяйкой Хендерсон-Мэнор, и, возможно, гораздо лучшей, чем стала бы ее мать. А Виктория характером пошла в Элизабет.

— Разве Джон приедет не один? — удивилась она.

Поверенный брал с собой кого-то лишь в тех случаях, когда на заводах не все шло гладко, а она ни о чем подобном не слышала. Обычно отец ничего не скрывал от дочерей, ведь в конце концов все останется им, хотя девочки наверняка предпочтут продать заводы, если только мужья не выразят желания заняться делами, что Эдвард считал маловероятным.

— К сожалению, дорогая, — вздохнул отец. — Боюсь, я слишком зажился на этом свете. Похоронил двух жен, сына, своего доктора, большинство друзей, а вот теперь Джон Уотсон заявляет, что подумывает удалиться от дел. Собирается привезти человека, недавно ставшего партнером в его фирме, о котором он весьма высокого мнения.

— Но Джон не настолько стар, — забеспокоилась Оливия. — Как и ты. И чтобы я не слышала подобных разговоров!

— Я дряхлая развалина. Ты понятия не имеешь, каково это, когда люди, окружающие тебя, исчезают один за другим, — мрачно пробормотал Эдвард, с отвращением думая о предстоящей встрече с новым поверенным, которого он видеть не желал.

— Уверена, что Джон не собирается никуда уходить, — ободряюще проговорила девушка и, налив отцу в стакан немного хереса, подала тарелку с имбирным печеньем. Эдвард зажмурился от удовольствия.

— Возможно, ты права, и Джон останется, особенно после того как попробует печенье. Должен сказать, Оливия, ты творишь настоящие чудеса на кухне.

— Спасибо!

Наклонившись, она поцеловала отца, и тот ответил восхищенным взглядом. Несмотря на жару, она даже не раскраснелась и ухитрялась при этом выглядеть идеально.

Взяв печенье, девушка уселась рядом с отцом.

— Так кто же этот новый партнер? — полюбопытствовала она. Странно, что Джон, который на два года моложе отца и всегда казался крепким и сильным, готовит себе замену. Но возможно, лучше раньше, чем позже? — Ты уже знаком с ним?

— Нет, дорогая. Джон утверждает, что он очень способный малый и улаживал какие-то дела с недвижимостью Асторов. Пришел к Джону с прекрасными рекомендациями из солидной фирмы.

— Но почему он переменил место? — полюбопытствовала Оливия. Они с сестрой любили расспрашивать об отцовских делах, только Виктория была куда несдержаннее в своих мнениях. Все трое они обсуждали политику или бизнес, и делали это с большим удовольствием. Эдвард любил говорить с дочерьми на столь сложные, далекие от светских темы, возможно, потому, что у него не было сына.

— Джон утверждает, что Доусон пережил ужасную трагедию в прошлом году. Наверное, поэтому я и пожалел его и разрешил Джону привезти сюда. Боюсь, что слишком хорошо понимаю молодого человека.

Эдвард грустно улыбнулся:

— Его жена плыла на «Титанике». Она была дочерью лорда Арнсборо и возвращалась домой от сестры. Чертовски обидно! Доусон едва не потерял своего мальчика. Его успели посадить в шлюпку, которая была уже переполнена, а жена упросила взять на ее место другого ребенка, решив, что сядет в следующую. Только эта оказалась последней. Доусон немедленно уволился, взял мальчика с собой и провел год в Европе. Бедняга работает у Джона то ли с мая, то ли с июня. Уотсон говорит, он очень хорош, правда, немного мрачен. Ничего, все образуется и со временем заживет. Как у всех. Ему придется взять себя в руки ради мальчика.

История Доусона глубоко тронула Эдварда, живо напомнив о его собственных несчастьях. Слишком хорошо он понимал чувства молодого человека, лишившегося жены, пусть обстоятельства гибели ее и Элизабет совершенно разные.

Несколько мгновений Эдвард молча сидел, уставясь в пространство, глубоко погруженный в невеселые мысли, и Оливия не посмела потревожить его. Оба испуганно подняли головы, когда в дверях появился Джон Уотсон.

— Как это вы ухитрились проникнуть сюда без доклада? Забрались в окно? — засмеялся Хендерсон при виде старого приятеля и, легко поднявшись, шагнул навстречу. Выглядел он превосходно — благодаря неусыпной заботе Оливии и несмотря на постоянные жалобы на здоровье.

— Никто не обратил на меня внимания, — шутливо пожаловался Джон, высокий стройный мужчина с гривой седых волос, чем-то очень напоминавший отца Оливии. Две пары голубых, весело искрящихся глаз встретились, и между мужчинами немедленно завязалась оживленная беседа. Оба знали друг друга еще со школьных лет. Эдвард дружил со старшим братом Джона, теперь уже умершим. Кроме того, Джон много лет вел дела Эдварда.

Видя, что мужчины заняты друг другом, Оливия потихоньку проверила, все ли в порядке. Она уже хотела уйти, но, повернувшись, едва не оказалась в объятиях Чарлза Доусона. Странно было видеть его здесь, в этой комнате, и сознавать, сколько пережил этот человек.

Девушка невольно смутилась. Он и не подозревает, что ей уже все известно!

Какое красивое, хотя и суровое лицо, а глаза... она никогда не видела таких грустных озер изумительного темно-зеленого цвета, почти как морская вода. Но он все же слегка улыбнулся, когда Эдвард их знакомил. И только сейчас Оливия разглядела, что, кроме скорби, они излучают доброту, и ей внезапно захотелось протянуть руку и ободряюще погладить Чарлза по щеке. Утешить.

— Как поживаете? — вежливо спросил он, пожимая ее руку и с интересом рассматривая девушку. Именно рассматривая, а не глазея, хотя, разумеется, он сознавал, как она красива. Однако во взгляде не светилось ничего, кроме искреннего любопытства.

— Могу я предложить вам лимонада? — с неожиданной застенчивостью осведомилась Оливия, поспешив скрыть неловкость за привычными обязанностями хозяйки. — Или предпочитаете херес? Боюсь, отец даже в такую жару пьет только херес.

— Я, пожалуй, удовольствуюсь лимонадом, — снова улыбнулся Чарлз, и мужчины вновь вернулись к предмету своего разговора.

Оливия налила лимонад Доусону и Уотсону и предложила имбирного печенья, а потом потихоньку удалилась и прикрыла за собой дверь. Но перед глазами все стояло лицо Доусона. Она не могла отделаться от мыслей о нем. Интересно, сколько лет его сыну? Вспоминает ли он жену или в его жизни уже появился кто-то?

Девушка попыталась забыть о Доусоне. В конце концов просто неприлично столько внимания уделять одному из поверенных отца!

Рассердившись на себя, она поскорее направилась на кухню и едва не столкнулась со вторым шофером, шестнадцатилетним парнишкой, работавшим на конюшне, но знавшим об автомобилях куда больше, чем о лошадях. И поскольку отец обожал современные машины и купил одну из первых, когда они еще жили в Нью-Йорке, Петри получил неожиданное и весьма лестное повышение по службе.

— Что с тобой, Петри? Что-то случилось? — спокойно спросила Оливия при виде взъерошенного, запыхавшегося мальчика.

— Мне нужно немедленно поговорить с вашим папой, мисс, — выпалил он со слезами в голосе, но Оливия, взяв его за руку, попыталась отвести подальше от двери библиотеки, прежде чем он потревожит отца.

— К нему пока нельзя. Он занят, — мягко, но решительно сообщила она. — Я ничем не могу помочь?

Парнишка поколебался и нервно огляделся, словно боясь, что кто-то может их подслушать.

— «Форд», мисс, — испуганно пробормотал он. — Его украли.

Бедняга был на грани истерики. Подумать только, он вот-вот потеряет прекрасное место, и не понятно, по чьей вине!

— Украли? — испуганно переспросила Оливия. — Но как это возможно? Кому удалось пробраться через забор и незаметно увести машину?

— Не знаю, мисс. Я видел «форд» сегодня утром. Сам его мыл. Корпус так и сверкал, как в тот день, когда ваш папа его купил. Я всего лишь оставил дверь гаража приоткрытой, чтобы проветрить немного: уж больно там душно стало, солнце так и палит, — а авто исчезло. Как растаяло!

Он жалостно шмыгнул носом, и Оливия положила руку ему на плечо, тронутая горем мальчишки.

— Когда это случилось, Петри? Ты запомнил?

Она, казалось, ничуть не обеспокоилась — голос оставался по-прежнему невозмутимым. И не мудрено: Оливия привыкла по двадцать раз на дню справляться с то и дело возникавшими недоразумениями подобного рода.

— В половине двенадцатого, мисс. Я точно знаю.

Оливия видела сестру в одиннадцать. А «форд», по которому так убивался Петри, был специально куплен для слуг, которых посылали с поручениями и приказами в город. Сам хозяин предпочитал «кадиллак-турер».

— Знаешь, Петри, — решила Оливия, — думаю, пока нет причин волноваться. Пусть страсти немного улягутся. Возможно, кто-то из слуг взял его без твоего ведома. Кстати, я просила садовника привезти от Шепардов розовые кусты. Наверное, он просто забыл сказать тебе.

Она неожиданно уверилась, что машину вовсе не украли, но если всполошить отца, тот вызовет полицию, поднимется переполох и все кончится большим конфузом, а этого допускать нельзя.

— Но Киттеринг не водит машину, мисс. Он взял бы лошадь или велосипед, но никак не «форд».

— Возможно, это кто-нибудь другой, но не думаю, что стоит волновать моего отца. Да ему сейчас не до этого, так что подождем до ужина, хорошо? Посмотрим, может, к тому времени и машина появится. А пока не хочешь лимонада с печеньем?

Она повела мальчика на кухню. Петри немного отвлекся, хотя все еще сильно нервничал, опасаясь, что его уволят за то, что не сразу запер машину в гараже. Оливия, продолжая успокаивать мальчика, поставила перед ним стакан лимонада и тарелку с печеньем.

Пообещав прийти попозже, она взяла с Петри обещание не говорить о случившемся ни единой живой душе, подмигнула повару и поспешила к выходу в надежде избежать встречи с Берти, которую успела разглядеть издалека.

Выскользнув из стеклянной двери в сад, она тяжело вздохнула, мгновенно охваченная волной обжигающего воздуха. Что за ужасное лето! Недаром многие семьи уже уехали в Ньюпорт и Мэн! Правда, осень и весна здесь изумительные, но зимы просто зверские. Большинство обитателей отправлялись на декабрь, январь и февраль в Нью-Йорк, а на июнь, июль и август к морю, но отец не пожелал двинуться с места. Жаль, что сегодня у нее нет времени поплавать!

Оливия рассеянно зашагала по тропинке в глубь поместья, к прелестному внутреннему садику. Она любила гулять здесь и часто проникала сквозь узкие ворота в соседние владения, зная, что хозяева не станут сердиться. Все здешние обитатели жили дружно и считали окружающие холмы чем-то вроде совместной собственности.

Несмотря на жару, Оливия долго бродила по окрестностям, совершенно позабыв о пропавшей машине, и, к своему удивлению, обнаружила, что все еще думает о Чарлзе Доусоне и рассказанной отцом истории. Как ужасно лишиться любимого человека! Трудно представить, что пережил Чарлз, впервые услышав о гибели «Титаника»!

Осознав, что у нее подкашиваются ноги, Оливия присела на поваленное дерево. Однако отдохнуть не удалось. Вдалеке послышался рев мотора, и через несколько минут в узкие деревянные ворота протиснулся «форд», обдирая краску с дверей. Противно завизжали шины, но водитель не снизил скорости. Оливия, вне себя от изумления, увидела за рулем широко улыбавшуюся сестру. Та небрежно помахала ей пальчиками, в которых была зажата папироса. Виктория курит?!

Оливия, не находя сил тронуться с места, только укоризненно покачала головой, но Виктория ничтоже сумняшеся нажала на тормоз и выпустила в ее сторону кольцо голубого дымка.

— Ты хоть соображаешь, что делаешь? Петри собирался пожаловаться отцу на кражу авто! И если бы я ему позволила, отец непременно вызвал бы полицию!

Оливия ничуть не удивилась очередной выходке сестры: слишком хорошо она знала, на что способна Виктория, и это ей совсем не нравилось.

Девушки молча уставились друг на друга: одна совершенно невозмутимая, хотя, очевидно, не слишком довольная, другая — явно забавляясь собственным своеволием. Постороннего наблюдателя наверняка поразил бы тот неоспоримый факт, что, несмотря на различие в выражении красивых лиц и нескрываемую бесшабашность Виктории, сестры были похожи как две капли воды. Глядя друг на друга, каждая как бы видела собственное отражение. Те же глаза, губы, скулы, волосы и даже жесты. Разумеется, старые знакомые без труда отличили бы Викторию, окруженную аурой некоего добродушного легкомыслия, но в остальном они были невероятно одинаковы. Даже отец иногда путал их, если заставал какую-то из дочерей одну в комнате. Что уж говорить о слугах!

Школьные приятели никогда не могли различить их, и в конце концов отец решил учить их дома, поскольку в школе то и дело возникали недоразумения, спровоцированные близнецами. Девочки беззастенчиво менялись местами и всячески изводили почтенных наставников. Особенно отличалась этим Виктория. Оливия была поспокойнее, но сестры все равно безгранично наслаждались своим особым положением, и отец небезосновательно опасался, что особых знаний они не получают. Однако домашнее обучение приводило к полной изоляции девочек. Все друзья весело проводили время в школе, а они сидели дома.

Они умоляли и упрашивали отца, но тот был тверд как скала. Он не позволит им разыгрывать цирковых клоунов, и если школа не может контролировать их, придется положиться на домашних учителей и миссис Пибоди.

Собственно говоря, Берти была единственной, кто безошибочно различал проказниц, причем в любых обстоятельствах, даже если обе молчали. Кроме того, ей была известна единственная примета, по которой можно было всегда сказать, кто есть кто. У Оливии было крошечное родимое пятнышко в верхней части правой ладони, а у Виктории — точно такое же, но на левой. Отец тоже это знал, но вечно забывал проверить. Гораздо проще было спросить и надеяться, что получишь правдивый ответ, и это случалось все чаще, по мере того как девочки росли. Но по-прежнему, где бы они ни появлялись, производили фурор, поскольку оставались точными копиями друг друга.

Недаром девушки имели огромный успех и наделали много шума в высшем обществе Нью-Йорка два года назад. Отец тогда настоял на возвращении домой еще до Рождества — просто не мог вынести всеобщего внимания и суматохи, возникавшей везде, где бы они ни появлялись. Он чувствовал, что их считают чем-то вроде забавного курьеза, и это было слишком утомительным для пожилого человека. Виктория была вне себя от огорчения, когда пришлось прервать зимний сезон, но Оливия ничуть не возражала. Зато с тех пор Виктория никому не давала покоя, а ее приступы дурного настроения сказывались на всех домашних. Она не переставала ныть и жаловаться на тоску и скуку здешней жизни и сетовала на бессердечие отца, не понимая, как можно выносить столь унылое существование.

Единственным предметом, занимавшим ее помимо нью-йоркского круговорота, было движение суфражисток. Она поистине горела пламенем борьбы за женские права, и эта страсть не угасала ни днем, ни ночью. Оливии до смерти надоело слушать сестру. Та только и твердила об Элис Пол, организовавшей марш в Вашингтоне в апреле этого года, где десятки женщин были арестованы, сорок ранены и властям потребовался кавалерийский полк, чтобы восстановить порядок. Она также прожужжала сестре все уши относительно Эмили Дэвидсон, погибшей под копытами королевского коня, которому демонстративно перебежала дорогу на скачках, и пела дифирамбы матери и дочерям Панкхерст, увлеченно пускавшимся во все тяжкие во имя равноправия английских женщин. При одном упоминании священных имен глаза Виктории вспыхивали, а Оливия воздевала руки к небу. Но сейчас приходилось терпеливо дожидаться извинений и объяснений Виктории.

— И что? Вызывали полицию? — весело поинтересовалась Виктория, не выказывая ни малейших признаков раскаяния.

— Пока нет, — строго отрезала Оливия. — Я подкупила Петри лимонадом и печеньем и упросила подождать до ужина. И как вижу, напрасно. Нужно было позволить парнишке пойти к отцу. Так и знала, что это твои штучки.

Она старалась показать, как рассержена, но ничего не выходило. И Виктория это заметила.

— Откуда ты догадалась, что это я? — с восторгом осведомилась она.

— Почувствовала, негодница ты этакая! Когда-нибудь ты мне надоешь окончательно, и пусть полицейские с тобой разбираются!

— Ну уж этому не бывать, — уверенно объявила Виктория с блеском в темно-синих очах, так напоминавшим Эдварду Элизабет.

Девушки всегда были очень близки, и Виктория беспечно предоставляла старшей сестре заботиться о ней. Каждое утро Оливия самолично вынимала из гардероба платье, которое предстояло надеть сестре, и та беспрекословно подчинялась. Девушки без памяти любили друг друга, и Оливия вечно вытаскивала сестру из очередной неприятности. Она всегда находила предлог оправдать Викторию и не задумываясь брала на себя ее вину, не находя в этом ничего обременительного. Отец часто читал им наставления, призывая быть серьезными и ответственными, но иногда так трудно не поддаться соблазну!

Все в девушках было необычным. Они были ближе, чем просто родные люди, и иногда окружающим казалось, что перед ними один человек. Однако глубоко в душе девушки сознавали, что между ними существуют немалые различия. Виктория была куда более дерзкой, озорной, лукавой и склонной к авантюрам. Огромный мир манил и тянул ее к себе куда сильнее, чем Оливию. Оливия была готова довольствоваться домом, семьей и послушно следовала традициям. Виктория же стремилась бороться за права женщин, считала, что брак — отживший варварский институт и женщина должна оставаться независимой.

Оливия считала прогрессивные идеи сестры безумством и капризами, но надеялась, что со временем она образумится. Существовали и другие политические движения, вдохновлявшие Викторию, религиозные идеалы, интеллектуальные теории. Оливия была куда более приземленной и не собиралась бросаться в битву за весьма туманные идеи. Границы ее бытия оставались довольно узкими. И все же, на взгляд постороннего, сестры были единым целым.

— Так где же ты научилась водить машину? — приступила к допросу Оливия, притопывая ногой, но Виктория лишь беспечно рассмеялась и отбросила окурок. Оливия всегда разыгрывала роль суровой старшей сестрицы. Она и в самом деле появилась на свет на одиннадцать минут раньше Виктории, но это навсегда определило их отношения. И в моменты грусти, когда между ними не оставалось недосказанного, Виктория признавалась, что чувствует себя убийцей матери.

— Ты вовсе не убивала ее, — решительно заявила Оливия много лет назад. — На все воля Божья.

— Ну уж нет! — взорвалась Виктория, вставшая на защиту Бога.

Миссис Пибоди пришла в ужас, узнав о предмете спора. Позже она объяснила девочкам, что роды — вещь неимоверно трудная и что рождение близнецов требует сверхчеловеческих усилий и не всегда удается; оно под силу только ангелам. Очевидно, их мать, истинный ангел, выполнив свое предназначение, вернулась на небо и оставила девочек на попечение любящего отца. В то время это заявление немного успокоило Викторию, но позже сознание вины вернулось, и Оливия всегда знала, что ощущает сестра, и никакие уверения Оливии в обратном не могли ничего изменить.

— И все же, кто тебя научил водить? — повторила вопрос Оливия.

— Сама научилась прошлой зимой, — беспечно пожала плечами Виктория.

— Сама? Но как?!

— Просто взяла ключи и попробовала. Сначала несколько раз стукнулась, но Петри вообразил, будто, когда оставил «форд» в городе, у обочины, на него налетел какой-то другой автомобиль.

Виктория, очевидно, была так довольна собой, что Оливия изо всех сил хмурилась, стараясь не рассмеяться. Только Виктория, прекрасно знавшая сестру, не поверила напускной мрачности.

— Перестань так смотреть на меня! Такие вещи чертовски полезно знать! Теперь я могу в любое время отвезти тебя в город!

— А по пути врезаться в дерево, — неуступчиво пробурчала Оливия. Какое дурацкое поведение! Сестра могла попасть в катастрофу, разъезжая по проселочным дорогам в машине, которой не умела управлять. Настоящее безумие! — Кстати, твое курение омерзительно!

Оливия давно знала о новых привычках сестры. Как-то она нашла пачку папирос в комоде и пришла в ужас, однако, когда упомянула об этом, Виктория только рассмеялась, пожала плечами, но ни в чем не призналась.

— Не будь такой старомодной, — добродушно заметила Виктория. — Живи мы в Лондоне или Париже, ты тоже закурила бы, как принято в обществе.

— Ничего подобного, Виктория Хендерсон, это просто отвратительно и не пристало леди, и ты это знаешь. Итак, где ты была?

Виктория довольно долго колебалась под неотступным взглядом сестры. Между ними почти не было секретов, и обе всегда инстинктивно чувствовали правду. Похоже, они просто умели читать мысли друг друга.

— Я жду, — неумолимо напомнила Оливия, и Виктория неожиданно показалась ей совсем маленькой девчонкой.

— Так и быть. Я ездила на собрание Национальной американской ассоциации женщин-суфражисток в Тарритауне. Элис Пол тоже была там, специально приехала, чтобы председательствовать на собрании и организовать новое отделение Ассоциации прямо здесь, на Гудзоне. Должна была прибыть сама президент НААЖС, Анна Говард Шоу, но не сумела.

— О, ради Бога, Виктория, что ты делаешь?! Отец с ума сойдет, если ты вIn вяжешься в какую-нибудь демонстрацию или попадешь под арест и ему придется вносить за тебя залог! — возмутилась Оливия, но Виктория казалась ничуть не обескураженной столь мрачной перспективой.

— За такое правое дело стоит пострадать, Олли. К тому же Элис была просто великолепна! Настоящая вдохновительница! Тебе тоже стоит послушать! Поедем в следующий раз?

— В следующий раз я привяжу тебя к кровати. И если снова стащишь машину ради такой глупости, велю Петри позвать полицию и все им расскажу.

— Не расскажешь. Лучше прыгай сюда. Довезу до гаража.

— Превосходно! Не хватало еще, чтобы ты и меня в неприятности втравила! Покорно благодарю, дорогая сестричка!

— Не будь такой занудой! Никто не догадается, которая из нас это сотворила!

Ну да, прекрасное прикрытие! Виктория вечно пользовалась их сходством, в отличие от Оливии, и поэтому наказание грозило ей крайне редко.

— Догадаются, если имеют хотя бы немного мозгов, — проворчала Оливия, осторожно усаживаясь на сиденье, и Виктория торжественно повела машину по ухабистой дороге под громкие жалобы сестры. Она предложила Оливии папиросу, и та хотела было разразиться очередной тирадой, но, осознав абсурдность ситуации, неожиданно расхохоталась. Нет, справиться с Викторией совершенно невозможно, и пытаться не стоит!

Наконец Виктория добралась до гаража и едва не сбила Петри. Тот уставился на девушек с открытым ртом, но они как ни в чем не бывало спустились на землю, торжественно поблагодарили мальчика, и Виктория даже извинилась за содранную краску.

— Но я думал... я... когда вы... то есть... мисс, спасибо... мисс Оливия... мисс Виктория... мисс.

Он никак не мог понять, как к ним обращаться и кто стащил машину, да впрочем, и не собирался выяснять. Слава Богу, «форд» на месте. Остается только подновить краску.

Сестры с видом величавого достоинства рука об руку поднялись на крыльцо, прикрыли за собой дверь и дружно рассмеялись.

— Ты просто ужасная, бессовестная девчонка, — выпалила Оливия, немного отдышавшись. — Бедняжка вообразил, что отец убьет его за пропажу! Когда-нибудь ты плохо кончишь, попомни мое слово!

— Я тоже так думаю, — с полнейшим равнодушием отмахнулась Виктория, сжимая руку сестры. — Но может быть, ты поменяешься со мной местами, чтобы я могла и подышать свежим воздухом, и побывать на собраниях. Неплохо звучит?

— Отвратительно! — фыркнула Оливия. — Больше я покрывать тебя не намерена.

Она строго погрозила пальцем, но любовь с новой силой захлестнула ее. Сестра всю жизнь была ее лучшим другом, второй половинкой души. Они обе были безмерно счастливы, когда оказывались рядом, пусть Виктория и имела странное свойство вечно удирать и попадать во всяческие передряги.

Девушки, смеясь, пересекали холл, когда дверь библиотеки открылась и вышли мужчины, все еще горячо обсуждавшие дела и планы. Сестры немедленно замолчали, и Оливия вновь воззрилась на Чарлза. Тот недоуменно уставился на сестер, очевидно смущенный и сбитый с толку. Он несколько раз перевел взгляд с одной сестры на другую, никак не в силах понять, каким образом в доме оказались две совершенно одинаковые женщины. Правда... правда, какое-то различие все же есть. Он пристально присмотрелся к Виктории, растрепанной и раскрасневшейся. Чувствовалось в ней нечто необычное... шокирующее... и хотя постороннему было трудно понять, насколько эта девушка выбивается из общепринятых представлений о благовоспитанных молодых леди, Чарлз отчетливо это ощущал.

— О Господи, — улыбаясь, воскликнул Эдвард Хендерсон, заметив недоумение Доусона. — Неужели я забыл вас предупредить?!

— Боюсь, именно так, сэр, — краснея, признался Чарлз и поспешно отвел глаза от Виктории. Девушки открыто забавлялись привычной картиной, но Доусону, очевидно, было не до смеха.

— Просто оптический обман, не стоит волноваться, — поддразнил Эдвард. Ему понравился Чарлз. Кажется, неплохой парень. Встреча прошла прекрасно! Чарлз дал немало полезных советов, как защитить его вложения и увеличить доходы.

— Должно быть, во всем виноват херес, — продолжал Эдвард, лукаво ухмыляясь, и Чарлз ответил неожиданно мальчишеской улыбкой. Ему исполнилось всего тридцать шесть, но за последние два года Чарлз забыл о веселье, и друзья утверждали, что он превратился в дряхлого старца. И вот теперь он на минуту позабыл о случившейся драме и пытался разгадать тайну девушек. И что всего загадочнее, обе двигались в унисон и, казалось, не сознавали, что каждый жест одной немедленно повторяется как в зеркале.

Они обменялись рукопожатиями с Чарлзом, и Эдвард представил сначала Оливию, а потом Викторию, и девушки, снова засмеявшись, объявили, что отец опять их перепутал.

— Эдвард часто такое проделывает? — осведомился Чарлз, наконец почувствовав себя как дома, хотя не вполне оправился от потрясения. Да и кто бы на его месте остался равнодушен?

— Постоянно, хотя мы не всегда поправляем его, — сообщила Виктория, встретившись с ним взглядом. Чарлз, похоже, был очарован ею, хотя и ощущал в девушке нечто необычное. От нее словно исходили неуловимые флюиды чувственности, которых не было в сестре.

— Когда обе были совсем маленькими, — объяснил Эдвард, — мы повязывали им банты разных цветов. Все шло хорошо, пока мы не обнаружили, что эти юные чудовища менялись бантиками, чтобы сбить нас с толку. Прошло несколько месяцев, прежде чем мы их разоблачили. В детстве они были просто невыносимы!

Он так и лучился гордостью и обожанием. Дочери были прощальным подарком жены, которую он любил всей душой и после смерти которой так и не посмотрел ни на одну женщину.

— Надеюсь, с тех пор их поведение улучшилось? — допытывался Чарлз, все еще не оправившийся от потрясения. Никто не позаботился предупредить его, что дочери Хендерсона — близнецы.

— К сожалению, не слишком, — пробурчал Эдвард. Заявление было встречено дружным смехом, и Хендерсон с упреком воззрился на дочерей, словно предостерегая от дальнейших вольностей. — Вам лучше поскорее исправиться, юные леди. Эти джентльмены утверждают, что мне необходимо отправиться по делам в Нью-Йорк на месяц-другой, и если вы обещаете на этот раз не устраивать переполоха в городе, так и быть, возьму вас с собой. Но при первой же проделке, — продолжал он, пытаясь различить, какая из дочерей Виктория, — вы живо очутитесь дома.

— Разумеется, сэр, — преспокойно улыбнулась Оливия, зная, что предупреждение ее не касается. Правда, отец, кажется, никак не может понять, к кому обращается, это видно по его лицу.

Но Виктория не собиралась давать никаких обещаний. Глаза ее загорелись при мысли о желанных переменах.

— Ты серьезно? — с восторгом вскричала она.

— Насчет того, чтобы отослать тебя назад? — вспыхнул отец. — Абсолютно.

— Нет, я о Нью-Йорке.

Она перевела взгляд с отца на улыбавшихся адвокатов.

— Кажется, да, — признался отец. — Возможно, мы пробудем там даже два месяца, если они будут продолжать лентяйничать и не пошевелятся как следует.

— О, пожалуйста, па, — умоляюще пробормотала Виктория и, захлопав в ладоши, сделала изящный пируэт. — Подумай, Олли, Нью-Йорк!

Она была вне себя от радости и волнения, и отец почувствовал себя виноватым за то, что держал дочерей в полной изоляции от окружающего мира. Девочки уже в таком возрасте, когда следует почаще встречаться с молодыми людьми, подыскивать женихов, но Эдвард ненавидел самую мысль о том, что придется расстаться с дочерьми, особенно с Оливией. Она стала ему настоящей опорой и столько делала для отца. Как он будет обходиться без нее? Они еще не успели уложить вещи, а Эдвард уже воображал себя покинутым и брошенным.

— Надеюсь, мы будем чаще видеться, Чарлз, когда приедем в город, — заметил он, пожимая поверенным руки на прощание.

Виктория по-прежнему болтала с Оливией о Нью-Йорке, не обращая внимания на мужчин. Оливия, в свою очередь, исподтишка наблюдала за Чарлзом. Тот заверил мистера Хендерсона, что займется его делами, если позволит Уотсон. Уотсон заверил, что именно так и будет, а Эдвард пригласил Чарлза заходить к ним домой без всяких церемоний. Чарлз вежливо поблагодарил его и, уже стоя на пороге, оглянулся и встретился глазами с Викторией. Он совсем не был уверен, что смотрит именно на нее, но почувствовал странный укол в сердце. Он при всем старании не смог бы объяснить, отчего ощущает притяжение именно этой сестры, а не той, хотя был очарован обеими. Он никогда в жизни не встречал столь изящных и элегантных созданий.

Эдвард проводил адвокатов к машине, и Оливия долго стояла у окна, глядя вслед отъезжающим, пока они не скрылись из виду. Несмотря на то что мысли Виктории были заняты предстоящей поездкой, она заметила задумчивость сестры.

— В чем дело? — осведомилась она.

— О чем ты? — в свою очередь спросила Оливия, мгновенно поворачиваясь, и направилась к дверям библиотеки, желая убедиться, что поднос унесли немедленно после совещания.

— Ты выглядишь ужасно серьезной, Олли, — покачала головой сестра. Они знали друг друга слишком хорошо, что иногда было просто опасно, а в некоторых случаях невероятно раздражало.

— Его жена погибла на «Титанике» в прошлом году. Папа говорит, что у Доусона остался маленький мальчик.

— Мне очень жаль, — равнодушно бросила Виктория, — но выглядит этот Доусон страшным занудой, не так ли? — В ее мыслях, занятых предстоящими развлечениями и суфражистскими собраниями, не было места новому знакомому. — Думаю, он невероятно скучен.

Оливия молча кивнула, не собираясь вступать в спор, и поскорее вошла в комнату, чтобы скрыться от сестры, а когда появилась снова, Виктория уже упорхнула переодеваться к обеду. Оливия приготовила для себя и для нее белые шелковые платья с аквамариновыми булавками, принадлежавшими матери. Она направилась на кухню, где уже хлопотала Берти.

— Ты хорошо себя чувствуешь? — встревожилась она, заметив необычайную бледность питомицы. День выдался жарким, а Оливия много ходила пешком.

— Прекрасно. Отец только сейчас сообщил, что мы едем в Нью-Йорк в начале сентября. Побудем там месяц или два, пока он уладит свои дела.

Женщины обменялись понимающими взглядами. Обе знали, что это означает. Придется как следует потрудиться, чтобы открыть городской дом.

— Встретимся завтра и наметим, что нужно сделать, — продолжала Оливия. — Отец и не подозревает, сколько хлопот предстоит.

— Ты хорошая девочка, — тихо заметила Берти, погладив девушку по щеке. «Интересно, чем она расстроена? Глаза уж очень грустные!»

До этого дня Оливия никогда не испытывала подобных чувств и сейчас была совершенно сбита с толку и безумно нервничала. Хуже всего, что Виктория вполне способна проникнуть в ее мысли!

— Ты так много делаешь для отца, — похвалила Берти.

Она так хорошо знала обеих девочек. И любила... вместе со всеми их достоинствами и недостатками. Обе милые и добрые, хоть иногда бывают и очень разными.

— Значит, договорились, — заключила Оливия и поднялась наверх переодеться. Нужно сделать вид, что все в порядке, иначе Виктория немедленно разоблачит ее. Между ними никогда не было секретов, они и не пытались ничего утаить друг от друга. Шагая к огромной комнате, которую они делили с сестрой, она перебирала в памяти самые банальные вещи.

Но как ни старалась Оливия, она не могла заставить себя забыть о *нем*. О темно-зеленых глазах-омутах, в которых отражалась душа человека, пережившего боль и муки.

Девушка на секунду опустила ресницы и решительно повернула ручку двери, уговаривая себя вернуться мыслями к новым простыням, которые, вероятно, понадобятся для Нью-Йорка.

И, вооружившись деланным безразличием, она ступила в спальню навстречу ожидавшей ее сестре.

Глава 2

В первую среду сентября Донован, шофер Хендерсонов, отвез Оливию и Викторию в Нью-Йорк. Они ехали в «кадиллаке-турер». За ними в «форде» следовали Петри и Берти.

Они взяли с собой великое множество необходимых вещей, включая сундуки с постельным бельем и платьями и всем, без чего, по мнению Оливии и Берти, было невозможно обойтись в приличном хозяйстве, так что пришлось отправить еще два авто. Виктории было совершенно все равно, что брать. Она сама упаковала два чемодана книг и газет и предоставила старшей сестре заботиться об одежде. Ей в самом деле было безразлично, что носить, и она полностью полагалась на вкус Оливии, которая просматривала все модные парижские журналы. Сама она предпочитала политические статьи, особенно написанные суфражистками.

Однако Оливия была серьезно озабочена состоянием дома на Пятой авеню, в котором два последних года никто не жил, а еще пять лет перед этим хозяева навещали лишь время от времени. Когда-то он был очень уютным и гостеприимным, но теперь казался совершенно необитаемым. Отец возненавидел его после смерти жены, но ведь тут родились Оливия и Виктория, а когда-то и сам Эдвард был безгранично счастлив в этом доме с Элизабет.

Немного оглядевшись, Оливия повела вооруженного разводным ключом Донована в ванные комнаты, где предоставила ему полную свободу действий во всем, что касалось сантехники, а сама попросила Петри отвезти ее на цветочный рынок на перекрестке Шестой авеню и Двадцать восьмой улицы, откуда вернулась час спустя с корзинами прелестных астр и душистых лилий. Через два дня приедет отец, так пусть к его прибытию дом наполнится любимыми цветами!

Чехлы с мебели сняли, комнаты проветрили, постели разостлали, матрасы перевернули, а ковры выбили. Для этого потребовалась целая армия слуг, но на следующий день Берти и Оливия, сидя за чаем, с гордостью обозревали результаты своих усилий. Люстры сверкали, мебель переставили так, что многие комнаты было не узнать, и Оливия велела раздвинуть шторы, чтобы сквозь окна проникало как можно больше света.

— Твой отец будет весьма доволен, — заметила Берти, наливая себе вторую чашку.

Оливия мысленно велела себе не забыть насчет театральных билетов. В афишах объявлялось сразу о нескольких премьерах, и сестры поклялись увидеть все до возвращения в Кротон. Кстати, а где же Виктория? Оливия не видела сестру с самого утра; правда, та предупредила что собирается зайти в юридическую библиотеку Колумбийского университета и Метрополитен-музей. Концы были немалыми, и Оливия предложила воспользоваться услугами Петри. Но Виктория отказалась, заявив, что предпочитает конку. Уж эта Виктория и ее любовь к приключениям! Но ей давно бы пора вернуться.

Неприятно сосущее чувство тревоги не давало покоя Оливии.

— Думаешь, отец не станет возражать, что мы передвинули всю мебель? — рассеянно спросила она, надеясь, что Берти не заметит ее растущего беспокойства.

Спина нестерпимо ныла, но Оливия больше ни на что не обращала внимания, пораженная растущей уверенностью в том, что сестра попала в беду. Инстинкт никогда не обманывал сестер, словно некий внутренний голос предупреждал, когда у кого-то из них были неприятности или случалась болезнь. На этот раз Оливия была не вполне уверена, в чем заключается предостережение, но понимала, что получила нечто вроде сигнала.

— Да твой отец будет на седьмом небе, увидев, как преобразился дом, — заверила Берти, очевидно, не обращая внимания на возрастающую нервозность Оливии. — Ты, должно быть, устала.

— Еще как, — призналась девушка.

Такая слабость была не в ее характере, но сейчас ей не терпелось подняться к себе и хорошенько все обдумать. Было уже четыре часа дня, а Виктория ушла из дома в начале десятого. Впавшая в панику Оливия нещадно упрекала себя за то, что не догадалась послать кого-нибудь с сестрой. Здесь не Кротон! Виктория молода, хорошо одета и не привыкла к жизни в большом городе. Что, если на нее напали или похитили? Нет, это просто невыносимо!

Оливия металась по комнате, пытаясь сообразить, что делать. От невеселых мыслей ее отвлек телефонный звонок. Она отчего-то сразу же поняла, что он каким-то образом касается сестры, и тотчас вылетела в холл второго этажа, где стоял единственный телефонный аппарат. Нужно успеть первой взять трубку!

30

— Алло, — задыхаясь, пробормотала она, в полной уверенности, что услышит голос Виктории, но тут же разочарованно поморщилась, когда ответил мужчина. Должно быть, не туда попали.

— Это резиденция Хендерсонов? — осведомился неизвестный с ирландским акцентом.

Оливия нахмурилась. Они никого не знали в Нью-Йорке. Непонятно, кому известен их номер?!

— Да. С кем имею честь? — в свою очередь спросила она, чувствуя, как дрожит рука.

— Это мисс Хендерсон? — настаивал мужчина.

Оливия невольно кивнула:

— Да, а вы кто?

— Это сержант О'Шоннесси, из пятого полицейского участка.

Оливия в ужасе прикрыла глаза, предчувствуя недоброе.

— Я... с ней все в порядке? — выдохнула она.

«А если Виктория ранена? — пронеслось у нее в голове. — Сбита лошадью... Ограблена... лежит под колесами экипажа... или машины...» Оливия больше не могла вынести неизвестности.

— Не волнуйтесь, — отозвался сержант с некоторым раздражением. — Она у нас... э-э... вместе с группой молодых леди... и мы... то есть, судя по ее виду... лейтенант решил, что она... э-э... ей не место здесь. Остальные... э-э... молодые дамы проведут ночь в участке. Откровенно говоря, мисс Хендерсон, их арестовали за участие в запрещенной демонстрации. Если будете так добры немедленно приехать за сестрой, мы отошлем ее домой без составления протокола и все уладится как нельзя лучше. Но я советовал бы вам обязательно взять кого-то с собой.

Оливия машинально тряхнула головой, стараясь собраться с мыслями. Не стоит, чтобы Петри и Донован знали о задержании Виктории, иначе дойдет до отца и тогда...

— Но что она натворила? — пробормотала девушка, преисполненная благодарности за то, что полицейские решили отпустить сестру.

— Участвовала в демонстрации, вместе с остальными. Но она еще очень юна, глупа и призналась, что только вчера приехала. Вам лучше немедленно вернуться туда, где вы постоянно живете, прежде чем она снова попадет в беду из-за этой чертовой ассоциации суфражисток, с которыми водится. Не представляете, что ваша сестра вытворяет! Она запретила звонить вам. Хочет, чтобы ее тоже арестовали, — весело сообщил сержант, и Оливия в ужасе охнула:

— Господи, прошу вас, не слушайте ее! Я немедленно приеду.

— Только не одна, а со спутником.

— Пожалуйста, не арестовывайте ее, — еще раз попросила Оливия.

У полицейских не было ни малейшего намерения навлечь на свои головы скандал. С первого взгляда было легко определить, что мисс Хендерсон принадлежит к высшему обществу: достаточно было взглянуть на ее туфли и шляпку, пусть и самые «простые». Не хватало еще связаться с избалованной доченькой какого-то аристократа! Начальнику участка не терпелось поскорее сбыть Викторию с рук.

Но Оливия не представляла, с чего начать и к кому обратиться. В отличие от сестры она не умела водить машину и не хотела впутывать слуг. Она боялась посвящать в эту историю даже Берти! «Придется взять кеб», — решила Оливия. Поверить невозможно, что Виктория способна на такое! Да еще потребовала ее арестовать! Совершенно спятила!

Оливия пообещала себе, что устроит сестре грандиозную выволочку, как только доберется до участка, но сначала нужно ее вызволить! Беда в том, что Оливия почти не знала города и, главное, ей не с кем даже посоветоваться! Сержант прав, одной выходить нельзя. И как это ни ненавистно, придется действовать, и поскорее. Иного выбора нет.

Девушка медленно подняла трубку и продиктовала телефонистке знакомый номер. К сожалению, ничего не поделаешь, даже Джон Уотсон, которого она знала с детства, может проговориться отцу. Секретарь ответила немедленно и попросила подождать. Она была само внимание и вежливость, едва Оливия неохотно назвала свою фамилию. Но было уже половина пятого, и девушка боялась, что Чарлз Доусон ушел. Однако к ее облегчению, в трубке раздался низкий спокойный голос.

— Мисс Хендерсон? — с легким удивлением осведомился он, и Оливия, заставив себя говорить громче, извинилась за беспокойство. — Ничего страшного. Я рад, что вы позвонили.

Он сразу понял, что случилась неприятность, и от всей души надеялся, что ее звонок никак не связан с Эдвардом. Слишком хорошо Чарлз знал, как внезапны и беспощадны удары судьбы, и с бесконечной добротой попытался осторожно выведать, что произошло. Оливия едва сдерживала слезы, не зная, что ответить. Она пыталась не думать о позоре, который навлекла на них Виктория, однако готова была кричать от унижения и страха при мысли о сестре, запертой за железной решеткой.

— Я... я боюсь... мне необходима ваша помощь, мистер Доусон... Но вы должны обещать, что сохраните все в тайне.

Чарлз понял, что девушка сейчас впадет в истерику.

— Что же все-таки стряслось?

— Моя сестра... я... не могли бы вы немедленно приехать?

— Сейчас?

Он и без того был вынужден прервать важное совещание, и никак не мог взять в толк причину такой спешки.

— Это срочно?

— Крайне! — с отчаянием выпалила девушка, и Чарлз глянул на часы.

— Немедленно, говорите?

Слезы так душили Оливию, что она не могла говорить, а когда вновь обрела дар речи, Чарлз сразу понял, что она плачет.

— Мне ужасно стыдно... простите... но ваша помощь... Виктория сотворила страшную глупость.

Чарлзу мгновенно пришло в голову, что Виктория сбежала из дома с поклонником. Она, разумеется, не ранена, иначе Оливия позвонила бы не адвокату, а доктору. Однако гадать не имело смысла. Чарлз взял кеб и через четверть часа постучал в двери дома. Петри провел его в нижнюю гостиную, где уже ждала Оливия. Берти хлопотала по дому и, к счастью, ничего не слышала.

Едва Доусон вошел, Оливия вновь почувствовала магическую силу зеленых глаз.

33

— Спасибо, что не задержались, — пробормотала она и, быстро надев шляпку, схватила сумочку.

— Мы должны действовать как можно быстрее.

— Но в чем дело? И где ваша сестра, мисс Хендерсон? Она сбежала?

Его крайне нервировали все эти тайны и недомолвки. В конце концов, он готов сделать все возможное, если поймет, чего от него хотят.

Оливия выпрямилась и смущенно уставилась на адвоката. Она немало вынесла от сестры, но ничего подобного и представить не могла. Не дай Бог, об этом узнают посторонние. Они ни за что не поймут, как невинна Виктория и как безобидны ее проделки! Подумать только, Оливия даже не может поменяться с ней местами! Все равно это ничего не решит. Впервые в жизни она остро ощущала собственную беспомощность.

— Виктория в пятом полицейском участке, мистер Доусон, — едва выговорила она. — Мне только что звонили. Она задержана, но мне пообещали, что ее не арестуют, если мы сейчас же приедем.

Если, конечно, Виктория не довела полицейских до того, что ее увезли в тюрьму еще до появления родственников.

— Боже милостивый! — охнул Чарлз и без дальнейших слов последовал за Оливией. К счастью, им попалось одно из пока еще немногочисленных такси. Чарлз помог Оливии сесть, и она только сейчас сообразила, что не переоделась и осталась в простом сером платье, хотя успела выбрать очень модную черную шляпу. Такую же, как у Виктории. Они всегда надевали одинаковые вещи, и с этим уже ничего не поделаешь. Кстати, нужно все объяснить адвокату, он, должно быть, окончательно сбит с толку.

— Виктория без ума от этих глупых суфражисток и людей, которые стоят во главе движения.

Она рассказала о демонстрации в Вашингтоне, прошедшей пять месяцев назад, об аресте семейки Панкхерст в Англии.

— Эти дамы считают преследования со стороны правительства некой формой награды, и Виктория, кажется, решила поучаствовать в такой демонстрации и была задержана

34

вместе со всеми. Сержант, который мне звонил, утверждает, что она сама просила ее арестовать!

Чарлз попытался скрыть усмешку, и Оливия неожиданно поняла, что улыбается в ответ. Собственный рассказ показался ей невероятно идиотским, а Виктория — просто дурочкой.

— Ну и девушка! Она всегда вытворяет такие штуки, пока вы скромно занимаетесь домом?

Оливия объяснила, что была занята с утра и не обратила внимания на отсутствие Виктории. К сожалению, она слишком серьезно относилась к роли старшей сестры, хотя между ними было всего одиннадцать минут разницы.

— Она украла одну из машин отца, чтобы попасть на очередное собрание, в тот самый день, когда вы приезжали в Кротон.

И несмотря на тревогу, оба громко расхохотались.

— Что ж, по крайней мере с ней не соскучишься, — спокойно заметил Чарлз. — Представьте, какие дети у нее будут! Гроза вселенной!

Однако веселье их несколько улеглось, когда такси подъехало к зданию участка. Район был до ужаса убогим: бедно одетые люди сидели на ступеньках соседних домов, а на улицах валялся самый разнообразный мусор. Выходя из машины, Оливия заметила жирную крысу, юркнувшую в сточную канаву, и инстинктивно прижалась к своему спутнику.

В участке царила суматоха. По углам слонялись пьяные, полисмен подталкивал в спины двух мелких воришек в наручниках, а из отделенной решеткой камеры три проститутки орали на дежурного сержанта. Чарлз робко глянул на Оливию, опасаясь, что та лишится сознания. Но девушка держалась прекрасно. Казалось, ее совершенно не задевают реплики пьяниц и шлюх. Хотя, скорее, она просто делала вид, что ничего не замечает.

— С вами все в порядке? — едва слышно осведомился он, беря ее под руку и невольно восхищаясь мужеством этой светской девушки, так стойко выносившей злобные нападки размалеванных девиц.

— В полном, — прошептала она, почти не поднимая глаз, — но готова прикончить ее, когда мы выберемся отсюда.

Покачав головой, Чарлз подошел к сержанту. Тот поднялся из-за стола и повел их к запертой комнате, где под присмотром надзирательницы на единственном стуле сидела Виктория с чашкой чаю в руках. Завидев их, девушка раздраженно фыркнула и поднялась, очевидно, вовсе не обрадованная появлением спасителей.

— Это ты во всем виновата! — набросилась она на сестру, не обращая внимания на Доусона.

Он снова испытал необычное странное ощущение, глядя на этих совершенно одинаковых девушек, если не считать того, что шляпа Виктории была лихо заломлена. Чарлз, словно зачарованный, не спускал с них глаз.

— В чем моя вина? — взорвалась Оливия, вне себя от гнева.

— Из-за тебя меня не хотят арестовать! — прошипела она с такой же злостью.

— Ты помешанная, Виктория Хендерсон! — взвилась Оливия. — И заслуживаешь, чтобы тебя посадили под замок, но только не здесь, а в сумасшедшем доме! Неужели ты не понимаешь, какой скандал разразится, если тебя арестуют?! И что тогда будет с отцом? Ты когда-нибудь думаешь о ком-то, кроме себя самой, Виктория? Или тебе такое в голову не приходит?

Сержант и надзирательница обменялись улыбками. Вряд ли что-то можно было добавить к этой отповеди, и Чарлз потихоньку договорился с ними об освобождении задержанной. Ничего особенного не произошло, и власти были готовы посмотреть сквозь пальцы на капризы знатной дамы. Сержант посоветовал впредь получше следить за девушкой и спросил Чарлза, уж не его ли это сестры.

Доусон был удивлен таким предположением и польщен тем, что Оливия именно ему позвонила в трудную минуту. Слава Богу, что догадалась! Приезжать сюда одной не только глупо, но и опасно. Он так и не отпустил такси и, прервав горячий спор сестер, предложил продолжить беседу в машине. На минуту ему показалось, что Виктория откажется уходить. Но ничего другого ей не оставалось. Полицейским не терпелось от нее избавиться, и первое возбуждение прошло. Но Оливия не переставала упрекать сестру, и Чарлз был вынужден вмешаться. Подсадив девушек в авто, он сел между ними.

— Леди, осмелюсь предложить вам заключить перемирие и забыть сей неприятный инцидент. Ничего особенного пока не произошло, так что кто старое помянет... Оливия, простите сестру за опрометчивость, а вы, Виктория, постарайтесь впредь держаться подальше от демонстрантов, иначе попадете в тюрьму, а там, поверьте, не сладко.

— Зато куда честнее сидеть вместе со всеми в камере, чем сначала притворяться одной из них, а потом при первой трудности спасовать и бежать к папочке! — раздраженно буркнула Виктория, все еще возмущенная поступком сестры. Только такой дурак, как Чарлз, способен по первому зову ринуться на «спасение» незнакомой девушки, думала она. Нужно предупредить его, чтобы не совался в чужие дела!

— Подумай, что бы сталось с отцом, узнай он обо всем? — снова не выдержала Оливия. — Кто тебе дороже — он или идиотские суфражистки и право голоса для женщин? Почему ты хоть раз в жизни не способна вести себя прилично, вместо того чтобы надеяться на то, что тебя кто-то вытащит из очередного переплета?

Оливия дрожащими руками натянула перчатки, и Чарлз восхищенно вздохнул. Одна — столь сдержанная, умелая, мастерица на все руки; другая — сорвиголова, горячая и несдержанная. Чем-то Виктория напоминала ему покойную жену, Сьюзен, всегда готовую встать на защиту новых идей и движений. И все же были в ней и спокойствие, и покорность, о которых он мечтал долгими одинокими ночами. Мечтал, хотя и пытался думать лишь о сыне. Теперь нужно постоянно помнить о Джеффри, а не о погибшей Сьюзен. Однако Чарлз, как ни старался, не мог забыть ее. Не мог и не хотел. Но эта буйная дикарка, в сбившейся набок черной соломенной шляпе, с пылающими синими глазами, интриговала его куда больше ее строгой, спокойной сестры.

— Мне хотелось бы подчеркнуть, — холодно заметила Виктория, когда машина остановилась перед домом, — что я никому из вас не звонила и не просила о спасении.

Чарлз невольно улыбнулся. Настоящий капризный, балованный ребенок, которого нужно либо отослать в комнату без ужина, либо хорошенько пожурить. И к тому же ничуть не раскаивается и отнюдь не благодарна ему за выручку.

— Возможно, следует отвезти вас обратно, — предложил Чарлз и получил в награду негодующий взгляд Виктории. Выйдя из машины, она величественно поплыла к крыльцу и, не успев войти, швырнула шляпу на стол.

— Спасибо, Чарлз, — смущенно пролепетала Оливия. — Не знаю, что бы я без вас делала.

— Готов прийти на зов в любую минуту, — улыбнулся он, и Оливия выразительно закатила глаза.

— Надеюсь, не придется.

— Постарайтесь держать ее на поводке, пока не приедет Эдвард, — прошептал Доусон. Она поистине нераскаявшаяся преступница, и в этом есть определенное очарование, если, конечно, наблюдать за всеми ее эскападами с безопасного расстояния.

— Слава Богу, отец завтра будет, — вздохнула Оливия, встревоженно взирая на Чарлза. Оставалось надеяться, что он не предаст ее доверия. — Пожалуйста, ничего ему не говорите, он ужасно расстроится.

— Ни слова. Обещаю.

Но сейчас, когда все было кончено, юмор случившегося дошел до него.

— Когда-нибудь вы посмеетесь над этим, даю слово. Вот станете бабушками и будете вспоминать, как одну из вас едва не засадили в кутузку.

Оливия улыбнулась, а Виктория, сухо поблагодарив Чарлза, ушла переодеваться к ужину. Оливия спросила, не хочет ли Чарлз присоединиться к ним. Это было самое меньшее, что она могла сделать после того, как он столько времени потратил на них.

— К сожалению, мне нужно спешить, но все равно спасибо, — смутился Чарлз. — Я стараюсь проводить вечера с сыном. К сожалению, очень мало с ним бываю...

— Сколько ему? — поинтересовалась Оливия.

— Всего девять.

Значит, было восемь, когда его мать умерла... когда он видел ее в последний раз, прежде чем сесть в шлюпку.

Мысль об этом заставила Оливию вздрогнуть.

— Надеюсь когда-нибудь с ним познакомиться, — искренне выпалила она, и Чарлз нерешительно кивнул, но тут же удивил ее, откровенно признавшись:

— Нам обоим очень тяжело без его матери.

Он и сам поразился собственной прямоте, но в Оливии было нечто, располагавшее к откровенности, тогда как ее сестра вызывала лишь желание хорошенько ее отшлепать.

— Представляю... ведь я никогда не видела свою. Зато мы с Викторией всегда вместе.

Ее огромные глаза, казалось, смотрели ему в душу, и сердце Чарлза перевернулось.

— Должно быть, это необыкновенно: иметь человека, который так тебе близок, — задумчиво заметил он. — Вы словно две половинки целого.

— Иногда мне кажется, что это именно так и есть, — призналась Оливия, — а временами мы далеки друг от друга, как два полюса. По-своему мы очень разные — и в то же время невероятно похожи.

— Разве вас не смущает, что люди постоянно вас путают? Иногда это очень действует на нервы, — выпалил Чарлз, сообразив, что, возможно, не имеет права задавать подобные вопросы.

— К этому привыкаешь. Мы всегда считали, что это ужасно забавно. Кроме того, тут все равно ничего не поделаешь.

Как легко говорить с ним, да и он, кажется, вполне освоился.

Оливия из тех женщин, с которыми можно дружить. Однако именно Виктория околдовала его, и в ее присутствии он чувствовал себя неуклюжим мальчишкой-школьником. Он не умел различать их, и все же какая-то глубинная интуиция безошибочно предсказывала ему появление этой необыкновенной девушки и что-то в ней трогало его сердце. Но в присутствии Оливии, с ее мягкостью и добротой, он чувствовал себя уверенно и спокойно, как со старым приятелем или любящей младшей сестренкой.

Чарлз ушел несколько минут спустя, и Оливия, закрыв дверь, поднялась наверх, готовая к нелегкому разговору с Викторией.

Та сидела в своей комнате, угрюмо уставясь в окно и думая о том, как глупо себя чувствовала, когда сержант отделил ее от других.

— Как я теперь покажусь им на глаза? — пробормотала она с несчастным видом.

— Прежде всего ты вообще не имела права быть там, — вздохнула Оливия, присаживаясь на постель. — Так дальше не пойдет, Виктория. Ты не имеешь права делать все, что тебе взбредет в голову, не думая о последствиях. Можешь пострадать не только ты, но и близкие тебе люди, а мне не хотелось бы, чтобы это произошло.

Виктория медленно повернулась, и Оливия заметила, как неестественно ярко блестят ее глаза.

— А что, если я сумею помочь людям, а не только причинить им вред? Разве не умирали борцы за идею во имя грядущей справедливости? Понимаю, я кажусь тебе безумной, но иногда мне кажется, что я готова на смерть!

Хуже всего, что Виктория не притворялась, в глубине души Оливия это понимала. В сестре горело постоянное неугасимое пламя, вечный факел готовности к борьбе — свойство, присущее несгибаемым борцам за идеалы. Она готова либо сгореть, либо идти за своим кумиром на край света.

— Ты пугаешь меня, когда говоришь подобные вещи, — тихо призналась Оливия, и Виктория крепко сжала руку сестры.

— Я не хотела, Олли, просто измениться не могу. Я совсем другая, не такая, как ты. Странно, почему мы такие разные в душе!

— Разные и одинаковые, — возразила Оливия, которой тоже хотелось бы разгадать их общую тайну.

— Прости, я не думала, что так расстрою тебя, — обронила Виктория, хотя не раскаивалась в том, что натворила. Просто слишком любила сестру, чтобы причинять ей боль.

— Я так и знала: что-то неладно. Почувствовала.

Оливия коснулась груди, и Виктория кивнула. Им обеим было знакомо это ощущение.

— Когда именно? — с интересом спросила она. Эта телепатия всегда интриговала ее.

— В два, — сообщила Оливия, и Виктория кивнула. Обе они уже привыкли к такому феномену, инстинкту, который всегда подсказывал одной, когда другая попадала в беду.

— Почти так. Именно тогда они схватили нас и потащили в участок.

— Должно быть, очаровательное было зрелище, — неодобрительно буркнула Оливия, но Виктория только расхохоталась.

— Собственно говоря, мне это показалось ужасно забавным. Полицейские были исполнены решимости арестовать всех, и ни одна женщина не пожелала остаться в стороне.

Виктория снова засмеялась, а Оливия застонала, вспомнив звонок сержанта.

— Я рада, что ты на свободе, — твердо объявила она.

— Почему ты обратилась к Доусону? — осведомилась Виктория и поглядела в глаза сестры, доискиваясь правдивых ответов. Они многое понимали без слов, и часто уверения и пространные пояснения оказывались ни к чему.

— Просто не сообразила, кого еще можно попросить о помощи. Не хотела впутывать Донована или Петри, а полицейский предупредил меня, чтобы не приезжала одна.

— Ничего страшного, если бы и приехала. Он тебе не нужен! Такое ничтожество!

Виктория небрежно отмахнулась, словно отметая столь незначительный предмет, как Чарлз Доусон. Для нее он и в самом деле был никем. Она не видела в нем тех достоинств, какие отмечала Оливия.

— Он вовсе не ничтожество, — запротестовала та.

Она видела, как он подавлен, как угнетен, раздавлен ударами судьбы, и отчаянно сострадала этому человеку. Не жалела, а именно сочувствовала. Чарлз понравился ей с первого взгляда. Она безошибочно угадывала, каким прекрасным человеком он был когда-то, до того как случилась беда, и была уверена, что, если на пути ему встретится добрая, любящая, готовая к самопожертвованию женщина, он обязательно распрямится и станет прежним Чарлзом Доусоном.

— У него душа ранена, — объяснила она сестре.

— Оставь эту сентиментальную чушь, — хмыкнула Виктория, не питавшая ни малейшего сочувствия к тем, кого постигли несчастья.

— Это несправедливо. Он примчался, бросив все дела, лишь затем, чтобы тебе помочь.

— Наш отец, вероятно, один из самых выгодных его клиентов.

— Виктория, не смей говорить гадости! Я не вдавалась в подробности по телефону, и он вполне мог бы отговориться занятостью.

— Возможно, ты ему понравилась, — лукаво, хотя и без особого интереса заметила Виктория.

— Или ты, — возразила Оливия.

— А что, если он даже не различает нас?

— Это еще не значит, что он плохой человек. Отец тоже до сих пор ошибается. Да и остальные, если не считать Берти.

— Наверное, она единственная, кому мы небезразличны, — безжалостно бросила Виктория.

— Ну почему ты иногда бываешь такой злюкой? — тяжело вздохнула Оливия. Она терпеть не могла, когда сестра приходила в такое настроение. Иногда Виктория бывала такой бесчувственной!

— Ничего не поделать, такая уж я уродилась, — без всяких угрызений совести сообщила Виктория. — Мне самой иногда тяжело. Но видишь ли, я слишком многого ожидаю от окружающих, да и от жизни. Не желаю до скончания века вести дом да ездить по балам и театрам!

Оливия потрясенно молчала. Сейчас сестра казалась непривычно серьезной, словно повзрослела на глазах.

— А я думала, ты ждешь не дождешься, когда мы приедем в Нью-Йорк. Сама вечно жаловалась на скуку в Кротоне.

— Верно, и мне здесь нравится, но я не собираюсь ограничиваться исключительно светской жизнью. Подумай, сколько всего на свете интересного, кроме раутов и приемов! Хочу, чтобы меня считали самостоятельной, мыслящей личностью, а не просто дочерью Эдварда Хендерсона! — гордо вскинув голову, заключила Виктория.

— В твоих устах это звучит так благородно! — улыбнулась Оливия.

Виктория вечно носилась с очередной грандиозной идеей, хотя, насколько понимала Оливия, оставалась при этом неизменно искренней. И все же она была еще совсем ребенком, да еще и крайне избалованным. Мечтала о развлечениях, вечеринках и в то же время вполне серьезно рассуждала о битвах за идеалы и борьбе с несправедливостью. Словом, сама не знала, чего добивается, но иногда Оливия ощущала, что когда-нибудь Виктория выполнит свое предназначение.

— А как насчет замужества? — тихо спросила Оливия.

Она сама частенько подумывала о будущем, но как-то неопределенно, откладывая все планы на потом. Трудно помыслить, что она сможет покинуть отца. Слишком сильно он в ней нуждался.

— Вот еще! Не желаю никому принадлежать, как будто я стол или кресло! «Это моя жена», подумать только! Все равно что похвастаться породистой собакой или кошкой! Противно быть чьей-то собственностью!

— Ты слишком много времени проводишь с этими истеричками, — проворчала Оливия.

Сама она терпеть не могла суфражисток, и не соглашалась с их требованиями, если не считать больного вопроса о праве голоса. Но их идеи о свободе и независимости противоречили жизненным принципам Оливии, выше всего ценившей спокойствие и уют дома, почтение к отцу и уважение к будущему мужу. Анархия, которую проповедовали сторонницы женских прав, — не для нее. Виктория, со своей стороны, не стеснялась курить, брать без спросу отцовскую машину, бегать на демонстрации и даже рисковать арестом за то, во что верила, но при этом горячо любила отца, и Оливия отчего-то не сомневалась, что если сестра встретит мужчину своей мечты, то безоглядно пойдет за ним хоть на край света. Страсть, пылающая в ней, постоянно подталкивала Викторию на безрассудные поступки. Как она может говорить, что не собирается принадлежать никому и не станет ничьей женой? Такого просто быть не может!

— Я не шучу, — спокойно подтвердила Виктория. — И все решила давным-давно. Никогда не выйду замуж!

В этот момент она выглядела неотразимо прекрасной, и Оливия молча улыбнулась, не поверив сестре.

— «Давным-давно» — это когда именно? На сегодняшнем собрании суфражисток или на том, что было на прошлой неделе? По-моему, ты сама не понимаешь, что несешь.

— Не волнуйся, понимаю. И в жизни не стану ничьей женой, — убежденно объявила Виктория. — По-моему, семейная жизнь не для меня.

— Откуда тебе знать? Или таким образом пытаешься сообщить, что останешься старой девой и будешь заботиться об отце?

Оливия холодно усмехнулась. Сама идея показалась ей смехотворной! Уж скорее это ее судьба! Они знали, что у Виктории просто не хватит ни сил, ни умения. Неужели Виктория искренне верит, что будет счастлива в отцовском доме?

— Я этого не говорила. Но когда стану старше, возможно, переберусь в Европу. Думаю, мне понравится Англия.

Еще бы! Движение за права женщин зародилось именно там, хотя к суфражисткам в Англии относятся не лучше, чем в Америке. За последние несколько месяцев там были арестованы и осуждены несколько известных суфражисток. Но сказанное Викторией звучало настолько странно, чуждо нормальному восприятию, что Оливия еще острее ощутила пропасть между собой и сестрой.

— Тебе следовало бы выйти замуж за Чарлза Доусона, — поддразнила Виктория, когда девушки одевались к ужину, — раз уж считаешь его таким милым.

Она подтянула молнию на платье Оливии и повернулась спиной к сестре, в свою очередь ожидая такой же услуги. Это новое изобретение только вошло в моду и, уж конечно, было куда удобнее бесконечного ряда пуговок, управляться с которыми было настоящей мукой.

— Глупости! — раздраженно пробормотала Оливия. — Я видела его два раза в жизни.

— Но он тебе нравится, и не вздумай отрицать. Я точно знаю.

— Нравится, и что из этого? Он умен, приятный собеседник и всегда готов прийти на помощь, когда моей сестрице грозит тюрьма. Может, если у тебя войдет в привычку проводить время в полицейском участке, мне в самом деле стоит выйти за него или на худой конец самой стать адвокатом.

— Последняя перспектива куда привлекательнее, — решила Виктория.

К тому времени, когда настала пора спускаться вниз, сестры успели помириться и Оливия почти простила Викторию за бурный день, хотя заставила поклясться, что та будет держаться в стороне от демонстраций во время пребывания в Нью-Йорке. Ей и в самом деле не хотелось непрерывно вызволять Викторию из беды. Та неохотно согласилась, и выкурила папиросу в ванной, пока Оливия причесывалась и читала ей наставления о том, как отвратительно выглядит курящая дама. Но Виктория засмеялась и заявила, что она становится все больше похожа на Берти.

— Если Берти когда-нибудь узнает, что ты куришь, она просто тебя убьет! — вспылила Оливия, хотя должна была втайне признать, что Виктория, сидевшая на краю огромной ванны, выглядит невероятно привлекательной в одном из купленных Оливией платьев, ярко-красном, чуть короче, чем обычно, сшитом по последней моде, которое очень ей шло.

— Мне ужасно оно нравится, — похвалила Виктория, когда они шли по лестнице, обняв друг друга за талии. — Впрочем, как все наряды, которые ты выбираешь. Кто знает, возможно, я проживу всю жизнь рядом с тобой и забуду о Европе.

— Я бы не возражала, — мягко ответила Оливия, которой стало грустно при мысли об их, пусть и отдаленной, разлуке. Она не позволяла себе думать о замужестве, потому что не могла покинуть отца и сестру. Все равно что оставить часть себя самой, ведь без них она ничто. — Не представляю, как это мы вдруг расстанемся, — вздохнула она, глядя в знакомое до мельчайших черточек лицо. Ее собственное отражение. — Никак не представляю.

Виктория улыбнулась и нежно поцеловала сестру в щеку.

— Тебе и не придется, Олли. Вряд ли я отважусь куда-то отправиться без тебя. Это все моя глупая болтовня, — уверила она, чувствуя, что расстроила сестру своими разговорами о Европе. — Останусь дома и, когда потребуется передышка, впутаюсь в очередную схватку с полицией.

— Попробуй только, — погрозила пальцем та, но тут же замолчала при виде Берти в черном шелковом костюме, собственноручно скопированном Оливией из французского журнала. Костюм выглядел на редкость хорошо, и Берти надевала его каждый раз, когда ужинала вместе с хозяевами, что считала большой честью.

— Интересно, где ты была весь день, Виктория? — осведомилась она, как только все расселись. Девушки как по команде отвели глаза и принялись развертывать салфетки.

— В музее. Там открыли великолепную выставку Тернера из Лондонской национальной галереи.

— Неужели? — удивилась Берти, широко раскрыв глаза и притворяясь, что верит воспитаннице. — Нужно бы и мне посмотреть, пока мы еще здесь.

— Обязательно, — горячо поддержала Виктория.

Оливия молча рассматривала потолочную роспись, пытаясь представить, как все было при жизни матери и кто из дочерей больше похож на нее. Они с Викторией часто размышляли над этим, но знали, что отец не любил обсуждать свою семейную жизнь. Даже после стольких лет рана так и не зажила.

— Хорошо, что ваш отец завтра приезжает, верно, девочки? — восторженно вопросила Берти, когда ужин подходил к концу и им подали кофе.

— Верно, — согласилась Оливия, думая о цветах, которые велела поставить в отцовскую спальню. Виктория, со своей стороны, гадала, сильно ли разозлится сестра, если она улизнет еще на одну демонстрацию, о которой слышала по пути в участок. И даже пообещала прийти!

Но в этот момент Оливия строго воззрилась на нее и покачала головой, словно поняла, о чем думает сестра. Такое случалось довольно часто, хотя обе не понимали, каким именно образом это происходит. Девушки будто бы слышали мысли друг друга, прежде чем они облекались в слова.

— Не смей, — прошептала Оливия за спиной Берти, когда они поднялись из-за стола.

— Не имею ни малейшего понятия, о чем ты, — чопорно поджала губы Виктория.

— В следующий раз брошу тебя на произвол судьбы и объясняйся с отцом сама.

— Сомневаюсь, — хихикнула Виктория, перекидывая через плечо длинные волосы. Она и в самом деле почти никогда и ничего не боялась. Даже угроза тюрьмы не произвела на нее особого впечатления. Интересно, но ничуть не страшно.

— Ты неисправима! — воскликнула Оливия, и девушки, поцеловав на прощание Берти, отправились в спальню. Оливия проглядывала модные журналы, а Виктория читала памфлет Эммалайн Панкхерст о голодающих заключенных. Она даже отважилась закурить папироску, зная, что Берти уже легла спать, и предложила Оливии попробовать, но та отказалась и села у окна, против воли вернувшись мыслями к человеку, о котором не могла забыть.

— Не стоит, — выпалила Виктория, наблюдавшая за сестрой.

— Что именно? — выдохнула Оливия, взглянув на лежавшую в элегантной позе с папиросой в руке сестру.

— Не думай о нем, — спокойно пояснила та, выпуская очередное облако дыма.

— О чем ты? — растерянно пробормотала Оливия. Опять это непонятное чудо! На этот раз настала очередь Виктории разгадать, что творится в голове у Оливии.

— Ты сама прекрасно знаешь. Чарлз Доусон. Когда ты разговаривала с ним, у тебя в глазах было точно такое же выражение. Он слишком скучен и ничтожен. Ты еще встретишь немало замечательных мужчин, я чувствую это.

При этом Виктория выглядела умудренной жизнью, опытной женщиной, но Оливия окончательно растерялась.

— Как ты узнала, о чем я думаю? — упрямилась она, хотя подобное случалось слишком часто.

— Так же, как и ты. Иногда у меня в голове звучат чьи-то слова. Будто диктует мой собственный голос, только раскрывает твои тайны. А временами мне стоит лишь взглянуть на тебя, чтобы обо всем догадаться.

— Иногда меня это пугает, — откровенно призналась Оливия. — Мы так близки, что я не знаю, где кончаюсь я и где начинаешься ты. Или мы в самом деле единое целое?

— Бывает, — улыбнулась Виктория, — но не всегда. Я люблю знать, о чем ты думаешь, и еще люблю удивлять людей и меняться с тобой местами, как мы ухитрялись делать. Иногда мне не хватает этого. Давай попробуем как-нибудь еще, пока мы здесь. Никто не догадается. Повеселимся как следует, хорошо?

— Теперь, когда мы повзрослели, мне не кажется это таким уж забавным. Обманывать знакомых... нехорошо!

— Не будь ханжой, Олли, ничего тут особенного нет! И никому не причинит зла! Все близнецы наверняка это проделывают!

Но сестры встречались с близнецами всего раз или два — и никогда со своими ровесниками. Обычно это были мужчины, и совсем не так неотличимо похожие друг на друга.

— Устроим что-то в этом роде, да поскорее, — снова предложила Виктория, всегда готовая пересечь границу дозволенного, но на этот раз Оливия только улыбнулась в ответ, и она поняла, что сестра не согласна. Они уже взрослые, и Оливия считает такой обман ребяческой глупостью.

— Поостерегись, не то превратишься в злую старую ведьму, — предупредила Виктория, и Оливия искренне рассмеялась.

— Может, к тому времени и ты научишься вести себя.

Близнецы обменялись нежными взглядами.

— Не рассчитывай на это, сестричка, — хохотнула Виктория. — Никогда я не научусь себя вести.

— И я тоже, — прошептала Оливия и ушла в ванную.

Виктория не двинулась с места, тоскливо глядя в окно.

Глава 3

Отец, как и предполагалось, прибыл в пятницу вечером. Донован специально поехал за ним, чтобы привезти в Нью-Йорк. К его появлению в доме все сияло и сверкало, а спальня благоухала ароматом любимых цветов. Даже садовники постарались вычистить дорожки и привести в порядок клумбы на случай, если мистеру Хендерсону захочется погулять, хотя по сравнению с тем, что было в Кротоне, здешние угодья представляли собой лишь небольшой островок зелени. Однако Эдвард был настолько доволен увиденным, что осыпал похвалами и комплиментами дочерей и Берти. Он никогда не делал исключения для Виктории, хотя знал, что та далека от хлопот по хозяйству. И сейчас с любовью глядел на своих девочек.

Поцеловав отца и услышав, как тот благодарит Викторию за всю проделанную Оливией титаническую работу, девушки весело засмеялись, поняв, что отец снова их перепутал.

— Погодите, вот заставлю вас носить цветные бантики в волосах и тогда уж не ошибусь, разве что опять решите меня одурачить, — шутливо пригрозил он.

— Мы уже сто лет как не менялись местами, папа, — жалобно протянула Виктория, и Оливия многозначительно качнула головой.

— Интересно, а кто прошлой ночью пытался подбить меня на что-то подобное? — поинтересовалась она, и Виктория предпочла сделать вид, что не слышит.

— Она не хочет, папочка! Такая стала зануда, — посетовала Виктория, но отец развел руками.

— Вы и без того изводите всех окружающих, которые никак не могут даже поздороваться с вами по-человечески, боясь, что вы обидитесь, если ваши имена перепутают!

Ему все еще было не по себе при воспоминании о дебюте дочерей в нью-йоркском обществе. Обе производили такое ошеломляющее впечатление, что, где бы ни появлялись, вокруг собиралась толпа поклонников. По мнению Эдварда, такой успех был несколько чрезмерным, и теперь оставалось лишь надеяться, что на этот раз подобного ажиотажа не случится. Что ж, завтра они едут в театр, и там будет видно, прав ли он.

Сегодня Оливия велела приготовить любимые блюда отца — оленину, спаржу, дикий рис и моллюсков, привезенных сегодня утром с Лонг-Айленда. Кроме того, Донован по ее просьбе доставил овощи с их огорода в Кротоне, а на десерт подали шоколадный торт, и Эдвард, хоть и клялся, что такой десерт непременно явится причиной его смерти, все же съел огромный кусок. После ужина все трое пили кофе и отец рассказывал о развлечениях, которые их ожидают, о людях, с которыми предстоит познакомиться, о новых ресторанах, которые они обязательно посетят. Кроме того, он объявил Оливии, что хочет дать прием. Прошло много лет, с тех пор как они в последний раз приглашали гостей, и теперь девочкам будет интересно встретить старых друзей, вернувшихся из Новой Англии и Лонг-Айленда, где они проводили лето. В конце концов, это открытие сезона!

Девушки зачарованно слушали отца, вне себя от радостного волнения.

— Собственно говоря, — сообщил он улыбаясь, — мы уже приглашены на бал к Асторам, а Уитни дают вечер, на котором будет чуть не весь город. Боюсь, дамы, вам придется с утра до вечера пропадать в магазинах.

Оливия уже мысленно прикидывала, что следует сделать и заказать для предстоящего приема. Отец сказал, что гостей будет человек пятьдесят. Достаточно много, чтобы вечер прошел весело и оживленно. Он обещал завтра дать ей список, так что работы предстоит немало. Берти тоже достанется, поскольку Виктория им не помощница.

Следующее утро Оливия провела за письменным столом, старательно выводя приглашения. Прием назначен через две недели, почти одновременно с балом у Асторов. Времени совсем немного.

Почти все имена были знакомы Оливии, хотя вспомнить лица не всегда удавалось. Но она рада возобновить знакомства, особенно здесь, у себя дома. Кроме того, Оливии нравилась роль хозяйки. Мысленно она уже составила несколько меню и успела проверить состояние столового белья. Придется кое-что привезти из Кротона. Хрусталя и фарфора вполне достаточно, и она надеялась, что удастся достать цветы, которые подойдут к обстановке.

Она не вставала из-за стола почти до середины дня, а Виктория тем временем отправилась с отцом на автомобильную прогулку. Они проехали в «кадиллаке» к окраинам города и прошлись пешком вниз, по Пятой авеню, где Эдвард с гордостью представлял красавицу дочь встречавшимся знакомым. Оба в прекрасном настроении вернулись домой, где их встретила донельзя довольная собой Оливия, которой удалось сделать все предварительные приготовления к приему.

Вечером они отправились в театр, посмотреть «Семь ключей к сердцу плешивого» с Уоллесом Эддингером в главной роли, и, как обычно, произвели фурор. На девушках были одинаковые черные бархатные платья с горностаевыми палантинами и черные страусовые перья в волосах. Они напоминали ожившие картинки из парижских модных журналов, и наутро все газеты были полны описаниями новых звезд на нью-йоркском небосклоне. Но девушек уже не так занимал их успех. Они стали старше, серьезнее и уже привыкли к тому, что их появление вызывает сенсацию.

— Восхитительно! — воскликнула Виктория за завтраком. Ей так понравилась пьеса, что она почти не замечала всеобщего внимания.

— Это куда лучше, чем сидеть под арестом, — прошептала Оливия, наливая отцу кофе.

Позже они втроем отправились в церковь Святого Фомы, а после службы вернулись домой и провели вместе спокойное воскресенье. Назавтра Оливия с новыми силами принялась за работу, а отец отправился на встречу с поверенными. И Джон Уотсон, и Чарлз вернулись вместе с ним, и при виде Доусона Оливия сжалась от страха, опасаясь, что он упомянет в присутствии отца о похождениях Виктории. Но Чарлз вообще не говорил с ней, только вежливо поздоровался и, уходя, попрощался, ничем не показывая, что они довольно хорошо знакомы. Оливия облегченно вздохнула, хотя Виктория убеждала, что она зря волнуется.

— Но отец на стенку полезет, если узнает, — твердила Оливия, — и тебе прекрасно это известно. Следующим же поездом отправишься в Кротон!

— Возможно, ты и права, — озорно усмехнулась Виктория. Она так весело проводила время, что боялась рисковать и, как ни хотела посетить собрания Национальной ассоциации суфражисток, помнила свое обещание держаться от них подальше.

Вечером они снова побывали в театре, а после представления поехали на ужин к одному из приятелей отца, и сестры искренне забавлялись, слушая рассказы о некоем Тобиасе Уиткоме, пользовавшемся весьма скандальной репутацией. Он сколотил состояние на банковских спекуляциях и преумножил богатство, женившись на урожденной Астор. Кроме того, природа наградила его привлекательной внешностью, и женщины липли к нему, как мухи к сахару. Весь город гудел сплетнями о его последнем, совершенно непристойном романе, подробности которого девушкам, разумеется, не сообщали. Эдвард Хендерсон, однако, шокировал всех присутствующих, заявив, что недавно вел с ним какие-то дела и находит молодого человека не только воспитанным, но и приятным. Кроме того, они оба получили большую прибыль, поскольку партнер оказался честным и порядочным малым.

Тут поднялся шум и споры, посыпались истории про похождения Уиткома, одна другой хлеще, но в конце концов даже самые заядлые недоброжелатели были вынуждены признать, что, несмотря на свою репутацию, он принят в лучших домах. Правда, особенно ехидные сплетники добавляли, что все это благодаря Эванджелине Астор. Все единогласно постановили, что она сама доброта и сущий ангел, если способна ужиться с Тоби. По всей видимости, брак был не таким уж несчастливым, если за пять лет у них родилось трое детишек.

Только по пути домой Оливия вспомнила, что в числе приглашенных на их прием были Уиткомы.

— Он действительно так ужасен, как говорят? — с любопытством допытывалась она.

Виктория не обращала на них внимания, вспоминая жаркие беседы с некоторыми гостями о политике. Она, несмотря на молодость, тоже имела что сказать!

Эдвард, улыбнувшись дочери, беспомощно пожал плечами.

— Разумеется, следует остерегаться людей, подобных Уиткому, дорогая. Он очень красив, молод и совершенно неотразим с точки зрения любой дамы. Но по справедливости нужно сказать, что все его так называемые завоевания — женщины замужние, способные сами отвечать за себя. Им следовало бы хорошенько подумать, прежде чем пускаться в подобные авантюры. Не думаю, что он способен растлить юных девиц, иначе я просто не потерпел бы его в числе гостей.

— О ком вы? — рассеянно осведомилась Виктория, лишь сейчас очнувшись. Они почти добрались до дома, и девушка, по всей видимости, прослушала большую часть разговора.

— Отец, как выяснилось, пригласил того самого ужасного развратника на наш прием, поэтому меня и предупредили его остерегаться. Сегодняшняя хозяйка так его расписывала!

— Он убийца женщин и детей? — без особого интереса обронила Виктория, совершенно забыв о предмете застольных сплетен.

— Наоборот, — пояснила Оливия, — совершенно очарователен. И женщины так и вешаются ему на шею.

— Какая мерзость! — с отвращением буркнула Виктория под смех сестры и отца. — Зачем тебе понадобилось его приглашать, папа?

— Не забывай, жена у него — очаровательная милая дама.

— Тоже собирает сердца мужчин в качестве трофеев? Во что тогда превратится наш прием, если все мужчины будут у ног жены, а женщины — падать в обморок при виде мужа? Вся гостиная будет завалена бездыханными телами!

Машина остановилась, и все трое поднялись на крыльцо, утомленные и довольные проведенным вечером. Тоби Уитком был мгновенно забыт.

Но несмотря на перспективу принимать столь сомнительную личность, Хендерсоны с нетерпением ожидали дня приема. Почти все приглашенные согласились приехать, и за круглыми столами в парадном зале должно было собраться сорок шесть человек. Танцы будут устроены в гостиной, а в саду натянули тент — на случай, если неожиданно пойдет дождь. Словом, Оливия предусмотрела все.

Время пролетело как на крыльях, и вот настала торжественная минута. Два предыдущих дня Оливия только и делала, что проверяла, расставлены ли цветы и накрахмалено ли белье, пробовала приготовленные заранее блюда и заказывала ледяные скульптуры. Оркестр предполагалось разместить в гостиной. Словом, работы хватало. Берти делала все что могла, но такой размах оказался ей не по плечу. От Виктории, разумеется, не было никакой пользы. За последнюю неделю она обзавелась собственным кружком приятелей, в основном богемных, — писателей, художников и музыкантов, живших в самых странных и отнюдь не респектабельных местах. Она частенько посещала их студии, в особенности после того, как обнаружила, что почти все разделяют ее политические воззрения. Оливии же было просто некогда заводить новых друзей.

Виктория всегда твердила сестре, что той следует почаще выезжать и заняться собой. Оливия клялась, что так и будет, как только пройдет прием. После этого она наконец освободится и будет делать все, что пожелает. Назавтра после приема должен состояться бал у Асторов, и она не могла дождаться, когда же сможет повеселиться вволю. Но сегодня был ее дебют в роли хозяйки светского дома. Первый прием, который она подготовила и давала сама. И Оливия трепетала от волнения, спускаясь вместе с Викторией по парадной лестнице. На девушках были туалеты из темно-зеленого атласа, с турнюрами и короткими шлейфами. Низкие декольте были отделаны нефритовыми бусинами. Волосы зачесаны наверх, на ногах черные бархатные туфельки на высоких каблуках. Шеи обвивали жемчужные нити, подаренные отцом на восемнадцатилетие, в ушах сверкали бриллиантовые серьги. Идеальное сходство, совершенство симметрии... Даже двигались они в унисон, и пока Оливия в последний раз проверяла, все ли в порядке, Виктория послушно следовала за сестрой.

Оркестр заиграл негромкую мелодию, пламя свечей чуть колебалось, цветы разливали нежное благоухание, и Эдвард даже отступил, любуясь дочерьми. Невозможно было не любоваться этими стройными, грациозными, изящными созданиями. Даже одна потрясла и ослепила бы любого мужчину, но эта парочка просто лишала рассудка.

Вскоре начали прибывать гости, и, несмотря на то что почти все давно знали близнецов, эффект, производимый ими, как всегда, оказался невероятным. Люди недоуменно смотрели на сестер, не в силах их различить. Да в этом, собственно, и не было надобности. Почему-то казалось, что одна без другой просто не могут существовать.

Девушкам пришлось представляться самим, но большинство гостей вскоре снова перепутали близнецов, а Чарлз Доусон даже не пытался разгадать загадку. Он просто с теплой улыбкой приветствовал обеих и время от времени с интересом поглядывал в их сторону. Только очутившись в гостиной, он безошибочно распознал Викторию и тихо заговорил с неукротимой сторонницей женских прав; мало того, осмелился пошутить:

— Совсем не похоже на пятый участок, не правда ли? Вижу, вы успели далеко уйти, — поддел он, смело встретив вызывающий взгляд Виктории.

Та широко улыбнулась, по-видимому, нисколько не смутившись и не боясь, что кто-то может их подслушать.

— Я уже говорила Оливии, что вам следовало бы позволить им арестовать меня. И очень разочаровалась, когда вы приехали за мной.

— Вряд ли это такое уж мудрое решение, — тихо заметил Чарлз, втайне восхищаясь девушкой. — Думаю, она была вне себя от радости, что удалось вас выручить. Честно говоря, я не ожидал, что это так легко нам удастся. Боялся, что они вздумают в самом деле вас задержать.

— Можем как-нибудь проверить, удастся ли этот трюк вторично. В следующий раз я сама вам позвоню, — чувственно промурлыкала она, хотя в голосе проскальзывали едва заметные капризные нотки.

Чарлз невольно задался вопросом, как удается Эдварду сохранить рассудок с такими милыми деточками, хотя Оливия вела себя не в пример лучше младшей сестрицы и сам Хендерсон клялся, что старшая дочь ему послана небесами.

— Дайте знать, если понадобится моя помощь. Я немедленно приеду, — пообещал Чарлз и, отойдя, заговорил со знакомыми, среди которых был и его партнер Джон Уотсон. Они бродили по саду, восхищаясь ледяными скульптурами.

Оливия, как подобает хорошей хозяйке, ходила среди собравшихся и не заметила прибытия опоздавших гостей. Зато Виктория случайно оказалась у двери, когда приехали Уиткомы. Она не знала их и уже не помнила о разговоре с отцом и сестрой и сначала заметила очень хорошенькую женщину в серебристом платье с такой же накидкой и серебряном тюрбане, из-под которого выбивались белокурые локоны. На шее у нее переливалось широкое бриллиантовое колье. А ее спутник! У Виктории даже дыхание перехватило: такого красавца ей еще не приходилось встречать.

Вскоре жена отошла, привлеченная музыкой и смехом, а муж, казалось, даже не заметил этого, сраженный Викторией. Та была поистине неотразима в элегантном платье, сшитом модисткой в Кротоне и слегка переделанном ловкими пальчиками старшей сестры.

— Здравствуйте, я Тобиас Уитком, — объявил он, взяв бокал с шампанским у проходившего официанта, но не отрывая при этом взгляда от Виктории. Он произнес свое имя с таким уверенным видом, словно считал, что его должен знать всякий. — А вы? — полюбопытствовал он, втайне удивляясь, почему никогда не видел ее раньше. Такая редкая красавица! Где она скрывалась до сих пор?

— Я Виктория Хендерсон, — скромно сообщила она, неожиданно застеснявшись этого, очевидно, умудренного жизнью светского мужчины.

— О Господи, — разочарованно пробормотал он, — вы замужем за нашим хозяином! Что за счастливчик!

Он грустно улыбнулся. Тоби и в самом деле не знал, что Хендерсон вдовец. Он до сегодняшнего утра и не догадывался, куда они едут этим вечером. На приглашение ответила его жена, о чем и сообщила мужу в последнюю минуту.

Виктория в ответ засмеялась, вспомнив наконец, что слышала о нем от сестры и отца. Тогда она не обратила особого внимания на сплетни, но теперь поняла, что они имеют под собой достаточно оснований. Немудрено, что женщины без ума от Тоби, — блестящие черные волосы, веселые темные глаза и изумительная фигура. С первого взгляда было видно, что этот человек, похожий на актера, так и искрится лукавством и весельем.

— Я не жена хозяина, — поправила она, гадая, действительно ли Уитком ошибся или просто делает вид. — Я его дочь.

— Слава Богу! Хоть вечер не пропал зря! Я не вынес бы известия о том, что вы замужем за Хендерсоном, хоть он и прекрасный человек. Я в любую минуту снова готов стать его компаньоном, — вкрадчиво прошептал Тоби и увлек девушку в гостиную, где, даже не спросив разрешения, обнял ее за талию и закружил в танце.

Их словно магнитом потянуло друг к другу, сопротивляться не было сил. Тоби рассказал, что учился в Оксфорде, а два года назад отправился в Южную Америку, поиграть в поло в Аргентине. Он много говорил о себе, и Виктория зачарованно слушала повествование о занимательных приключениях. Кроме того, Тоби изумительно танцевал и смешил ее забавными историями о всех собравшихся, ухитрившись, однако, умолчать об Эванджелине и своих детях. Он так ни разу и не упомянул о них, и после второго бокала шампанского успел подружиться с Викторией. Его немало рассмешило, что она курит и даже успела пару раз тайком затянуться.

— Ну и ну! Да вы девушка с изюминкой! Чем еще занимаетесь? Пьете до умопомрачения, курите сигары, кутите ночи напролет? Признавайтесь, какие еще пороки скрыли от меня? Пристрастие к абсенту? Или тайны Востока?

Он шутил, осыпал ее комплиментами, не давал скучать, и его близость все больше волновала девушку. Впервые в жизни ей пришлось встретиться с таким необыкновенным человеком.

После очередного танца Виктория извинилась и отошла под предлогом, что ей необходимо позаботиться об ужине. И сделала нечто такое, за что Оливия непременно обозлится на нее. Но ничего не поделаешь. В конце концов, она старалась и ради сестры — и удовлетворенно улыбалась, зная, что вполне может предсказать исход вечера.

Вернувшись к тому месту, где стоял Тоби, Виктория сразу же заметила его сконфуженное лицо. Он был явно сбит с толку. Рядом стояла Оливия, строго говорившая что-то, и Тоби неудержимо краснел. Он уже успел приобнять ее за талию и предложить отправиться в сад и покурить на свободе, но предполагаемая Виктория отчего-то нахмурилась и принялась его отчитывать.

Оливия мгновенно сообразила, что произошло, и уже хотела было просветить Тоби, но тут появилась Виктория и Уитком, окончательно потеряв дар речи, ошеломленно уставился на прелестное видение, гадая, уж не двоится ли у него в глазах.

— Иисусе! — прошептал он. — Это все шампанское! Что со мной творится?

— Кажется, вы плохо вели себя с моей добродетельной старшей сестрицей? — хитро улыбнулась Виктория, и Оливия недоуменно подняла брови. Кто этот человек, и откуда Виктория его знает?

— Сознаюсь, грешен, — последовал ответ. Тоби пытался оправиться от смущения. Схватить за талию незнакомую девушку! Правда, он и Викторию почти не знал, но она, кажется, из тех, кто не возражает против такого рода обращения! — Я предложил вашей сестре выкурить в саду по папироске. Надеюсь, она тоже курит и составит нам компанию, хотя сначала мне срочно нужно выпить.

Он с облегчением схватил очередной бокал и, осушив до дна, вновь недоверчиво воззрился на девушек.

— Знаете, вы просто исключительное явление. Никогда не сталкивался ни с чем подобным!

— Вы правы, такое зрелище поначалу многих шокирует, — великодушно согласилась Оливия, хотя ей не нравились ни слишком развязные манеры, ни непривычная фамильярность по отношению к сестре. — Но к этому скоро привыкаешь.

— Мне ужасно стыдно за грубость, — пробормотал Тоби, почувствовав, что она не столь легкомысленна, как Виктория. — Вы, должно быть, старшая мисс Хендерсон. Сегодня я превзошел себя. Посчитал, что ваша сестра замужем за Эдвардом.

Все дружно рассмеялись, и Тоби протянул руку:

— Я Тоби Уитком.

Оливии сразу стало не до веселья. Сухо поджав губы, она кивнула, и Виктория немедленно заметила ее холодность.

— Я много слышала о вас, — многозначительно подчеркнула Оливия, надеясь, что интерес сестры к пресловутому соблазнителю постепенно угаснет.

— В моем случае это не всегда звучит комплиментом, — ничуть не смутившись, заметил Тоби.

В этот момент дворецкий объявил, что ужин подан, и Оливия поспешила пригласить гостей к столу. Хорошо, что она решила посадить сестру между двумя привлекательными молодыми людьми из хороших семей! Самой ей, выполняющей обязанности хозяйки, придется развлекать одного из старых друзей отца, совершенно оглохшего, чрезвычайно застенчивого и внешне непривлекательного юношу. Ужин для нее обещал быть невыносимо долгим и нудным, но зато по обе стороны от Эдварда сидели самые почетные гости. Оливия хотела, чтобы вечер надолго запомнился отцу. Он так давно не звал в гости своих приятелей, пусть же хоть на миг отвлечется от тяжких воспоминаний!

Пока все шло превосходно: музыканты старались, закуски были вкусными, шампанское — изумительным. Провожая гостей в столовую, она с радостью отметила, что все быстро нашли отведенные места, а стулья оказались удобными. В комнате были накрыты четыре больших стола. Хрусталь и серебро сверкали в сиянии свечей, драгоценности на дамах переливались всеми цветами радуги. И только увидев Викторию, Оливия поняла, что сотворила сестра, и тихо охнула. Негодная девчонка поменялась местами с одной из дам, чтобы сидеть рядом с Тоби!

Оливия рассерженно махнула рукой сестре, но та, сразу догадавшись, в чем дело, и не подумала подойти. Быстро оглядевшись, Оливия увидела, что остальные сидят на своих местах. Все, кроме довольно некрасивой дамы, оказавшейся между двумя кавалерами, предназначенными для Виктории. Женщина, казалось, была на седьмом небе.

Смирившись с тем, что ничего нельзя сделать, и пообещав себе позже расправиться с Викторией, совершенно не думавшей ни о своей репутации, ни о безмерной глупости собственного поведения, Оливия в ужасном настроении шагнула к стулу и только сейчас в полной мере оценила проделку сестры. Мало того, что на глазах у всех кокетничает с женатым человеком, так еще и подменила карточку Оливии!

Покраснев, Оливия опустилась на стул рядом с Чарлзом Доусоном.

— Какая честь! — вежливо заметил он и, наклонившись поближе, прошептал: — Вы закоренелая преступница или спасительница? Стыдно признаться, но я не всегда могу понять.

Оливия рассмеялась. Не всегда? Скорее никогда! Как хорошо, что к ней вернулось чувство юмора! Бессовестная Виктория так ее расстроила!

— Считаете, что когда-нибудь все-таки сумеете нас различить, мистер Доусон? — поддразнила она, на какое-то мгновение едва не поддавшись искушению предоставить Чарлзу угадать самому. Но она чувствовала себя слишком виноватой, чтобы продолжать игру, и потом такие вещи были просто не в ее характере!

Чарлз долго пристально смотрел на нее, очевидно, желая убедиться, кто перед ним, и Оливия решила сжалиться, когда Чарлз внезапно объявил:

— Вы одинаково двигаетесь. Голоса тоже одного тембра... вот выражение глаз бывает различным. У одной из вас в них светится нечто буйное, говорящее о том, что их обладательница может зайти слишком далеко, о чем потом пожалеет. Но другая сестра всегда сумеет укротить разбойницу. Старшая излучает мир и спокойствие, младшая постоянно ищет чего-то.

Он с интересом взглянул на Оливию, очевидно, поняв, кто рядом с ним, и почувствовал облегчение. Слишком будоражила его душу Виктория, эта страстная, несдержанная натура, и в ее присутствии Чарлзу всегда было немного не по себе.

Оливия, заинтригованная словами Доусона, волей-неволей признала, что он вынес верное суждение.

— Вы сумели распознать нас, сэр, — улыбнулась она, и теперь Чарлз был почти уверен, что угадал правильно, хотя не посмел высказать свое суждение вслух. — Вы очень наблюдательны, — заключила Оливия, и Чарлз кивнул.

— Пытаюсь. Это одно из условий моей профессии, — объяснил он.

— И присуще вашему характеру, — добавила Оливия.

— Так вы скажете, кто передо мной, или намереваетесь сохранить тайну до конца вечера?

Он, похоже, был готов продолжать игру, и Виктория предоставила бы ему страдать, но Оливия на такое не способна.

— Вряд ли это справедливо. Я Оливия, — призналась девушка и, хотя все еще сердилась на Викторию за безответственное поведение и флирт с Тоби, все же в глубине души была ей благодарна за возможность провести немного времени с Доусоном.

— Вы спасительница, та, что мила и сдержанна, — выдохнул Чарлз, и Оливия отчего-то немного обиделась, хотя в его словах не было ничего оскорбительного. Но в конце концов, она так же красива, как Виктория!

— Вы действительно такие разные? Я заметил в вашей сестре некую неудовлетворенность, словно она постоянно стремится куда-то. А вы, кажется, вполне довольны своим существованием.

— Не знаю, почему так получилось. Возможно, потому, что она считает себя виновницей смерти мамы.

Подобные признания не делают постороннему человеку, но он казался вполне заслуживающим доверия. С Чарлзом можно говорить на любые темы, и Оливия чувствовала, что не обманется в нем. Он уже доказал свою надежность, не выдав их отцу.

— Наша мать умерла в родах, и Виктория появилась на свет позже меня. Врачи считали, что если бы ребенок был один, мама выжила бы, хотя никто не понимал, какую разницу могут составить одиннадцать минут. Боюсь, мы обе одинаково виновны.

Оливия в самом деле иногда терзалась угрызениями совести, хотя и не до такой степени, как Виктория.

— По-моему, вы не правы. Никому не дано предугадать, что может случиться со всеми нами... Мало ли бывает подобных вещей! Вы были величайшим подарком судьбы для матери, и жаль, что она не дожила до сегодняшнего дня, чтобы гордиться своими дочерьми. А ваш отец, несомненно, считает вас величайшей радостью в жизни. Какое счастье — иметь детей-близнецов! Да и вам повезло иметь такого замечательного отца.

Оливия понимала, что он имеет в виду и гибель своей жены и наверняка часто задавался вопросом, почему именно его постигло столь ужасное несчастье. Вопросом, на который не находилось ответа.

— Расскажите о своем сыне, — мягко попросила она.

— Джеффри? — улыбнулся Чарлз. — Ему девять лет, и этот ребенок — смысл моей жизни. Видите ли, я вдовец. Полтора года назад потерял жену... При крушении «Титаника».

Он с трудом выговорил последнее слово, и Оливия неосознанно коснулась его руки, исполненная участия и сострадания к этому скромному человеку.

— Сначала нам было невыносимо трудно. Я долго путешествовал по Европе вместе с Джеффри, навестил ее родственников. Гибель жены была ужасным ударом для всех нас, особенно для сына. Он был рядом, когда все случилось.

— Какое, должно быть, невыносимое испытание для него! — искренне посочувствовала Оливия, глубоко тронутая бесхитростным рассказом Чарлза и слезами, блеснувшими в его глазах.

— Сначала ему каждую ночь снились кошмары, но теперь мальчику немного лучше. — Он грустно улыбнулся, отчего-то ощущая, что приобрел верного друга. Удивительно добрая девушка, из тех, с кем так легко говорить. — Гораздо лучше, чем мне. Я почти никогда не бываю на таких вечерах, но Джон и ваш отец меня уговорили.

— Но вы не можете вечно держать это в себе!

— Наверное, нет, — вздохнул Чарлз, удивляясь, почему так легко открыл душу этой почти незнакомой девушке.

— Вы непременно должны привезти сына к нам. Дети обожают Кротон. Я тоже любила там жить, когда была маленькой. Мы переехали туда, когда мне было почти столько же, сколько Джеффри.

— А теперь? — не удержался Чарлз. — Вам по-прежнему нравится в Кротоне?

Он сгорал от желания узнать о ней побольше. Никогда не подумал бы, что светская девица способна на столь глубокое понимание.

— Мне — да. Это моя сестра терпеть не может жить в маленьком городке. Предпочитает Нью-Йорк, где может ежедневно участвовать в демонстрациях, и мечтает уехать в Англию, поголодать в тюрьме за правое дело.

— Я же говорил, что она — особа ищущая, — усмехнулся Чарлз.

— Собственно говоря, — рассмеялась девушка, — я у нее в долгу. Если бы не Виктория, мы сидели бы за разными столами.

— А мне казалось, что это вы все устроили.

Эдвард беззастенчиво хвалился хозяйственными способностями дочери и ее бесценной помощью по дому.

— Верно, но Виктория подменила карточки. Ей не захотелось сидеть там, где велела я.

— Что же, я очень ей благодарен, — улыбнулся Чарлз. — И хотел бы впредь ангажировать место рядом с вами.

Он пригласил ее танцевать и, как только прозвучала последняя нота, отвел назад к столу. Оливия отметила, что, хотя между ними не установилось ничего похожего на чувственную атмосферу, ей приятно в его обществе. Умен, образован, и легко понять, почему держится на расстоянии. По нескольким оброненным фразам она догадалась, что Чарлз был безумно влюблен в жену и даже сейчас словно не замечает других женщин. Но несмотря на это, Оливию тянуло к нему, и при других обстоятельствах он стал бы для нее всем на свете. Но что толку думать о том, чего быть не может! Она все равно не покинет отца, и Чарлз Доусон не собирался жениться вторично, даже ради сына.

В конце ужина дамы встали и ненадолго поднялись наверх. И Оливия наконец улучила минутку поговорить с сестрой и предостеречь от слишком близкого общения с Тоби.

— Перестань его преследовать, — предупредила она.

— Я ничего подобного не делаю, — раздраженно возразила Виктория.

Что от нее нужно Оливии? Тоби очарователен. Красив. Прекрасно танцует и куда смелее переступает границы приличий, чем воображала Виктория. Что плохого в невинном флирте?

Но она была слишком наивной, чтобы понять: Тоби вовсе не тот, каким кажется. И всегда добивается своего. Любыми способами.

— Я запрещаю тебе вертеться вокруг него, — тихо, но твердо произнесла Оливия — как раз в тот момент, когда мимо проходила Эванджелина Уитком. Но Виктория не собиралась сдаваться.

— Ты не имеешь права приказывать мне, Оливия! — отрезала она. — Ты не моя мать! И кроме того, неверно судишь о Тоби. Он добрый, порядочный человек, и мне нравится проводить с ним время. В конце концов, что тут такого? Мы среди людей, не уединяемся, не назначаем друг другу свидание, не делаем ничего предосудительного! Печально, что ты не понимаешь таких простых истин.

— Я понимаю куда больше, чем ты воображаешь. И не обманывай себя, — прошипела Оливия. — Ты ступила на опасный путь, вообразив, что можешь безнаказанно дразнить льва в его логове!

Но Виктория презрительно рассмеялась и немедленно пересказала разговор Тоби, едва дамы спустились вниз. По-видимому, никто, кроме Оливии, не замечал происходящего. Виктория и Тоби отправились в сад и исчезли в темноте. Они стояли слишком близко друг к другу и курили одну папиросу на двоих. Обнимая девушку за талию, он рассказывал ей вещи, с которыми, по его словам, не делился больше ни с единой живой душой на свете. Тоби провел с Викторией всего один вечер, но успел признаться ей в любви и заверить, что брак с Эванджелиной — всего лишь сделка. Отец заставил его жениться, и их семейная жизнь пуста, бессмысленна и несчастлива. Он очень одинок и много лет тосковал по любви, но встреча с Викторией разом все изменила.

Услышь Оливия эти речи, наверняка прикончила бы соблазнителя, но наивность Виктории помешала разгадать банальность затверженных фраз. Она слушала Тоби с видом всезнающей, мудрой женщины, веря каждому слову, и ласкала его обожающим взглядом. Целуя ее, Тоби спросил, когда они встретятся снова. Он не в силах без нее жить. И знает, как тверды ее принципы, как свято она верит в феминизм и движение суфражисток. Наконец она нашла мужчину, полностью согласного с ее идеями. Того, кто не воспользуется ее невинностью и не причинит зла. Он всего лишь хочет всегда быть рядом, узнать ее получше.

Виктория была настолько ослеплена, что принимала его болтовню за чистую монету. Впрочем, она хотела верить ему. Фактически он был первым посторонним мужчиной, с которым она так свободно беседовала. И к концу вечера уже считала, что отныне они неразлучны. Тоби разливался соловьем, восхваляя судьбу, которая подарила им завтрашний бал у Асторов. А потом придется придумать предлог для встречи.

С каким-то странным блеском в глазах Тоби поинтересовался, не будет ли Виктория чувствовать себя увереннее, если приведет сестру, но перепуганная девушка наотрез отказалась, боясь даже представить, что будет, если Оливия обо всем узнает. Тоби мгновенно согласился с ее решением. Да и что тут спорить? Всего-навсего забавная мысль, хотя жаль, конечно, что неосуществимая.

Добившись согласия Виктории на свидание, он снова повел ее в гостиную и, к собственной досаде, узнал, что у Эванджелины ужасно разболелась голова и она требует немедленно отвезти ее домой.

Оливия в это время была на другом конце дома и не заметила ухода Уиткомов, но Чарлз все видел, поскольку не сводил с Виктории заинтересованного взгляда. Что-то в ее походке, жестах, повороте головы, непривычной сдержанности, бросаемых на мужчин взорах, неосознанной чувственности неодолимо его влекло. Оливия была куда более великодушной, открытой, готовой всегда прийти на помощь и посочувствовать. И все же его тянуло к той, что не ведала, чего хочет, вечно рвалась на подвиги и приключения и при этом неизменно попадала в беду. В этой внезапно возникшей привязанности было нечто безумно извращенное, невыносимо раздражавшее его, и все же Чарлз то и дело ловил себя на том, что едва удерживается от порыва пересечь комнату, схватить Викторию за плечи и хорошенько встряхнуть.

Какой-то частью души он стремился полностью и бесповоротно забыть ее и обратиться к куда более рассудительной и порядочной Оливии, однако она казалась столь бесхитростно-простой, способной безоглядно и бескорыстно отдавать, ничего не прося взамен, что пугала его. Слишком Чарлз истерзал и измучил себя после гибели Сьюзен, чтобы принять предложенный Оливией щедрый дар. Слишком привык к душевной боли, неверию, гневу на судьбу, и теперь было гораздо легче находиться рядом с человеком, равнодушным к нему, ничего от него не ожидавшим, чем воспользоваться чужим теплом. Подпустить Оливию ближе, раскрыть ей сердце — значит, предать Сьюзен. А вот Виктория совсем другая. И он незаметно наблюдал за ней весь вечер. У нее явно что-то на уме. Что-то или кто-то. Возможно, этот повеса Тоби Уитком. Интересно, неужели она бросится в его объятия и ему снова придется спасать глупышку? Осмелится ли Оливия остановить сестру и понимает ли вообще, что происходит, или Виктория достаточно умна, чтобы все скрыть от нее?

Он предпочел оставаться безмолвным, но заинтересованным свидетелем.

Наконец пришло время поблагодарить хозяина за прекрасный прием, первый за весь год, на который Чарлз согласился прийти. Сегодняшний вечер пробудил в нем былые воспоминания и чувства, которые несколько его расстроили. Нежность, возрожденную Оливией, и плотский голод вместе с тоской одиночества, вызванные поведением Виктории. С подобными эмоциями трудно, почти невозможно справиться. И Чарлз покинул дом Хендерсонов со странным ощущением пустоты, которую не могло заглушить ни выпитое виски, ни вид сына, мирно спящего дома. Он хотел от жизни немногого — всего лишь близости одного-единственного человека, той, которая исчезла навсегда. И ни одна из сестер Хендерсон не способна ее заменить.

Перед уходом Чарлз попрощался с близнецами. Виктория отделалась несколькими равнодушными словами. Она выглядела чем-то взволнованной, разгоряченной и рассеянной, и он понял, что она тоже немало выпила; Оливия же, очевидно, почти не притронулась к спиртному. Она поблагодарила его за приятное общество, и он отделался вежливыми, ничего не значащими фразами, стараясь не замечать ее преданных глаз. Ему хотелось предупредить, что с таким характером и добрым сердцем легче легкого попасть в беду и что пора научиться скрывать свои мысли и не распахивать душу перед первым встречным. Но может, он все преувеличивает? В конце концов, в опасности не столько она, сколько Виктория!

Оливия, со своей стороны, прекрасно сознавала, на какой обрывистый путь ступила сестра. От нее не укрылась ее чересчур горячая дружба с Тоби, и, когда гости разъехались, она немедленно попыталась принять меры. Правда, было уже два часа ночи и девушки отчаянно хотели спать.

— Ты назначила ему свидание? — допытывалась она, изнемогая от тревоги.

— Разумеется, нет, — солгала Виктория, но Оливия ей не поверила. Она видела сестру насквозь. Та просто не умела притворяться. — Кроме того, это не твое дело, — бросила сестра.

— Этот человек порочен до мозга костей, — завопила Оливия, — и всем в Нью-Йорке это известно!

— Он сам рассказал мне о своей репутации, и что из того?

— Уитком умен, ничего не скажешь! Но это его не оправдывает. Виктория, ты не смеешь видеться с ним!

— Смею — и буду делать все, что захочу. Не тебе меня учить, — прошипела Виктория.

Ничто не остановит ее. Сладкие речи Тоби манили в неизведанное. Что там какие-то глупые предостережения сестры!

Она совсем забыла библейскую легенду о змее-искусителе в райском саду.

— Пожалуйста... послушай, — молила Оливия со слезами на глазах. — Ты погибнешь. Пойми, ты просто недостаточно опытна, чтобы потягаться с таким человеком. Он настоящий соблазнитель, потерявший счет жертвам. Поверь мне, Виктория, то, что о нем рассказывают, ужасно!

— Он сказал, что все это ложь, — убежденно заявила Виктория. — Люди просто ему завидуют.

— Чему? Чему тут завидовать? — удивилась Оливия.

— Его внешности, положению, богатству. Он сам говорил.

— Красота со временем увянет, положения он добился благодаря жене, что же касается денег, по-видимому, Тоби — удачливый финансист, и что тут необычного? Таких немало, — холодно заметила Оливия.

— А может, он тебе приглянулся, — мстительно брякнула Виктория первое, что пришло в голову. Она была в бешенстве оттого, что сестра пыталась ограничить ее свободу. — Хочешь заполучить его себе, хотя и делаешь вид, что увлеклась этим жалким адвокатишкой!

— Ты не имеешь права оскорблять Чарлза. Он порядочный человек, и ты прекрасно это знаешь.

— От него мухи дохнут на лету! — фыркнула Виктория, пьяно покачнувшись.

— Чарлз Доусон в отличие от Уиткома не причинит тебе зла. Тоби использует тебя, а потом выбросит, как смятую бумажку. Когда все будет кончено, он вернется к жене и тем временем примется искать новую дурочку.

— Ты мне отвратительна! — заявила Виктория, и Оливия почувствовала знакомую неприятную тяжесть в желудке, как всегда во время споров с сестрой. Она ненавидела ссоры и очень редко их допускала. Но на этот раз дело отнюдь не в невинных проказах и проделках Виктории. Сестра ходит по краю пропасти.

— Я не стану больше уговаривать тебя, но знай: если понадоблюсь, буду всегда рядом. Я люблю тебя и не хочу, чтобы с тобой случилась беда. Он опасен, Виктория. И отец очень расстроится, если узнает обо всем. Он пригласил Уиткома только из вежливости, и с твоей стороны было очень глупо сесть за ужином рядом с ним. Повезло еще, что отец сидел к тебе спиной и ничего не заметил. Ты играешь с огнем, Виктория. Ты недостаточно взрослая и сильная, чтобы выиграть эту схватку. И лев обязательно тебя растерзает.

— Не стоит волноваться, — заверила Виктория. — Мы всего лишь друзья, вот и все. К тому же он женат.

Она пыталась сбить Оливию со следа, чтобы наконец получить желанную свободу, и поэтому не стала объяснять, что брак Тоби исчерпал себя. Он даже намекнул, что подумывает о разводе. Разумеется, разразится страшный скандал, но больше он не может жить без любви. Виктории было отчаянно жаль его.

Оливия долго лежала без сна, пытаясь придумать, как отвадить Тоби Уиткома, прежде чем он уничтожит репутацию сестры. Виктория тоже не спала, мечтая о завтрашнем бале и встрече с Тоби.

Глава 4

На следующее утро Оливия проснулась под аккомпанемент доносившихся снизу приглушенных звуков. Прислушиваясь к шагам, негромким переговорам слуг, она неожиданно вспомнила о вчерашнем споре с сестрой, но, когда обернулась, обнаружила, что вторая половина кровати пуста. Оливия немедленно встала, причесалась и накинула халат. Что творится на первом этаже?

Девушка спустилась вниз и только сейчас сообразила, в чем дело. Повсюду сновали слуги и рабочие: в саду снимали тент, в доме расставляли мебель, то и дело вносили корзины с цветами от благодарных гостей — словом, повсюду царил полный хаос, посреди которого стояли миссис Пибоди и дворецкий, то и дело отдавая команды.

— Хорошо спала? — улыбнулась Берти.

Оливия кивнула и извинилась за позднее пробуждение.

— Ты немало потрудилась, дорогая, и имеешь полное право отдохнуть. Я рада, что ты не ввязалась в эту суматоху с самого утра. Удивительно еще, что тебя не разбудили эти бездельники, когда снимали тент. Все только и говорят о вчерашнем вечере. Судя по количеству цветов, прием имел невероятный успех. Кстати, я поставила почти все корзины в столовой.

Оливия немедленно отправилась туда, гадая, куда подевалась Виктория, и немедленно остановилась перед огромной вазой, полной красных роз с длинными стеблями. Прикрепленная к ним карточка оказалась без подписи.

«Благодарю за самый важный вечер в моей жизни».

На конверте стояло имя сестры. Нетрудно было догадаться, кто послал букет. Остальные карточки были подписаны. Чарлз тоже прислал прелестную цветочную аранжировку в благодарность за приятный вечер. Оливия тихо порадовалась, что он впервые за столько времени смог появиться в обществе. Несмотря на то что Викторию следовало бы высечь за вчерашнюю историю, Оливия была почти счастлива в обществе Чарлза.

Она отправилась на кухню, отдала приказания слугам и наконец нашла Викторию в утренней столовой. Та сидела за столом с чашкой кофе в руках. Знакомая тревога за сестру больно кольнула Оливию.

— Хорошо спала? — неловко пробормотала она, усаживаясь рядом. Она не помнила, когда в последний раз они так сильно ссорились. И теперь причина была куда серьезнее их детских разногласий. Она была убеждена, что Виктории грозит смертельная опасность.

— Очень хорошо, спасибо, — сухо отозвалась Виктория. — Удивляюсь, как ты не проснулась от этого ужасного шума.

Оливии показалось, что сестра еще никогда не выглядела такой красавицей. Странно, она никогда не думала так о себе — возможно, потому, что в глазах Виктории горел какой-то волнующий свет и она всегда была куда более неспокойной и порывистой, чем старшая сестра.

Горничная принесла кофе, и Оливия с удовольствием отпила глоток.

— Ужасно устала, — призналась она и, не выдержав, спросила Викторию, видела ли она цветы.

— Разумеется, — чуть поколебавшись, отозвалась она.

— Кажется, я догадываюсь, кто их послал, — осторожно заметила Оливия, но сестра не потрудилась ответить. — Подумай о том, что я сказала прошлой ночью. Ситуация в любую минуту может выйти из-под контроля.

— Подумаешь! Всего-навсего розы. Нет никакой причины сходить из-за этого с ума! Он очень интересный человек, но и только. И незачем придавать этому столь важное значение, — с деланной беспечностью обронила Виктория, но Оливия слишком хорошо видела пугающе решительный блеск ее глаз. Нет, Виктория не откажется от Тоби!

— Надеюсь, сегодня ты не станешь проводить с ним столько времени. Начнутся разговоры, и кроме того, помни, бал дает кузина его жены. Будь поосторожнее, — предупредила Оливия.

— Благодарю за наставления, — холодно пробормотала Виктория, вставая.

Господи, они такие одинаковые внешне и настолько различны в душе! Оливия вздрогнула от внезапного страха, ощутив, какая между ними пропасть.

— Что ты сегодня делаешь? — с невинным видом поинтересовалась она.

— Иду на лекцию. Не возражаешь, дорогая, или мне требуется твое разрешение?

— Я просто так спросила. Нет нужды быть ни такой обидчивой, ни такой грубой, — язвительно отпарировала Оливия, измученная постоянной пикировкой. — И с каких это пор ты вообще нуждаешься в моем разрешении? Я нужна только для того, чтобы постоянно покрывать тебя и вытаскивать из немыслимых ситуаций, в которые ты попадаешь, поскольку не заботишься ни о ком, кроме себя.

— Еще раз спасибо, но сегодня я не нуждаюсь в твоей помощи.

В такие минуты обе жалели, что не обзавелись подругами. Но их необычная близость, уникальность отношений, изоляция от общества и отдаленность дома в Кротоне оставались неизменной помехой их встречам со сверстницами. По временам девушкам было невыносимо одиноко.

— А ты чем займешься? Домашними хлопотами?

Она двумя словами дала понять, что считает Оливию невыносимо скучной, и та остро это почувствовала. Никто не позаботился прислать ей две дюжины роз с карточкой без подписи. Мужчина, который ей нравился, прислал цветы с формальной благодарностью, адресованной к тому же всем членам семьи, а не ей лично. Оливия непрестанно спрашивала себя: неужели Виктория права? Ее тоже начинали мучить ревность и зависть.

— Да, помогу Берти привести дом в порядок. Бедный папа с ума сойдет, увидев, что все по-прежнему вверх дном.

— Как занимательно!

С этими словами Виктория направилась наверх и, переодевшись в темно-синий шелковый костюм, к которому полагалась модная шляпа, ушла из дома. Петри отвез ее на лекцию и немедленно вернулся.

Остаток дня пролетел незаметно. Виктория вернулась довольно рано, и Берти немедленно нагрузила ее работой, приказав последить за мужчинами, вносившими в дом мебель, поставленную на время в гараж. Оливия трудилась не покладая рук, чтобы вернуть саду прежний вид, и к пяти часам произошло чудо: все встало на свои места. Берти поблагодарила девушек за помощь, и к ней присоединился отец, обрадованный, что все так быстро завершилось.

— В жизни не скажешь, что вчера здесь гостили пятьдесят человек! — восхитился он. — Тяжело пришлось?

— Не очень, папочка, — заверила Оливия.

— Все восхищаются моими прелестными хозяюшками, — продолжал Эдвард, но Виктория, равнодушно выслушав отца, сказала, что пора одеваться. Оливия уже выбрала вечерние платья — из бледно-розового газа и довольно скромные. Незачем возбуждать излишний интерес Тоби.

— Прием действительно удался, — продолжал отец, усаживаясь в любимое кресло. Оливия немедленно налила ему бокал портвейна, и Эдвард поблагодарил ее нежной улыбкой. С каждым днем он все больше нуждался в ее обществе. Господь поистине наградил его чудесной дочерью! — Ты ужасно балуешь меня, дорогая. Даже будь твоя мама жива, вряд ли она так опекала бы меня. Она, скорее, походила на твою сестру: такая же неукротимая, с вечным стремлением к независимости.

Этот дом всегда напоминал ему о жене. И хотя отголоски боли не утихли, все же ему нравилось здесь жить. Эдвард с удовольствием занимался делами, проводил совещания с поверенными, совсем как в те дни, когда еще не ушел на покой и правил целой империей. Последнее время он подумывал продать сталелитейные заводы в Питсбурге, и Чарлз уверял, что нашел солидного, надежного покупателя. Но принять окончательное решение было непросто, так что они, возможно, задержатся в Нью-Йорке до конца октября, если не до декабря.

— Хорошо проводишь время? — спросил Эдвард дочь, радуясь, что может немного побыть с ней наедине.

— Прекрасно, папа. Но не уверена, что хотела бы жить здесь постоянно. Я скучаю по Кротону, хотя с удовольствием посещаю музеи, балы и вечеринки. Здесь столько всего происходит!

Она улыбнулась, на минуту превратившись в прежнюю девочку, и Эдвард почувствовал угрызения совести за собственный эгоизм. Нужно помнить, что дочери уже не маленькие и должны выйти замуж. И все же у него сердце разобьется, когда они покинут дом.

— Мне следовало бы почаще представлять вам порядочных молодых людей, — не слишком убежденно заметил он, обмениваясь улыбками с Оливией. — Давно пора подумать о вашем замужестве, хотя, правду говоря, не представляю, как обойдусь без вас. За тебя я больше всего опасаюсь. Ты не должна так преданно ухаживать за мной, дорогая, чтобы я смог легче вынести разлуку.

Вместо ответа Оливия поцеловала руку отца, и глаза Эдварда зажглись любовью.

— Я никогда не покину тебя. Ни за что.

Она неизменно повторяла эту фразу сначала в пять лет, потом в десять, но тогда это были лишь детские обещания. Теперь же она сознавала, что так и будет. Здоровье отца сильно ухудшилось, сердце ослабело, и Оливия не представляла, что с ним станется без нее. Кто присмотрит за отцом? Кто станет вести дом? Кто вызовет доктора, если ему станет плохо?

Не может же она бросить отца на попечение равнодушных слуг, а Виктория никогда не замечает, болен ли он или здоров.

— Я не оставлю тебя, папа. И никаких споров, — твердо объявила Оливия.

— Останешься старой девой? Вздор, дорогая! — запротестовал отец, втайне восхищаясь дочерью и зная, что следовало бы раз и навсегда запретить подобные разговоры, но не имея сил сделать это. Он действительно отчаянно нуждался в Оливии и хотел, чтобы все оставалось по-прежнему, даже если это означало, что она должна пожертвовать собой. Он пропадет без нее. И все же она заботится о нем скорее как жена, чем как юная красавица, которой необходимо иметь собственную жизнь.

И не желая даже думать о возможности лишиться дочери, Эдвард поспешно сменил тему:

— Виктория не встретила никого подходящего? Боюсь, я недостаточно уделял внимания вашим поклонникам.

Он заметил, что Чарлз Доусон очарован младшей дочерью... или сразу двумя? Как, впрочем, и многие мужчины. Так трудно сделать выбор, когда перед тобой столь прелестные особы.

— Не думаю, отец, — солгала Оливия, как всегда, защищая сестру. — Мы еще не успели... то есть... не совсем...

Они, разумеется, знали здесь многих, но молодые люди отчего-то не уделяли им особого внимания. Возможно, потому, что люди смотрели на них как на игру природы и воображали, что сестры никогда не согласятся расстаться. Никто не подозревал, какие они на самом деле разные, как отличаются их вкусы и интересы. Окружающие видели в них этакое двойное издание хорошенькой девушки.

— Надеюсь, Виктория хорошо себя ведет? — весело осведомился отец.

Он уже успел узнать по своим каналам, что младшая дочь научилась водить машину, успела стащить «форд» для собственных надобностей и куда-то на нем ездила. К счастью, до него не дошли известия о ее аресте, и эскапада с «фордом» показалась совершенно безобидной, хотя и не слишком умной. В ее возрасте Элизабет тоже была способна на подобное и как-то на пари с подругой даже ввела коня в гостиную, чем навлекла на свою голову град упреков. Но Эдвард только смеялся. Для мужчины своих лет он был на удивление снисходителен и никогда не возмущался проказами Виктории, потому что она слишком напоминала ему покойную жену.

— Тебе удобно? — спросила Оливия, перед тем как пойти переодеться к вечеру. Она налила отцу еще один бокал хереса и подала газету. Он заверил, что через несколько минут последует ее примеру и отправится наверх.

Поднимаясь по лестнице, Оливия думала о словах отца. Наверное, им в самом деле давно пора встретить кого-нибудь и подумать о замужестве. Но для нее все остается по-прежнему. Она не имеет права бросить отца. Будь их мать жива — дело другое, но теперь хотя бы одна из них должна остаться и позаботиться об отце. Очевидно, это ее обязанность, от Виктории все равно не будет толку.

И тут неожиданная мысль поразила ее. А если такой человек, как Чарлз Доусон, сделает ей предложение? Что она ответит? Что сделает? При одной мысли об этом сердце забилось сильнее. Представить невозможно, что Чарлзу она понравится... но если... если... Нет, нельзя позволить себе думать о таком! Она обязана выполнить свой долг. И Чарлзу нет никакого дела до нее. Он просто добр и вежлив, поскольку отец — его клиент.

Войдя в комнату, она услышала доносившееся из ванной пение. Должно быть, сестра переодевается там. Ванная одновременно служила гардеробной, и, войдя туда, Оливия увидела разбросанные по полу платья, среди которых был и наряд из розового газа.

— Что ты делаешь? — удивилась она, но тут же все поняла.

— Я не собираюсь напяливать то убожество, которое ты выбрала! — злобно взвизгнула Виктория, бросая на стул очередное платье. — Мы будем выглядеть как парочка рыбных торговок, хотя, по-видимому, ты этого и добивалась!

— А по-моему, они очень милые, — небрежно бросила Оливия и, не желая ссориться, добавила: — А что тебе приглянулось?

В этот момент Виктория сняла с вешалки платье, которое Оливия терпеть не могла. Это было платье из алого бархата, отделанное крошечными гагатовыми бусинками, с очень глубоким декольте. Они надевали наряды всего один раз, на рождественский вечер в отцовском доме. К наряду полагалась черная атласная накидка, подбитая алым бархатом.

— Мне не нравится этот фасон, — вскинулась Оливия, едва увидела, что именно держит в руках Виктория. — Вырез слишком глубокий. У нас будет вульгарный вид.

— Это бал, а не пятичасовой званый чай в Кротоне, — холодно объявила Виктория.

— Пытаешься выставиться перед ним, Виктория, но я тебе в этом не помощница. В этих нарядах мы хуже уличных шлюх, и я это не надену.

— Как пожелаешь, — хмыкнула Виктория, повернувшись на каблучке, и Оливия была вынуждена признать, что сестра просто ослепительна. — В таком случае, дорогая Олли, почему бы тебе не поехать на бал в розовом, а я уж выберу красное.

К удивлению Оливии, она говорила вполне серьезно.

— Не будь глупышкой!

Они всегда одевались одинаково, вплоть до нижнего белья и шпилек. Оливия просто почувствует себя голой, если сегодня эта традиция будет нарушена!

— Почему нет? Мы взрослые люди. Когда были детьми, Берти считала, что это очень мило. Но сейчас нам необязательно быть милыми, и меня тошнит от розового цвета. Я надену на бал только это платье, и если ты не согласна — что ж, у нас целый гардероб битком набит.

— Ты делаешь все это мне назло, Виктория, и я прекрасно понимаю, что тобой руководит. И позволь мне объяснить, что прошлый вечер отнюдь не был главным в жизни Тобиаса Уиткома, но ты в самом деле запомнишь его надолго, если предпочтешь принести свою судьбу и репутацию в жертву этому человеку, — выпалила Оливия, выхватывая такое же красное платье. — Ненавижу эту тряпку и жалею, что заказала ее. Ты делаешь из нас провинциальных дурочек и к тому же вынуждаешь меня надеть вещь, которая мне отвратительна.

— Я уже сказала, — равнодушно повторила Виктория, — можешь делать все, что пожелаешь.

На этот раз Оливия не ответила.

Обе молча вымылись, оделись, напудрились и надушились. К невероятному изумлению Оливии, Виктория чуть тронула губы помадой. И мгновенно преобразилась. Теперь она казалась не только неотразимой, но и удивительно взрослой. Настоящей женщиной.

— Ну уж краситься я не стану, — мрачно объявила Оливия, закалывая волосы.

— Тебя никто не просит.

— Ты просто тонешь, Виктория, и никто тебя не спасет.

— А может, я плаваю лучше, чем ты думаешь!

— Он непременно утопит тебя, — печально вздохнула Оливия, но сестра вышла из комнаты, волоча по полу атласную накидку.

Когда девушки через несколько минут спустились вниз, отец встретил их ошеломленным взглядом. Куда девались его дорогие малышки? Особенно Виктория! Каждое ее движение, каждый жест говорили о принадлежности к миру взрослых страстей и отношений, о котором она, к сожалению, так мало знала. Оливия, однако, была явно не в своей тарелке, хотя платья шли им, оттеняя кремовую кожу и облегая гибкие юные тела. У обеих были невероятно тонкие талии и высокие груди, соблазнительно вздымавшиеся над бархатной кромкой.

— Господи Иисусе, где вы раздобыли эти платья? — ахнул Эдвард, потрясенный экзотическими нарядами дочерей.

— Оливия заказала, — медоточивым голоском пояснила Виктория. — Должно быть, срисовала из модного журнала.

— Это правда, — расстроенно призналась Оливия, позволяя дворецкому накинуть на себя накидку, — только они уж очень неудачно вышли.

— Все мужчины станут мне завидовать, — заверил отец и проводил девушек к машине. Да, сегодня он навеки распрощался с иллюзией о том, что дочери еще совсем молоды. Они уже не дети, и просто чудо, если сегодня кто-нибудь из молодых людей не сделает им предложения. Он почти жалел о том, что они совершенно неотразимы и поистине излучают чувственную притягательность.

Оливия, забившись в угол, всю дорогу угрюмо молчала. Какой позор! Теперь все примут их за девиц легкого поведения!

Дворец Асторов на Пятой авеню был залит огнями. Сегодня здесь собралось четыреста человек, сливки американского общества. Среди них были люди, о которых девушки читали в газетах: миллионеры, принцы, английские и французские аристократы. Были и такие, что годами не покидали дома. Даже Элсуорты, которые вели отшельническое существование после смерти старшей дочери, почтили Асторов своим присутствием. Приехали также несколько счастливцев, уцелевших при крушении «Титаника». Они впервые за год с лишним посетили столь многолюдное собрание, и, услышав об этом, Оливия сразу же вспомнила о Чарлзе Доусоне. Она кивнула Маделайн Астор, у которой на «Титанике» погиб муж. Ребенку, родившемуся после его смерти, был почти год, и сердце Оливии сжалось при мысли о том, что малыш никогда не увидит отца.

— Вы сегодня замечательно выглядите, — услышала она знакомый голос и, обернувшись, с удивлением увидела Доусона. — Мисс Хендерсон, — засмеялся он, — я мог бы притвориться, что узнал, которая вы из двух, но боюсь, опять запутался, так что вам придется мне помочь.

— Оливия, — улыбнулась девушка, едва не поддавшись озорному порыву притвориться Викторией и узнать, о чем он говорит с сестрой. — А вы что здесь делаете? — поинтересовалась она, поскольку накануне он уверял, что никогда не ездит на балы.

— Надеюсь, вы говорите правду, — покачал он головой, словно знал, что она подумывала одурачить его. — Придется поверить на слово. Собственно, я родственник Асторам по жене. Она была племянницей нашей хозяйки, и последняя, по своей доброте, настояла, чтобы я принял приглашение. Но если бы не вчерашний вечер, я бы вряд ли согласился. Вы разбили лед одиночества, и последствия оказались куда более серьезными, чем я воображал. Кроме того, мне в голову не приходило, что здесь настоящий сумасшедший дом. Не то что небольшой элегантный прием на пятьдесят человек. Но особняк Асторов вместил бы куда больше народа!

Отец остановился, завидев старого друга. Виктория, переступив порог, немедленно исчезла. Чарлз немного поболтал с Оливией о своем сыне, о знакомых и рассказал о Маделайн Астор, муж которой плыл на «Титанике» с его женой. Каждый раз при упоминании о Сьюзен в глазах его светилась такая скорбь, что Оливии становилось не по себе. Неужели он до конца жизни так и не оправится от удара? Он ходил, разговаривал, работал и внешне походил на нормального человека, но душа была так непоправимо ранена, что, казалось, никогда не заживет.

— Ваша сестра, разумеется, тоже здесь, — учтиво заметил Чарлз. — Правда, я ее не видел.

— Я тоже. Она растворилась в толпе, как только мы вошли. На ней такое же отвратительное платье, — грустно призналась Оливия. Хорошо еще, что здесь то и дело попадались дамы в куда более вызывающих нарядах!

Но Чарлз счел необходимым возразить.

— Вам оно не нравится? А по-моему, очень красиво. Правда, немного слишком «взрослое», — слегка смущенно пробормотал он, — если такое определение подходит для молодых женщин вашего возраста.

— Скорее уж «неприличное». Я твердила Виктории, что буду чувствовать себя потаскушкой в этом наряде. Она сама его выбрала, хотя упрекает меня за то, что я заказала такой фасон. И что всего хуже, отец считает, будто это я решила так одеться на бал.

— Он возражал? — весело осведомился Чарлз, но Оливия, словно зачарованная, следила за тем, как меняется цвет его глаз от темно-зеленого до очень светлого.

— Нет, ему понравилось, — с гримаской фыркнула Оливия.

— Мужчины обожают женщин в красном бархате, — сообщил Чарлз. — Иллюзия порока, видите ли.

Оливия кивнула, от всей души надеясь, что для ее сестры иллюзия не превратится в действительность.

Чарлз повел ее ужинать, а потом представил дружной компании молодых дам. Убедившись, что его юная протеже не станет скучать, он объяснил, что пойдет попрощаться с кузиной, поскольку Джеффри болен и ему придется уехать пораньше. Оливия искренне огорчилась, тем более что в этот момент как раз заиграла музыка, но забыла обо всем, увидев сестру, которая кружилась в объятиях Тоби под мелодию медленного вальса. Чуть позже она была окончательно шокирована: парочка и не подумала расстаться и сейчас танцевала новомодный фокстрот.

— Боже, это все равно что увидеть самое себя! — воскликнула одна из девиц. — Никогда не видела ничего подобного! Вы совсем-совсем одинаковые?!

Оливия улыбнулась. Люди, снедаемые любопытством, вечно задавали одни и те же вопросы! Им хотелось знать, каково это — всегда иметь перед глазами свою точную копию.

— Совсем. Мы так называемые зеркальные близнецы. То, что у меня справа, у нее слева. У меня чуть выше правая бровь, у Виктории — левая. У меня левая нога больше, у нее — правая.

— Должно быть, вы немало повеселились в детстве, — заключила одна из мисс Астор. К компании присоединились две мисс Рокфеллер. Одну Оливия часто встречала в старом поместье Гулдов, другую видела на музыкальном утреннике в Кайкьюите. Поскольку Рокфеллеры были известными трезвенниками и не признавали танцев, они редко давали такие грандиозные балы, как Вандербильды и Асторы, зато часто приглашали соседей на чай, ленч или концерты.

— И вы все время менялись местами? — допытывалась девушка.

— Нет, — засмеялась Оливия. — Только когда хотели напроказничать или избавиться от наказания. Моя сестра ненавидела сдавать экзамены, так что мне приходилось трудиться за двоих. Когда мы были совсем маленькими, она подговорила меня принимать лекарство и за нее тоже, пока мне не стало плохо. К счастью, няня нас разоблачила. Иногда мне доставалась двойная доза касторки.

— Но как вы могли согласиться? — охнула одна из собеседниц, морща носик при мысли о вкусе касторки.

— Потому что я люблю Викторию, — просто обронила Оливия, не собираясь распространяться, до каких пределов способна дойти ради сестры. Да и можно ли объяснить природу скрепляющей их связи? Эту связь нельзя ни разорвать, ни уничтожить. — Я совершила немало глупостей ради нее, как и она — ради меня. Отцу наконец пришлось забрать нас из школы, потому что мы постоянно устраивали там переполох. Но зато нам вместе было ужасно весело.

Девушки долго слушали ее рассказы. Оливия отвлеклась и только час спустя сообразила, что Виктория по-прежнему танцует с Тоби. Она словно таяла в его руках, и оба медленно кружили по залу, не сводя друг с друга глаз и не обращая внимания на окружающих. Извинившись, она немедленно отправилась на поиски Чарлза и перехватила его уже в пальто, у двери.

— Я прошу вас об одолжении, — прошептала она, умоляюще глядя на него, и Чарлз понял, что не сможет ей отказать. Таким же точно тоном она обратилась к нему за помощью, когда полиция забрала Викторию.

— Что-то случилось? — сочувственно спросил он, удивляясь, как спокойно ему становится в присутствии этой девушки. Совсем не так он чувствовал себя рядом с Викторией. И все же он мог различить сестер, только если заговаривал с ними, и тогда странное душевное волнение подсказывало, кто перед ним. Правда, Чарлз льстил себя мыслью о том, что, если узнает их получше, сможет угадывать с первого взгляда.

— Опять наша приятельница что-то натворила? — допытывался он. Похоже, Виктории вечно суждено попадать в беду, а Оливии — выручать сестру.

— Похоже, именно так и есть. Вы потанцуете со мной, мистер Доусон?

80

— Чарлз... пожалуйста. Я думал, что мы уже подружились.

Он снял пальто, вручил дворецкому, ни словом не обмолвившись, что пришлось выстоять с полчаса в очереди за верхней одеждой и что он торопится к сыну, и послушно последовал за девушкой в бальный зал, где мгновенно понял, что происходит. Тоби и Виктория едва ли не обнимались при всех, и Оливия смертельно побледнела. Чарлз повел ее в центр зала и постарался держаться как можно ближе к парочке, но Тоби искусно избегал их, а Виктория совершенно не обращала внимания на неодобрительные взгляды сестры. Наконец она повернулась к ним спиной, что-то прошептала Тоби, и оба исчезли в соседней комнате, где толпа мгновенно их поглотила.

— Спасибо, — мрачно выдавила Оливия, и Чарлз ободряюще улыбнулся.

— Вам нелегко придется. Виктория — очень упрямая и своевольная девушка. Помните, как она настаивала на аресте? Кстати, ведь это Тобиас Уитком, не так ли?

Он тоже слышал истории о похождениях Тоби и не сомневался, что Виктория станет для него легкой добычей. Оставалось только надеяться, что она ему надоест, прежде чем разразится настоящая трагедия. Возможно, до отца девушки дойдут слухи и он примет меры. Кажется, Оливия готова бороться за сестру.

— Спасибо, Чарлз, за то, что не оставили меня. Эта девчонка делает из себя посмешище, — прошипела Оливия, сверкая глазами.

— Не волнуйтесь. Она слишком молода и хороша собой и, естественно, привлекает целый рой повес, но в конце концов найдет себе мужа. Нельзя же тревожиться из-за каждого поклонника сестры, — увещевал Доусон, хотя втайне опасался, что Оливия права. Мужчина с репутацией Уиткома способен на все! Оливия совершенно права, что не спускает глаз с сестры.

— Виктория утверждает, что никогда не выйдет замуж. Она собирается жить в Европе и бороться за права женщин.

— О Боже! Ничего, она повзрослеет и выбросит из головы весь этот вздор. Забудет обо всем, когда встретит подходящего человека. Главное, не проболтаться ему, что она мечтает об аресте, и не слишком тревожиться за нее. Веселитесь и ни о чем не думайте, — посоветовал он, прежде чем распрощаться.

Оливия вышла в дамскую комнату и пригладила волосы перед зеркалом. У нее ужасно разболелась голова, и с каждой минутой становилось хуже. Она уже решила найти отца и сказать, что хочет домой, но в зеркале появилось лицо Эванджелины Уитком, и девушка медленно повернулась.

— Советую вам, мисс Хендерсон, играть с детьми своего возраста или по крайней мере ограничиться холостяками и не бросаться на женатых мужчин, да еще с тремя детьми.

Она рассерженно оглядела Оливию, и та залилась краской, сообразив, что ее опять приняли за Викторию. Жена Тоби была в бешенстве, но стоит ли ее за это осуждать?

— Мне очень жаль, — тихо вымолвила Оливия, не собираясь объяснять Эванджелине ее ошибку и добровольно соглашаясь на роль Виктории. Хорошо еще, что ей выпала возможность уверить оскорбленную жену, что между ее мужем и Викторией ничего нет. — Ваш муж вел дела с моим отцом, мэм, и мы всего-навсего говорили о наших семьях. Он постоянно твердит о вас и о детях.

— Сомневаюсь, — гневно отрезала Эванджелина. — Он и думать о нас забыл! Ведите себя пристойно, иначе, клянусь, пожалеете, что на свет родились. — Рот ее злобно скривился, пальцы хищно скрючились. — Вы ничего для него не значите! Поиграет вами, как игрушкой, и выбросит — и тогда берегитесь! Ваша репутация будет уничтожена, и ни один порядочный человек близко к вам не подойдет! А Тоби вернется ко мне... как всегда.

Она повернулась и вышла, а Оливия схватилась за горло, чувствуя, что задыхается. К счастью, в дамской комнате никого не было, и Оливия как подкошенная опустилась на банкетку. Перед глазами все плыло. Эванджелина права. Слишком хорошо она знает мужа. И он, разумеется, ни за что не бросит женщину из такой семьи и с таким положением. Не настолько он глуп! Куда умнее дурочек, терявших из-за него голову!

Правда, большинство из них глупы, неопытны и к тому же невинны. Они были ослеплены его внешностью, безупречными манерами и сладкими речами, а заодно и собственными девическими иллюзиями и надеждами заполучить богатого красивого мужа. Но, как и думала Оливия, натешившись, он без всякой жалости оставлял несчастных. Недаром Оливия пыталась предостеречь сестру. К тому же вряд ли ей удалось убедить жену Тоби в чистоте своих намерений, вернее, намерений Виктории.

Выйдя из комнаты, она снова увидела сестру танцующей с Тоби. Они прижимались друг к другу так тесно, что их губы едва не соприкасались. Оливия едва не вскрикнула от негодования, но, вовремя сдержавшись, отправилась на поиски отца и пожаловалась на головную боль. Тот немедленно встревожился и, послав горничную принести пальто, сам пошел за Викторией. Увидев, что она танцует с молодым Уиткомом, Эдвард нахмурился, но не придал этому особого значения. В конце концов, они познакомились только вчера вечером, а до этого ни разу не встречались. Однако по пути домой он выразил удивление как этим фактом, так и тем, что Оливии вздумалось вчера вечером посадить Викторию рядом с Тоби. Однако Эдвард тут же подчеркнул, что ничего особенного в этом не находит и надеется, что Виктория не поддастся обаянию Уиткома.

К сожалению, он не заметил взгляда, которым обменялись его дочь и Тоби, иначе худшие подозрения отца сразу же оправдались бы. Парочка отыскала в глубине сада прелестный маленькой павильон, где он впервые поцеловал ее. Они провели несколько часов в объятиях друг друга, а в промежутках танцевали.

— Прости, дорогая, — обратился отец к Оливии. — Ты слишком утомилась. Столько хлопот с приемом, а тут еще и бал! Никогда бы не принял приглашения, если бы не хотел, чтобы вы повеселились. Представляю, как вы устали!

Но Виктория вовсе не выглядела утомленной и пронзала сестру злобными взглядами, когда отец смотрел в окно. Она слишком хорошо знала сестру, чтобы поверить в головную боль.

Виктория даже не подозревала, как сильно расстроила сестру.

— Весьма хитрый ход, — ледяным голосом заметила она, когда сестры поднялись наверх.

— Не понимаю, о чем ты. У меня в самом деле голова раскалывается, — пробормотала Оливия, снимая ненавистное платье. Виктория так непристойно вела себя, что их в самом деле посчитают распутницами!

— Ты прекрасно понимаешь, о чем я! Но твои уловки ничего не изменят! Ты сама не знаешь, что творишь!

Виктория безоговорочно верила каждому слову Тоби. Он безумно влюблен в нее, и девушку ничуть не удивило, что он собирается подать на развод. Ну и что тут такого? Все суфражистки считают: брак без любви невозможен! В конце концов, вовсе не обязательно выходить замуж за Тоби! Они могут навсегда остаться любовниками. Он даже поговаривал о том, чтобы уехать из страны и жить в Европе. Уитком стал ее идеалом. Именно о таком мужчине мечтала Виктория. Храбрый, дерзкий, открытый, готовый заплатить любую цену за то, во что верил. Она искренне считала его рыцарем без страха и упрека, готовым спасти ее от жалкого мещанского существования в невероятно тоскливом городишке. Он уже побывал в Париже, Лондоне и Аргентине. Эти названия звучали музыкой в ушах девушки, и каждый раз при мысли о Тоби она трепетала.

— Сегодня его жена набросилась на меня в туалетной комнате, — сообщила Оливия, надевая халат. — Приняла меня за тебя.

— Как раз вовремя. И что, ты начала извиняться и просветила мадам? Объяснила, как жестоко она ошиблась?

— Более или менее.

Виктория театрально расхохоталась, но Оливия грустно покачала головой.

— Она сказала, что у Тоби вошло в привычку менять женщин, как перчатки, а когда все кончено, бросать их, словно поломанные куклы. Я бы не хотела, чтобы ты стала одной из них, — выдавила она. Ей на самом деле было плохо. Впервые между ними пролегла пропасть, и девушка не могла придумать, как образумить сестру. Господи, поскорее бы вернуться в Кротон! — Виктория, пожалуйста, будь же разумной... держись подальше от него... Он опасен... Обещай, что ты не станешь с ним видеться.

— Обещаю, — неохотно проронила Виктория без особой убежденности.

— Я серьезно, — настаивала Оливия со слезами на глазах. Теперь она еще больше возненавидела Уиткома, из-за которого сестра стала совсем чужой.

— Ты ревнуешь, — свысока бросила Виктория.

— Вовсе нет!

— Ревнуешь. Он влюблен в меня, и это тебя пугает. Боишься, что Тоби отнимет меня у тебя.

Виктория в чем-то была права, и Оливия втайне признавала это. Но еще больше тревожилась за судьбу сестры.

— Он уже это сделал. Но неужели ты не понимаешь, как рискуешь? Что будет, если позволишь себе влюбиться в него? Пойми же наконец: ты попадешь в беду.

— Я постараюсь быть поосторожнее. Клянусь, — заверила Виктория, немного смягчившись. Она тоже терпеть не могла ссориться с Оливией, потому что слишком любила сестру. Но и Тоби ей дорог. Она уже влюблена в него по уши, и все предостережения запоздали. Когда он целовал ее, Виктории казалось, что она тает, расплывается, возносится к небу облаком, а стоило ему коснуться ее груди, как она была готова позволить Тоби все. Все на свете. Никогда еще она не испытывала ничего подобного. Но как объяснить это сестре?

— Дай слово, что не увидишь его, — умоляла Оливия. — Пожалуйста.

— Не проси. Обещаю, что не натворю глупостей.

— Но встречи с ним — ужасная глупость. Хуже не придумаешь. И его жене все известно.

— Она злится, потому что он с ней разводится. Ты бы на ее месте тоже на стенку лезла.

— Подумай, какой разразится скандал! Как оскорбятся Асторы! Почему бы тебе не переждать, пока все уляжется? А потом ты сможешь открыто видеться с ним и все объяснишь отцу.

Не хватало еще, чтобы имя сестры было замешано в грязном бракоразводном процессе. Ни в одном порядочном доме ее не станут принимать!

— Но, Олли, на это уйдет вечность.

— А когда мы вернемся домой? Что тогда? Он будет приезжать в Кротон? Что скажут люди? Отец?

— Не знаю. Он говорит, что вместе мы все преодолеем, особенно если я его люблю. И это так и есть, Олли. Так и есть. — Виктория закрыла глаза. Сердце едва не выпорхнуло из груди при мысли о Тоби. — Разве ты способна меня понять? Я с радостью умерла бы за него, если понадобится.

На этот раз она честна и откровенна, но Оливии от этого не легче!

— Именно подобного я и боялась, — печально выдохнула она. — Я не хочу, чтобы кто-то причинил тебе зло.

— Он не такой. Ты должна поближе с ним познакомиться. Я уверена, он тебе понравится. Олли, пожалуйста... я не смогу обойтись без тебя.

Это уж слишком. Молчание и так давалось Оливии нелегко, но соучастие... на такое она не отважится.

— Виктория, на этот раз не жди от меня помощи, — спокойно объявила она. — Я считаю, что ты поступаешь плохо и глупо, и кончится это трагически. Ты обязательно попадешь в беду. Остановить тебя невозможно, но и пособничать я не буду.

— Тогда дай слово, что никому не скажешь, — прошептала Виктория, становясь на колени. Слезы катились по ее щекам, и Оливия, обняв сестру, зарыдала.

— Как ты можешь просить меня о таком? Как позволить ему сломать тебя?

— Он не сделает этого... ни за что... Верь мне...

— Тут не только ты виновата, — вздохнула Оливия, вытирая глаза. — Но если он причинит тебе зло, боль, я не знаю, что сделаю с ним...

— Этого не случится. Я знаю его лучше, чем кого-либо на свете, лучше тебя.

В эту минуту она казалась совершенным ребенком, озорным и хитрым.

— Всего за два дня, Виктория Хендерсон? Сомневаюсь. Ты фантазерка. Для человека, проповедующего столь радикальные идеи, ты настоящая романтическая дурочка. Как можно доверять этому человеку после столь короткого знакомства?

— Потому что я знаю его. И прекрасно понимаю. Мы оба совершенно независимые люди, верящие в одни и те же идеалы, которым повезло встретить друг друга. Это чудо, Олли. В самом деле чудо. Он сказал, что ждал меня всю жизнь. Всю жизнь, представляешь? И теперь не в силах осознать, какая удача нам выпала.

— А как насчет его жены и детей? Он о них подумал? — скептически бросила Оливия, и Виктория, мгновенно смутившись, не сразу нашлась с ответом.

— Тоби утверждает, что Эванджелина специально рожала детей, чтобы его удержать. Он никогда не намеревался иметь детей в браке без любви. Во всем виновата она, и пусть теперь сама их воспитывает.

— Очень мило, а главное — порядочно, — язвительно заметила Оливия, но Виктория, пропустив ее слова мимо ушей, продолжала петь дифирамбы возлюбленному.

Наконец они потушили свет, и Оливия обняла младшую сестру.

— Будь осторожнее, дорогая, будь умнее... будь мудрее... — прошептала она, но Виктория лишь сонно кивнула и свернулась клубочком.

Скорее бы настало завтра, подумала она. Тоби назначил ей свидание в библиотеке ровно в десять утра.

Глава 5

На следующий день, пока Оливия вместе с поваром составляли меню обеда и ужина, Виктория улизнула из дома. Она сказала Берти, что идет в библиотеку, где встретится с мисс Рокфеллер, и вернется к вечеру. Берти велела Доновану подвезти ее, и никто не обратил внимания на то, что Виктория надела новый белый костюм со шляпой в тон, в котором выглядела так, словно сошла с картинки модного журнала. Она поднялась на крыльцо библиотеки, держа в руке стопку книг, а Донован вернулся домой: пора было везти мистера Хендерсона в контору Джона Уотсона.

Виктория вернула книги и, оглянувшись, заметила Тоби, стоявшего в углу, неподалеку от стола вежливой очкастой старой девы-библиотекарши. Девушка просияла от радости. Их глаза встретились, и через минуту они рука об руку выбежали на улицу. Виктория понятия не имела, куда они идут, да и не заботилась. Главное — они вместе.

Тоби оставил машину у обочины. Он весьма гордился новым «штутцем», купленным в этом году, и засмеялся, когда Виктория заявила, что хочет сесть за руль.

— Только не говори, что умеешь водить машину! — с веселым восхищением воскликнул он. — Подумать только, я действительно нашел настоящую современную девушку! Большинство нынешних дам только притворяются ими, а на деле — ханжи и лицемерки!

Он предложил ей папиросу, и Виктория закурила, хотя на самом деле считала, что еще слишком рано для таких эскапад на людях. Они немного поездили по Ист-Сайду, но вскоре Тоби остановил машину и впился глазами в Викторию, словно хотел навсегда запечатлеть в сердце и памяти каждую черточку ее лица.

— Я обожаю тебя, — прошептал он, касаясь губами ее волос. — Такие, как ты, еще не рождались на свет.

Его слова оказали на нее невероятное возбуждающее действие, и, когда Тоби поцеловал ее, девушка словно растеклась в его объятиях. В этот момент она была действительно готова на все, а он продолжал целовать ее, пока оба не задохнулись.

— Ты сводишь меня с ума. Чего бы я ни дал, лишь бы похитить тебя и увезти в Канаду, Мексику, Аргентину или на Азорские острова... Такая жемчужина, как ты, заслуживает роскошной экзотической оправы. Я хотел бы лежать с тобой на теплом песке, под звуки музыки, и целоваться, целоваться...

Он снова нагнулся к ней, и Виктория окончательно потеряла голову. Глядя в его темные глаза, она мечтала лишь о том, чтобы эти мгновения длились вечно. Невозможно представить, что через несколько часов им придется расстаться!

Но лицо Тоби неожиданно просветлело, словно его осенила какая-то блестящая мысль.

— Я кое-что придумал, — объявил он, заводя машину. — Теперь я знаю, куда мы отправимся. Я не был там сто лет.

— Интересно, куда же? — беззаботно осведомилась Виктория, и Тоби протянул ей маленькую фляжку. Она послушно сделала крошечный глоток, чтобы не показаться наивной провинциалкой. Во фляжке оказалось бренди, обжегшее ей горло, но возымевшее успокоительный эффект. Вскоре девушка уже ни о чем не думала.

— Секрет, — с таинственным видом объявил Тоби, с обожанием глядя на нее. В эту минуту оба чувствовали, что предназначены друг для друга.

Она продолжала засыпать его вопросами, но Тоби отмалчивался и лишь однажды объявил, что похищает ее. Виктория, ничуть не встревоженная, отвечала на его поцелуи и осмелилась выпить еще бренди, но, когда Тоби в третий раз протянул ей фляжку, отказалась.

— Ты всегда пьешь бренди перед завтраком? — небрежно спросила она, хотя такие вещи не особенно ее беспокоили. Многие приятели отца часто прикладывались к спиртному, и даже Джон Уотсон зимой неизменно носил с собой фляжку. Правда, на улице не было холодно, просто бренди приятно кружило голову и усиливало и без того бурлящее возбуждение.

— Я так нервничал сегодня, — признался Тоби, — вот и решил, что оно мне понадобится. Просто ноги тряслись, когда отправлялся на свидание.

Он, по-мальчишески ухмыляясь, подмигнул ей и при этом выглядел таким беззащитным и влюбленным, что Виктория ощутила себя умудренной жизнью, опытной женщиной. Подумать только, ему уже тридцать два, а она смогла свести его с ума! Это ужасно ей льстило, особенно сознание того, что видеться с ним запрещено. А если вспомнить о его отвратительной репутации...

Но неожиданно даже это взволновало ее, потому что Виктория поняла — все это гнусные сплетни. В конце концов это вообще не важно, особенно после того, как Тоби сказал Виктории, что разведется с Эванджелиной и вообще совершил роковую ошибку, потратив пять лет на брак без любви. То, что развод в семействе Асторов вызовет грандиозный скандал, даже не пришло ей в голову — в отличие от сестры.

Они оказались в районе жилых застроек. Дома вокруг были маленькими, простыми, почти как в сельской местности. Вскоре Тоби остановился перед небольшим аккуратным зданием, отделенным от остальных давно не подстригавшимися кустами живой изгороди.

— Что это? — удивилась Виктория, гадая, кого решил навестить Тоби.

— Волшебный приют, — улыбнулся он и, обойдя вокруг машины, помог Виктории выйти. Она нерешительно огляделась, но Тоби, подхватив корзинку для пикников, битком набитую заманчивыми деликатесами, по-видимому украденными с кухни, достал из кармана ключ.

— Чей это дом? — смущенно пробормотала она, неловко переминаясь, но все же послушно последовала за Тоби. Он открыл дверь, и девушка увидела маленькую чистую гостиную. Мебель, хоть и простая, была в хорошем состоянии. Никакой особенной роскоши, но местечко достаточно приятное, чтобы спокойно провести здесь час-другой.

Прежде чем она успела шагнуть вперед, Тоби обнял ее, поцеловал и, откинув со лба длинный черный локон, прижал к себе так сильно, что едва не раздавил. А потом подхватил ее на руки и перенес через порог.

— Когда-нибудь ты станешь моей женой, Виктория Хендерсон, — поклялся он. — Ты еще почти не знаешь меня, но настанет час и мы не расстанемся... Ты будешь следующей миссис Уитком... если согласишься...

Он выглядел таким юным и неуверенным в себе, а его широкие плечи, казалось, заслоняли ее от всего мира. Виктория неожиданно растерялась. Подумать только, она, гордо провозглашавшая, что никогда не выйдет замуж, что желает быть свободной и жить в Европе, сейчас наедине с этим человеком, готовая стать его рабой, покоряться любому его слову. Она понимала, что поступает нехорошо, некрасиво, но ничего не могла с собой поделать. Как могут такие чудесные отношения подвергаться всеобщему осуждению? Как люди не понимают чистоту их чувств?

В сердце своем Виктория ощущала безмерную любовь к нему. Он покорил ее своей открытостью, искренностью, безмерным обаянием. И девушка доверяла ему, как собственному отцу.

— Я так люблю тебя, — тихо прошептала она, и он снова поцеловал ее.

Они сами не помнили, как очутились на диване. Тоби осыпал ее страстными поцелуями, и она чувствовала, как пульсирует его напряженная плоть. Виктория не знала, что делать и чего он ожидает от нее, и пуще всего боялась совершить какую-нибудь непоправимую глупость, но в эту минуту молила Бога лишь об одном — чтобы это продолжалось вечно.

Тоби отстранился первым, и Виктория с удивлением заметила, что ее блузка расстегнута. Когда это произошло? Она не знала.

Они поставили корзинку на стол и выпили по бокалу шампанского. Виктория дрожащими руками застегнула пуговицы, и Тоби повел ее в сад. Кругом никого не было, улица оставалась безлюдной, и Тоби объяснил, что снял этот домик специально, чтобы хоть изредка побыть одному и избавиться на несколько часов от Эванджелины, помечтать и отдохнуть. Именно здесь он и решил подать на развод.

— Ты, наверное, будешь ужасно скучать по детям? — сочувственно спросила она.

— Разумеется. Но надеюсь, она смягчится и позволит мне с ними видеться. Конечно, это станет потрясением для всей семьи, но думаю, Эванджелине тоже станет легче. Невозможно, чтобы это продолжалось вечно. Родственники, естественно, тяжело воспримут случившееся, потому что не поймут нас.

Виктория кивнула. До нее только сейчас дошло, какая разразится гроза. Отец, вне всякого сомнения, будет потрясен, но, возможно, со временем он смягчится. Кроме того, они могут пожениться позже. Да Виктории все равно, лишь бы они были вместе, а это весьма затруднительно, тем более что она скоро вернется в Кротон. Но Тоби, конечно, будет часто приезжать, и, поскольку все узнают, что он разводится, они сумеют встречаться без помех. Странно, как изменилась ее жизнь всего за несколько дней. Она никогда не предполагала, что все станет совершенно иным и будет представляться в другом свете.

Тоби расспрашивал ее о детстве и заразительно смеялся над историями о приключениях озорниц двойняшек, пока они снова не оказались в доме. Он принялся ее целовать. Виктория потеряла всякое представление о времени. Они разговаривали, целовались, пили шампанское, и на этот раз она позволила ему снять с себя блузку. Правда, попыталась было возразить, но Тоби заставил ее замолчать своими огненными ласками и горячими губами. Виктория, ошеломленная силой своего желания, почти не сопротивлялась, когда он проложил дорожку поцелуев от ее губ к шее и груди, чуть прикусив сосок. Виктория тихо застонала, поняв, что сейчас произойдет. Возврата нет. Это мгновение вместило в себя целую жизнь. Они вместе разделят риск, опасность, радости и печали.

Одежда словно растворилась в его руках. Тоби поднял девушку на руки и, целуя, понес в спальню. Занавеси задернуты, комната словно окутана мистической дымкой. Тоби положил Викторию на кровать и сам лег рядом. Он был бесконечно нежен, пылок и влюблен, и когда овладел девушкой, та почти не почувствовала боли. Она возрождалась и умирала в его объятиях и ничего больше не боялась, бесконечно доверяя и любя человека, дарованного ей судьбой.

Потом они долго лежали в полудремоте, наслаждаясь взаимной близостью. Теперь Виктория не сомневалась, что принадлежит ему навсегда.

Тоби разбудил ее в пять часов, когда небо уже начало темнеть. Ему так не хотелось вставать, но если они сейчас не уедут, родные Виктории и его жена забеспокоятся. Ни за что на свете он не желал бы причинить Виктории неприятности.

У девушки сжималось от боли сердце, но она послушно оделась под пристальным взглядом любовника, восхищавшегося ее длинными стройными ногами, изяществом фигуры и грацией. Он просто не верил собственному счастью. Найти идеальную женщину... невероятно! Неужели все это было на самом деле?

— Ты никогда, никогда не пожалеешь, что полюбила меня, — прошептал он на прощание, и хотя оба еще не полностью осознали всю важность случившегося, Виктория кивнула в ответ. Это правда. Она не испытывает раскаяния. Сегодня она сама выбрала свою дорогу, и отныне они навеки связаны неразрывными цепями.

Он позволил ей сесть за руль и проехать часть пути, и хотя несколько раз Виктория едва не попала в аварию, оба только смеялись, дурачились, пели, как дети, оказавшиеся на крошечной лодке посреди бурного моря и надеявшиеся, что боги их хранят.

— Я люблю тебя, Тоби Уитком, — вырвалось у Виктории, когда он остановил машину в двух кварталах от ее дома.

— Не так сильно, как я тебя. Вот увидишь, в один прекрасный день ты станешь моей, — гордо объявил Тоби, — пусть я тебя недостоин.

— Я уже твоя, — прошептала она и, поцеловав его в щеку, ступила на тротуар, все еще ошеломленная силой собственного самопожертвования. Но разве они не созданы друг для друга?

Она помахала рукой вслед удалявшейся машине и долго провожала Тоби взглядом. Они договорились встретиться завтра в библиотеке и немедленно поехать в маленький домик, ставший их прибежищем.

Глава 6

Октябрь пролетел незаметно, исполненный лихорадочной деятельности. Эдвард Хендерсон заключил удачную сделку, долженствующую принести ему огромные прибыли, и пребывал в прекрасном настроении. Каждый день он отправлялся в контору Джона Уотсона и проводил целые часы в совещаниях с банкирами и адвокатами.

У Оливии появились друзья, приглашавшие ее то на обед, то на чай. И хотя Викторию приглашали тоже, она редко присоединялась к сестре. Она отговаривалась тем, что ходит на лекции и собрания ассоциации суфражисток, но Оливия подозревала, что сестра неоткровенна с ней. Она инстинктивно чувствовала, что встречи с Уиткомом продолжаются. Оливия старалась не говорить на эту скользкую тему, но незаметно наблюдала за сестрой. Что она могла поделать? Сестра влюблена, это видно с первого взгляда, и ее уже не остановишь.

Хендерсоны часто посещали спектакли и концерты, и Оливия, по просьбе отца, дала два небольших обеда. Чарлз Доусон пришел на один, но большую часть вечера провел в деловых разговорах с отцом. Оливия же была куда менее разговорчивой, чем обычно: слишком она волновалась за сестру. Между ними словно выросла стена обиды и непонимания, через которую Оливия была не в силах проникнуть, и, когда пыталась расспросить Викторию, та обвиняла сестру в несправедливости и чересчур буйном воображении.

Оливия мечтала о том времени, когда они наконец вернутся домой и сестра, возможно, излечится от своего несчастного увлечения. Ей было тяжело без привычной дружбы и понимания, но в конце октября Эдвард сообщил, что они вряд ли уедут в Кротон до Дня благодарения*. Он окончательно договорился о продаже завода и, кроме того, считал, что девочкам пошло на пользу пребывание в Нью-Йорке. У них появились друзья, и кроме того...

Тут отец заговорщически подмигивал. Вдруг они найдут себе подходящих женихов?

В любом случае девушки прекрасно проводили время. Оливия приобрела знания светского этикета и стала идеальной хозяйкой, а Виктория расцвела, превратившись в неотразимую женщину, окруженную аурой изысканности и утонченности. Вслух эти перемены не обсуждались, но те, кто хорошо знал девушек, все замечали. Оливия считала, будто сестра специально ведет себя так, чтобы привлечь Тоби. А Виктория никому ничего не рассказывала, тем более сестре. Оливии ничего не было известно о ее тайных свиданиях с

---

* Последний четверг ноября. — *Здесь и далее примеч. пер.*

Тоби, о том, что происходит в маленьком домике, где они встречались каждое утро. Но она чувствовала, что отношения сестры с Тоби крепнут, а Виктория избегает ее, и кажется вечно занятой, что Оливия считала подозрительным.

— Вы еще не устали от нашего города? — спросил как-то Чарлз, приехавший к отцу. Оливия велела подать поднос с чайником и чашками в кабинет, и Эдвард попросил ее остаться, поскольку они уже закончили разговор.

— Немного, — улыбнулась девушка. — Мне здесь нравится, но очень хочется полюбоваться, как желтеют деревья в Кротоне.

— Скоро вернемся, — улыбнулся отец, благодарный за помощь. Все два месяца она идеально вела дом.

— Вы обязательно должны привезти к нам Джеффри. Жаль, что я так с ним и не познакомилась, — тепло улыбнулась Оливия.

— Ему у вас понравится, — заверил Чарлз.

— Он катается верхом?

Адвокат с сожалением покачал головой.

— Возможно, я могла бы поучить его.

— Он наверняка согласится.

— Кстати, а где твоя сестра? — неожиданно перебил отец.

— Как обычно, где-то с друзьями. Или в библиотеке. Не знаю. Должно быть, скоро вернется.

— В последнее время ее почти никогда не бывает дома, — заметил отец, радуясь невероятной популярности дочерей, имевших огромный успех.

Вскоре Чарлз ушел, и возвратившаяся Виктория встретила его на крыльце. Они немного поболтали, но Чарлз не заметил быстро умчавшегося автомобиля. Доусону показалось, что глаза девушки затянуты мечтательным туманом, и он снова был поражен ее необычным сходством с сестрой. По временам он не мог их различить, и в то же время какие же они разные в своих воззрениях и стремлениях!

Он все еще размышлял об этом по пути домой. Скоро День благодарения, а потом и Рождество. Последнее время он ненавидит праздники. Без Сьюзен так пусто и одиноко.

Вечером Хендерсоны отправились на концерт в «Карнеги-холл», где встретили немало знакомых, среди которых был и Тобиас Уитком, правда без жены. Кто-то сказал, что она больна, но остальные рассмеялись и высказали предположение, что Эванджелина снова в положении. Виктория на это лишь улыбнулась. Этого просто не может быть! Тоби со дня на день объявит о разводе! Может, уже объявил и супруги решили отныне не появляться вместе на публике! Но какова бы ни была причина отсутствия Эванджелины, Тоби и Виктория почти весь вечер не сводили глаз друг с друга.

На этот раз отец кое-что заметил, но по пути домой промолчал, надеясь, что молодой Уитком окажется достаточно благоразумен и не изберет своей очередной жертвой его дочь.

— Отец все видел, — предостерегла Оливия, переодеваясь ко сну, но Виктория, как всегда, беззаботно отмахнулась. Оливия поморщилась. Ей по-прежнему доставляла боль отчужденность сестры.

— Отец ничего не знает, — уверенно ответила Виктория.

— А есть что скрывать? — мягко осведомилась Оливия, неожиданно испуганная мыслью о том, насколько далеко все это могло зайти, но Виктория даже не позаботилась ответить.

В эту ночь обеим девушкам снились кошмары. А утром, к сожалению, кошмары стали явью. Приехал Джон Уотсон и спросил, нельзя ли ему поговорить с Эдвардом. Визит не показался девушкам чем-то необычным — поверенный часто виделся с отцом.

Берти принесла кофе в библиотеку. Оставшись наедине с хозяином дома, адвокат долго мялся, не зная, с чего начать. При мысли о слабом сердце старого друга ему становилось страшно, но выхода не было. Он обязан открыть правду. Обязан.

— Боюсь, — начал он, — я принес дурные вести.

Мужчины обменялись долгими взглядами. Оба словно стояли перед зияющей пропастью, заглянуть в которую у них не было ни сил, ни решимости.

— Продажа завода не состоялась?

Эдвард выглядел разочарованным, но не сломленным. Однако Джон отрицательно покачал головой:

— Нет, к счастью, с этим все в порядке. Собственно говоря, мы надеемся все завершить к Рождеству.

— Я так и думал, — облегченно вздохнул Эдвард. Слишком долго они трудились — несправедливо, если все рухнет в последнюю минуту.

— Поверьте, Эдвард, я крайне опечален, но молчать не могу, хотя сознаю, как расстрою вас. Дело в Виктории.

Он едва ворочал языком, с трудом выговаривая слова. Не дай Бог он убьет своего дорогого друга. И уж совершенно точно, глубоко его ранит.

— Она сотворила невероятную глупость... завязала роман с молодым Уиткомом... прости...

Их глаза снова встретились. Невысказанные слова сожаления вертелись на языке, но в комнате царило ужасающее молчание. Наконец Джон снова заговорил:

— Они встречаются в маленьком домике на окраине города... Экономка одного из моих знакомых видела их там несколько раз. Похоже, они... можете сами представить остальное. О Боже, Эдвард, мне так неловко...

Джон едва не плакал, но Эдвард лишь покачал головой:

— Ты уверен? Кто эта женщина? Может, мне поговорить с ней? Вероятно, она лжет. Или это шантаж.

— Возможно. Но, учитывая репутацию Уиткома, я склонен верить этой истории. И не пришел бы, не желай я вам добра.

— Если это правда, я прикончу негодяя! — мрачно пообещал Эдвард. — Неужели Виктория пошла на такое? Она иногда бывает порывистой и импульсивной и вполне способна стащить мою машину или любимую лошадь, чтобы мчаться по полям. Но только не это, Джон, не это... не могу представить...

— Я тоже. Но Виктория очень молода и наивна. Где ей устоять против опытного соблазнителя! Женщина утверждает, что он специально снимает дом для этих целей.

— Его следует засадить в тюрьму.

— А если это правда? Как насчет вашей дочери? Она не может выйти за него замуж. Он уже женат, имеет кучу детей, жену-аристократку, и, как я узнал, та опять беременна. Как все это неприятно!

— Еще кто-нибудь знает?

4—Как две капли воды

Эдвард казался спокойным, но Уотсон мучительно поморщился. Предстояло самое худшее.

— Он сказал что-то Лайонелу Матисону при встрече в клубе несколько дней назад. Я своим ушам не поверил, когда услышал. Мне рассказали в конторе. Этот Уитком — настоящий мерзавец, если способен уничтожить репутацию юной девушки. Он хвастался Матисону, что завел новую любовницу, прелестное, но пустоголовое создание, а когда она ему надоест, попробует соблазнить ее сестру-близняшку. Имен не упоминалось, но достаточно и вполне прозрачного намека.

Эдвард побледнел и, не будь Джона Уотсона, немедленно бросился бы к дочерям.

— Вам нужно немедленно что-то предпринять, — посоветовал адвокат. — Если он бросает подобные замечания, не пройдет и нескольких дней, как новость распространится по всему городу. Почему бы не отправить Викторию в Европу или в путешествие... куда угодно, лишь бы убрать ее подальше от Уиткома? Но после этого следует всерьез подумать о ее будущем. Вы не можете так просто это оставить. Репутация девушки будет погублена, она не найдет мужа, а если найдет, то вовсе не такого, которого вы хотели бы для нее.

— Понимаю, — выдавил Хендерсон, благодарный старому другу за искренность, но терзаемый тревогой и волнением. — Мне нужно все обдумать. Завтра же она уедет в Кротон. Ну а потом... не соображу, что предпринять. Европа тут не поможет. Я бы вынудил ее выйти замуж, но женатый мужчина с четырьмя детьми! Это немыслимо!

— Пристрелите его, — шутливо посоветовал Уотсон, пытаясь хоть немного развеселить друга, но Эдвард ответил ледяной улыбкой и кивнул.

— Поверьте, это не такая уж плохая мысль. Мне следует поговорить с ним и узнать, что случилось.

— Не стоит этого делать. Все и так очевидно, и вы лишь зря себя расстроите. Я бы хотел верить в его искренность, но, даже если он и любит Викторию, все равно не женится. Не может же он бросить Эванджелину с четырьмя детьми! Скандал будет невероятный и грязный! Самое лучшее для Виктории — забыть этого человека.

— Но если она влюблена в него, разве ее отговоришь? Я видел, что они танцевали пару раз и флиртовали друг с другом, но представить не мог, что дойдет до такого! Я безмозглый слепец! Неудивительно, что ее никогда не бывает дома!

Он винил себя за случившееся и к тому времени, как Джон ушел, был уже вне себя. Прощаясь, мужчины решили, что с Уиткомом поговорит Уотсон, а Эдварду следует держаться от него подальше. Таким образом дело не получит огласки, иначе Джон опасался, что сердце друга попросту не выдержит.

Джон немедленно отправился в контору Уиткома, который в последнее время редко там бывал, но по чистой случайности в это утро оказался на месте. Виктория поехала к зубному врачу, а после этого они условились встретиться, если она сумеет улизнуть от сестры.

История, услышанная Джоном, оказалась еще омерзительнее, чем он предполагал. Правда, Уитком вел себя вполне благопристойно, если, конечно, можно так выразиться в подобных обстоятельствах, и заверил Джона, что больше не увидится с девушкой, если все так обернулось. И тут же добавил, что прекрасно провел время и неплохо развлекся. Девушка была совершенно необузданна в постели, и к тому же именно она упорно преследовала его, пока наконец не заполучила. Разумеется, он не давал ей никаких обещаний, поскольку счастлив с Эванджелиной, что бы там ни говорили, и Джон, разумеется, знает, что в апреле Эванджелина снова родит, так что о разводе не может быть и речи! Он никогда не совершит подобной подлости! В конце концов что тут особенного? Невоспитанная девчонка потеряла голову, нагло вешалась ему на шею, и это он пал жертвой ее чар. Она буквально соблазнила его.

При этом Тоби выглядел насмерть перепуганным. Джон, конечно, не поверил ни единому слову, зато убедился, что беды не миновать. Виктория действительно поддалась чарам Тоби и влюбилась по уши. Скорее всего он посулил ей с три короба, бесстыдно лгал и сделал своей любовницей. Молодая наивная девушка, где ей разглядеть подлеца и обманщика в блестящем оперении! Что же теперь делать? Как ее спасти?

В полдень он снова приехал к Хендерсонам и, набравшись смелости, рассказал все, постаравшись, правда, смягчить большинство фактов, но не утаил, что Виктория встречалась с Уиткомом наедине и что тот рад от нее отделаться, боясь неприятностей. Оставалось решить, как уберечь Викторию. Если Тоби развяжет язык, репутация девушки будет уничтожена и ни один порядочный человек на ней не женится.

Эдвард еще раз поблагодарил на прощание Джона. Когда девушки вернулись, он был смертельно бледен и не похож на себя. Такой беды он не ожидал и сейчас был сражен отчаянием. Выйдя на порог библиотеки, он обратился к дочерям.

— Мы завтра же едем домой, Оливия! — прогремел он, грозно воззрившись на девушек. Эдварда терзали ужасные подозрения: неужели Оливия знала обо всем и покрывала сестру? В таком случае она не менее виновна! — Пожалуйста, немедленно собирай вещи. Сегодня сделай все, что успеешь, а остальное предоставь Петри и слугам.

Он выглядел таким разъяренным, что Оливия невольно сжалась.

— Мы уезжаем? Так скоро? Но я думала... Ты сказал... — ошеломленно пролепетала она.

— Ты хорошо расслышала? — завопил отец, что бывало крайне редко.

Оливия не знала что и думать. Но тут он повернулся к Виктории и молча поманил пальцем. У девушки подкосились ноги. Она беспомощно глянула на сестру, словно прося помощи. Но спасения не было.

— Что-то случилось? — осмелилась спросить Оливия, но Эдвард, не потрудившись ответить, терпеливо выжидал, пока дочь подойдет.

Едва Виктория переступила порог библиотеки, как он с шумом захлопнул за ней дверь. Оливия осталась стоять в холле, так и не сняв шляпы, гадая, что происходит. Не дай Бог отец проведал о похождениях Виктории! Но кто мог ему сказать? Конечно, Виктория вела себя по-дурацки, но отец уставился на нее как на преступницу! Оливия в жизни не видела его таким взбешенным!

Она поспешила на кухню рассказать Берти о случившемся и сообщить, что утром они уезжают. Оправившись от изумления, женщина принялась за дело, а Оливия бросилась ей помогать. Уже через несколько минут на свет появились бесчисленные чемоданы и саквояжи, и работа закипела. Конечно, за такой короткий срок многое сделать невозможно, но отец был достаточно категоричен. Ничего, придется слугам постараться.

Пока женщины, надев передники, метались из комнаты в комнату, Виктория рыдала у ног отца.

— Ты опозорила себя, Виктория. Твоя репутация уничтожена. Все кончено. У тебя нет будущего. Ни один приличный человек не посмотрит на тебя.

У него сильно кружилась голова, сердце билось так, что дышать было трудно. Эдвард даже не желал знать, что произошло на самом деле. Ему до сих пор было трудно поверить, что его девочка вела себя как дешевая шлюшка. Должно быть, соблазнитель пообещал ей луну с неба, чтобы добиться своего.

Виктория жалобно всхлипывала, с отчаянием взирая на отца.

— Я все равно никогда бы не вышла замуж, — пробормотала она, словно это сейчас имело какое-то значение. Одно дело — хвастаться, что не собираешься стать собственностью мужчины, совершенно другое — стать парией и знать, что к тебе никто не подойдет с серьезными намерениями.

— Именно поэтому ты и сотворила такое? Потому что тебе все равно? Намеренно разрушила собственную жизнь и, вероятно, судьбу сестры? Ты подумала о репутации нашей семьи?

Виктория лихорадочно затрясла головой и заплакала еще громче.

— Он что, уверял, что разведется? Что женится на тебе?

Виктория опустила глаза и, заломив руки, кивнула.

— Как он мог? Так нагло лгать! Этот человек — форменный подлец! Мне не следовало бы пускать его в дом! Во всем виноват я...

Он нашел в себе силы рассказать дочери о том, как Уитком хвастался в клубе ее благосклонностью, а потом уверял

Уотсона, что именно она гонялась за ним и в конце концов соблазнила. К концу рассказа голос Эдварда прерывался, а по щекам катились слезы.

— Он сказал, что никогда никого не любил до встречи со мной, — всхлипывала девушка. — Что подаст на развод... бросит жену и женится на мне.

Так, значит, девушка, поклявшаяся не выходить замуж, все-таки поддалась на такую незамысловатую приманку. Несмотря на приверженность модным суфражистским идеям, Виктория оставалась настоящим ребенком и к тому же романтической дурочкой.

— И ты ему поверила? — с ужасом прошептал отец. — Кстати, как ты вообще могла оставаться с ним наедине?!

Он и в самом деле должен был лучше следить за дочерьми, хотя Оливия редко выезжала и вела себя безупречно. Кто бы мог подумать?!

— Я думала, мы просто встретимся раз-другой... и не собиралась... не представляла... мне бы... О папа! — почти взвыла Виктория, не столько сожалея о причиненной отцу боли, сколько убитая сознанием предательства Тоби. Значит, для него она была всего-навсего очередным увлечением?! И сама совратила его? Словно не он твердил, что любит ее больше всего на свете и обязательно женится. Господи, какой же дурой она была, когда слушала медовые речи! Значит, правы были люди и он действительно бессовестный распутник! Каждое его слово было ложью!

Отцу понадобилась вся воля, чтобы задать последний, роковой вопрос.

— Не жду, что ты скажешь мне правду, — с отчаянием выдохнул он, — но все же хочу удостовериться: твоя сестра знала обо всем? Ты делилась с ней?

Виктория, к этому времени почти потерявшая способность говорить, покачала головой.

— Нет, — выдавила она. — Оливия видела, как я танцевала с ним в доме Асторов, и мы ужасно поссорились. Она высказала все, что мне следовало бы знать самой, и предостерегала... но я ей не поверила. Она посчитала, что мы изредка видимся, но я не посмела... не посмела сказать остального...

Ей было так стыдно, что она не могла смотреть отцу в глаза. И если Тоби захочет сделать из нее всеобщее посмешище, весь город скоро узнает обо всем. Неожиданно Виктория обрадовалась тому, что они возвращаются в Кротон. Единственное, чего ей хотелось, — никогда больше не видеть Нью-Йорка и его жителей. Отец солжет, что одна из дочерей заболела и пришлось немедленно ехать в Кротон. Выздоровление, разумеется, сильно затянется, поскольку ноги Эдварда тоже не будет в этом доме. Нью-Йорк приносит ему одни несчастья. Здесь умерла его жена, дебют дочерей оказался неудачным, а теперь еще и это... Больше он не отпустит их из Кротона.

Но при взгляде на Викторию Эдвард неожиданно понял, что, невзирая на все сказанное ей, грязная история далеко еще не закончена. Придется еще раз сделать ей внушение!

— Я запрещаю тебе видеться с ним, Виктория, ясно? Этому человеку ты совершенно безразлична! Он посмеялся над тобой, бросил в беде, предал. Скажи он Джону, что ты его единственная любовь и он не знает, что предпринять, все было бы по-иному. Пусть он и не женился бы на тебе сразу, ты по крайней мере была бы уверена, что тебя искренне любят. С тобой осталась бы надежда, которая освещала бы самые темные ночи. Что же теперь? Ты принуждена жить с сознанием собственного позора, безвозвратно очерненной репутации и того печального факта, что некий подлец беззастенчиво тебя использовал. Помни это всегда. Возможно, когда-нибудь ты еще вернешь себе честное имя. Ну а пока помни: никаких свиданий! Я запрещаю тебе! Понятно?

— Да, сэр, — по-ребячески шмыгнула носом девушка, пытаясь сдержать слезы. Отец сказал правду: все кончено, и теперь ее существование превратилось в истинный кошмар.

— А теперь немедленно поднимись к себе и не смей выходить из комнаты!

Девушка выскользнула из библиотеки и метнулась наверх, радуясь, что не встретила никого в холле. Берти и Оливия возились с сундуками на чердаке, и не успели они спуститься, как Виктория, надев черное платье и шляпу с вуалью, скрывавшей лицо, выбежала на улицу. Что бы ни твердил отец, ей нужно все услышать самой. В последний раз. Невозможно поверить, что это правда. Может, Джон Уотсон лжет?!

Она взяла такси до конторы Уиткома и едва не столкнулась на крыльце с выходившим из дома любовником.

— Мне нужно поговорить с тобой, — выпалила девушка, не заметив, что Тоби раздраженно поморщился.

— А почему ты явилась сама, вместо того чтобы прислать очередного адвоката? Что ты себе вообразила? Решила заставить меня немедленно покинуть жену? К чему такая спешка? Не терпится?

— Я не имею к этому никакого отношения. Кто-то рассказал поверенному отца, что ты упоминал обо мне в клубе, и тот немедленно отправился к нам. Кроме того, какая-то женщина видела нас в коттедже.

— И что же тут такого, Чересчур Современная Мисс Я-никогда-не-выйду-замуж? Можно подумать, ты не соображала, что происходит! Только не говори, что поверила всему, что я тебе наговорил, а сама ни о чем не подозревала!

Виктория потрясенно отшатнулась, пытаясь улучить момент и попросить его пойти в какое-нибудь тихое место, где можно спокойно поговорить. Но Тоби, очевидно, отнюдь не желал остаться с ней наедине.

— О чем ты? Я не знаю, что и подумать, — боязливо прошептала она. Плотная вуаль скрывала слезы, но девушку била нервная дрожь, и он не мог этого не заметить.

— Что тут думать? Нам было весело вместе, вот и все. Мы неплохо позабавились, и я не прочь бы все повторить, и не раз. Но все когда-то кончается, и не стоит оглядываться назад. Все вы, проклятые бабы, одинаковы, из кожи вон лезете, лишь бы получить золотое колечко на безымянный палец. И не рассказывай сказок о своих идеалах — ты так же лжива, как все остальные. Ни за что не пошла бы в постель с мужчиной, если бы тот не пообещал тебе замужество! Хочешь сказать, что поверила, будто я разведусь с Эванджелиной?! Да Асторы прикончат меня, и ты это знаешь! Да, мы играли. Играл я, играла ты. Если посмеешь произнести хоть слово, тогда заговорю и я! Расскажу всем и каждому, как ты хороша в постели... ты и вправду хороша, крошка! Великолепна!

Он поднес руку к шляпе, поклонился, и при виде злорадной ухмылки на красивой физиономии девушка размахнулась и влепила ему увесистую пощечину.

— Ты подонок, Тоби Уитком, — бросила она, едва не всхлипнув.

Никогда Виктория не слышала столь мерзких оскорблений. Отец прав — Уитком использовал ее и даже не имел совести честно признаться во всем. Осуждал за все Викторию, пытался представить ее в глазах отца и Джона дешевой потаскушкой, заверял, что она никогда его не любила. Самое печальное в том, что она отдала бы за него все на свете. Как она была глупа! Глупа и наивна!

— Меня еще и не так называли, — улыбнулся Тоби, — даже опытные женщины, а не зеленые девчонки.

В самом деле, она настолько невинна, что обольстить ее не составило никакого труда! Он воспользовался ее доверчивостью, и теперь ему было плевать, что будет с этой дурочкой.

— Мы уезжаем завтра, — жалко пробормотала Виктория, словно безмолвно просила остановить ее, но Тоби, разумеется, это и в голову не пришло.

— Что ж, по-моему, это прекрасный выход. Надеюсь, мне не стоит ожидать визита от твоего папаши? — злобно процедил он. — Или он опять пришлет своих прихлебателей?

— Лучшего ты не заслуживаешь, — горько обронила девушка, всеми силами пытаясь ненавидеть его и не умея. Он разбил ее сердце, но какой-то частью своей души она по-прежнему его любила.

— Тебе лучше знать, — усмехнулся он знакомой неотразимо-чувственной улыбкой, провожая ее к такси. — Мы в самом деле неплохо провели время, так что жалеть не о чем. Давай расстанемся друзьями. Не проси о большем.

Все это было для него лишь игрой. Очередной игрой в страсть.

— Ты твердил, что любишь меня, — заплакала девушка. — Говорил, что никогда и никого так не любил...

Он еще много чего наобещал. Что разведется с женой. Что хочет детей от Виктории. Что они уедут из Америки и станут жить в Париже.

— Ну и что? Я лгал, — пожал плечами Тоби, подсаживая ее в машину. — Но какая теперь разница.

Впервые за все время он испытал к ней нечто вроде жалости. В конце концов, она еще совсем ребенок. Может, зря он... Впрочем, все равно уже поздно. К тому же партия сыграна.

— Поезжай домой и забудь меня. Когда-нибудь ты выйдешь за хорошего парня и будешь вспоминать эти дни как самые счастливые в жизни.

Он насмешливо скривил губы, и Виктория едва удержалась от второй пощечины. Но Тоби все равно ничего не поймет. И не поверит в искренность ее чувств. Пустой человек, он так и не узнает, чего лишился.

Сердце девушки невыносимо ныло, и постепенно где-то глубоко зародились первые ростки ненависти.

— Когда-нибудь ты осознаешь, как я прав, — прошептал он, глядя на Викторию в последний раз. Как же все-таки она хороша! Жаль только, что чересчур молода. Ему и в самом деле было хорошо с ней, но настала пора искать новую забаву. — Я плохой человек, — вздохнул Тоби. — Так иногда бывает.

Он дал водителю адрес Виктории и удалился, не оглядываясь. Она стала всего лишь мгновением в его жизни. Пришла и ушла. Ничего, на его век хватит.

По дороге домой Виктория горько плакала. К счастью, ей удалось незамеченной пробраться наверх. Оставалось молиться, чтобы никто не узнал о ее эскападе.

Говоря по правде, Оливия успела обнаружить отсутствие сестры. Она принесла Виктории чай, чтобы заодно проверить, все ли в порядке, но, увидев пустую комнату, поняла: Виктория опять умчалась на свидание к Тоби. Оливия чувствовала ее беду как свою, но делиться ни с кем не стала и вместо этого, тихо прикрыв дверь, вернулась на чердак.

Сестры увиделись только к концу дня. Оливия снова зашла, и на этот раз Виктория оказалась дома. Она сидела в кресле, у окна, с носовым платком в руке. Услышав шаги, девушка не повернулась, и у Оливии едва не разорвалось сердце. Она тихо подошла к сестре и положила ей руку на плечо.

— Как ты, родная? — прошептала она. В эту минуту гнев и непонимание, разделявшие их, исчезли. Они снова обрели друг друга. И Оливия знала, как отчаянно нуждается в ней сестра.

Виктория долго не отвечала, только пожала плечами. Слезы струились по лицу, падали на блузку, разбивались о пальцы.

— Как я могла? — прошептала она наконец. — Как могла?

— Ты хотела верить ему, а Тоби — человек обаятельный, этого у него не отнимешь. Он сделал все, чтобы увлечь тебя, — попыталась утешить ее Оливия.

Но Виктория зарыдала еще горше, и Оливия нежно обняла ее.

— Все будет хорошо, мы уедем домой, и больше ты его не увидишь. Постепенно все забудется. Все проходит...

— Откуда тебе знать? — всхлипнула Виктория, но Оливия молча улыбнулась. Ей так хотелось принять ее боль и разочарование! Хорошо, что Виктория избавилась от ненавистного Уиткома и они с сестрой помирились! Проклятый Тоби все это время стоял между ними!

— Я старше тебя, — ободряюще заметила Оливия. — Такое случается. Но время — лучший лекарь.

— Я не подозревала... что такие люди бывают... злобные, лживые... Ненавижу мужчин!

— Не стоит, — посоветовала Оливия, чмокнув сестру в макушку.

Они обменялись понимающими взглядами. Сестры так хорошо знали друг друга, каждое слово, каждый жест, каждый момент печали и радости. За последние несколько недель они едва не потеряли друг друга. Но теперь все будет иначе, и они никогда не расстанутся. У них словно одно сердце, общее на двоих. То, чем они владеют, никому не отнять.

Всю дорогу в Кротон они держались за руки. Виктория молча плакала, стискивая пальцы сестры. Отец, сидевший впереди, ни разу не повернул головы и не произнес ни слова.

Глава 7

Возвращение в Кротон в каком-то смысле для всей семьи оказалось большим облегчением. Два месяца, проведенные в Нью-Йорке, были настолько сумотошными, что нервы у Хендерсонов были на пределе, не говоря уже о потрясении, вызванном сумасбродным поведением Виктории. Близнецы снова могли проводить время вместе, разговаривать, делиться мыслями. Тоби заслонил Виктории все — ее мечты, цели, принципы, священные верования, бывшие когда-то столь важными для нее. Она отдала ему себя, пожертвовала собственной репутацией и за пять коротких недель уничтожила все, некогда ей дорогое, даже любовь отца. Только Оливия оставалась такой же, как обычно, и даже пыталась развеселить Эдварда и Викторию.

Она постоянно хлопотала над отцом, приносила чай, заказывала любимые блюда, срезала и ставила в вазу цветы. Но он почти не разговаривал и вел себя крайне резко с дочерьми. Хотя договоры о продаже завода шли полным ходом, он был постоянно чем-то озабочен.

Листва на деревьях совсем пожелтела. Оливия любила это время года на Гудзоне и то и дело звала Викторию прогуляться и поездить верхом, хотя та предпочитала водить машину.

— Ты слишком избалованна, — поддела Оливия сестру как-то днем, в конце их первой недели дома. К этому времени все, казалось, вошло в прежнюю колею. Нью-йоркский дом был закрыт, и Берти прибыла с остальными вещами. — Почему бы нам не отправиться в Кайкьюит? — настаивала Оливия, но Виктория не проявила особого энтузиазма.

— Рокфеллеры наверняка слышали, какая я развратница, и забросают меня камнями, не подпустив даже к воротам, — вздохнула сестра, но Оливия громко фыркнула.

— Перестань себя жалеть! Я лично забросаю тебя камнями, если не поедешь со мной! Надоело сидеть здесь и смотреть на ваши мрачные лица, сравнивая, у кого оно угрюмее! Хочу кататься верхом и забираю тебя с собой.

В конце концов Виктория согласилась, и хотя они так и не добрались до Кайкьюита, все же чудесно проехались вдоль берега реки. Они были уже на полпути домой, как вдруг порскнувшая на дорогу белка бросилась наперерез всадницам и лошадь Виктории понесла. Виктория не была такой искусной наездницей, как сестра, и, прежде чем Оливия успела схватиться за узду ее кобылки, она вылетела из седла и сильно ушиблась. Лошадь, освободившись, сразу же успокоилась и мирно потрусила в конюшню.

— Ну вот, поняла, на что ты меня подбила?! Такого никогда не случается, когда я езжу на отцовской машине, — шутливо пожаловалась Виктория.

Она приподнялась и отряхнулась, но Оливия лишь рассмеялась:

— Ты совершенно безнадежна. Садись за мной.

Оливия протянула сестре руку, и та, вставив ногу в стремя, вскочила в седло. Они направились к дому. Стоял холодный ноябрьский денек, и обе основательно промерзли, поэтому немедленно шмыгнули в библиотеку, протянули руки к огню и, смеясь и перебивая друг друга, рассказали отцу о своем приключении. Он даже улыбнулся им — впервые с тех пор, как узнал постыдный секрет младшей дочери, — и обронил несколько слов обычным тоном. Виктория не преминула заговорить об этом с Оливией, когда девушки отправились переодеваться к ужину.

— Перестань, — упрекнула Оливия. — Отец давно пришел в себя.

— Вовсе нет. Видела бы ты, каким он становится, стоит ему только остаться со мной наедине! По-моему, он никогда меня не простит, — тихо заметила Виктория.

— Чепуха, — твердо возразила Оливия, но про себя подумала, что сестра права. Отец был куда молчаливее, чем обычно, а Виктория держалась покорно, почти приниженно. Никому не противоречила, никуда не выходила, почти не интересовалась суфражистками и не бегала на собрания. Рана, нанесенная Тоби Уиткомом, все еще кровоточила, и девушка потеряла былую уверенность и любовь к авантюрам. Всего два месяца назад, отправляясь в Нью-Йорк, она готова была завоевать весь мир, а вернулась разбитая и опустошенная. Оливии оставалось ждать, пока сестра и отец снова станут прежними. Она знала, что когда-нибудь это произойдет, а пока следовало стоически выносить свалившиеся на нее тяготы. Единственным светлым пятном во мраке было обретение прежней близости с Викторией, и Оливия была счастлива хотя бы этим. К счастью, новости о падении Виктории пока не достигли Кротона.

Они поужинали и, как обычно, легли рано. Оливия выбрала в библиотеке книги для себя и сестры да так и заснула, не дочитав страницы. Ночью она открыла глаза и поспешно выключила свет. В камине все еще догорал огонь, и Оливия снова было задремала, но тут же встрепенулась, услышав тихий стон. Нет, кажется, все спокойно. Дремота постепенно убаюкала ее, но тут внезапная кинжальная боль пронзила внутренности. Девушка задохнулась и, судорожно втянув в легкие воздух, потянулась к сестре и схватила ее за руку. И тут же сообразила, что Виктории плохо. Она, как всегда, чувствовала ее боль, как свою, но стоило проснуться, и все сразу стало ясно. Перед глазами плыло искаженное лицо Виктории, схватившейся за кроватный столбик. Девушка судорожно подтянула колени к груди и едва выговаривала слова. Оливия в ужасе склонилась над сестрой.

— Что? Что случилось?

Они и раньше ощущали боль друг друга, но никогда так остро, и теперь Оливия понимала, какие муки приходится терпеть Виктории. Она не знала, в чем дело, но, откинув простыни, увидела, что на постели расплывается кровавая лужа.

— О Боже... Виктория... скажи хоть слово!

Ночная рубашка сестры тоже была в крови. Кровь, казалось, была повсюду. Как ее много! Лицо Виктории было белее бумаги, но она впилась ногтями в руку сестры.

— Не... вызывай доктора, — пробормотала она.

— Почему?!

— Не надо. Помоги... в ванную...

Оливия, не зная, чем помочь, буквально отнесла ее в ванную, оставляя за собой багровый след. Виктория бессильно повалилась на пол, корчась в муках, и неожиданно тонко вскрикнула. Оливия лихорадочно оглядывалась в полной уверенности, что сестра умирает.

— Да скажи хоть, в чем дело, — умоляла она, — иначе я пошлю за Берти и доктором.

— Я беременна, — выдавила сестра и снова забилась в судорогах.

— О Боже! Почему ты мне не сказала?

— Не могла себя заставить, — заплакала Виктория, извиваясь от боли.

— Что мне делать?

Оливия опустилась на колени, молясь, чтобы сестра не истекла кровью. Должно быть, всему виной сегодняшнее падение с лошади, а может... может, повторяется история матери? Но об этом страшно даже подумать, да и не время сейчас предаваться размышлениям. Оливия вдруг испугалась, что Виктория сейчас умрет, прямо здесь, на ее руках.

— Я должна позвать кого-нибудь, Виктория. Пожалуйста, позволь мне.

— Нет... не нужно... Останься... со... мной... не... оставляй...

Она давилась рыданиями, а кровотечение, похоже, еще усилилось. Оливия окончательно запаниковала. Приступы становились все чаще, и наконец на пол выскользнул окровавленный комочек. Только тогда девушки поняли, что произошло. Схватки некоторое время еще продолжались, но наконец немного утихли. То, что могло стать чудесным малышом, лежало между ног Виктории. Она принялась истерически всхлипывать, и Оливия, завернув в полотенце недоношенный плод, стала обмывать Викторию. Кровотечение понемногу прекратилось. Оливия прикрыла сестру одеялами и стала вытирать пол. Виктория никак не могла согреться и тряслась в ознобе так, что даже зубы стучали. На часах было уже шесть, когда Оливия наконец закончила уборку и сменила себе и сестре ночные рубашки, а потом — как только у нее, такой хрупкой девушки, хватило сил? — оттащила сестру в кровать и уложила, подоткнув одеяла.

— Все хорошо, Виктория. Я с тобой. Самое плохое позади. Ты в безопасности, и я тебя люблю.

Ни одна из них не сказала ни слова относительно того, что здесь произошло, об ужасе, свидетельницами которого им пришлось стать, и о том, что случилось бы, не потеряй Виктория дитя. Рождение незаконного ребенка Тоби Уиткома навсегда разрушило бы ее жизнь и убило бы Эдварда. Но что теперь об этом толковать!

Оливия подложила дров в камин, накинула на сестру еще одно одеяло и долго сидела рядом, пока та наконец не заснула. Глядя в смертельно бледное лицо Виктории, она грустно гадала, уж не наложил ли кто проклятие на их семью. Стоит только вспомнить безвременную смерть матери! Смогут ли они когда-нибудь иметь своих детей? Невозможно представить, что она выйдет замуж и родит ребенка. А вдруг, как и мать, умрет родами! Кто знает?

Виктория крепко спала, и Оливия, накинув пальто, спустилась вниз с узлом грязного белья. Нужно все сжечь. Часы пробили восемь, и, выйдя в коридор, она тут же столкнулась с Берти.

— Что это у тебя? — весело спросила та, и Оливия инстинктивно отвернулась.

— Ничего. Я сама об этом позабочусь, — твердо ответила она, но пожилая женщина мгновенно насторожилась.

— Что-то не так?

— Все в порядке, Берти, — заверила Оливия, но тут глаза женщин встретились, и Берти кивнула.

— Я сожгу это, — пообещала девушка.

Последовала бесконечная пауза, и Берти, невольно отступив, сжалась.

— Сейчас велю Петри разжечь в саду костер. Может, потом мы зароем пепел, — сказала она.

Оливия кивнула. В большом свертке был еще один, поменьше, в котором лежало то, что осталось от ребенка, и она действительно собиралась его зарыть.

Женщины с мрачным видом наблюдали за тем, как Петри роет яму и разводит огонь. Узел с простынями полетел туда, остальное легло в яму, и женщины, вздрагивая на ветру, долго молча стояли рука об руку. Берти нежно обняла воспитанницу.

— Ты хорошая девочка, Оливия, — мягко заметила она. — А как она?

— Очень плоха, — честно ответила Оливия. — Но не проговорись ей, что я тебе все рассказала. Виктория меня убьет.

— Хорошо. Но доктора нужно все-таки вызвать. Что, если начнется заражение?

У Оливии упало сердце. Не дай Бог, Берти права!

— В таком случае я пошлю за ним, — встрепенулась Оливия, но тут же схватилась за голову. — Невозможно! Что я скажу папе?

— Что у нее грипп, — вздохнула Берти.

В глубине души Берти опасалась, что с Викторией может случиться несчастье, поскольку до нее, как и до всех в доме, дошли неприятные слухи.

— Не стоит его волновать. Впрочем, возможно, лучше во всем ему признаться. — Она вопросительно взглянула на Оливию.

— О, Берти, не могу, — ужаснулась Оливия. Как объяснить отцу, что Виктория забеременела?! С другой стороны, вообразив, что у Виктории грипп, он будет постоянно беспокоиться.

— Придумаешь что-нибудь, дорогая, — заверила Берти.

Придя проведать сестру, Оливия обнаружила, что кровотечение снова возобновилось и Виктория почти без сознания. Приехавший доктор немедленно забрал ее в больницу, чтобы перелить кровь. Скрыть правду от отца не было никакой возможности. Оливия поехала с сестрой и сидела рядом с ней, истерически рыдавшей, безуспешно пытаясь ее успокоить. Виктория, снедаемая угрызениями совести и стыдом, пыталась уверить ее, будто разлюбила Тоби, хотя Оливия понимала, что это неправда.

Отец несколько часов просидел в комнате для посетителей и, когда Оливия пришла сказать ему, что Виктория спит, ответил лишь бесконечно усталым взглядом. Доктор объявил, что все будет в порядке и, поскольку операция не понадобилась, Виктория еще сможет иметь детей. Должно быть, ребенок оказался необычайно крупным или она носила близнецов, поэтому и потеряла столько крови. К сожалению, весь персонал больницы теперь знал, в чем дело, поэтому не было смысла делать вид, что всему причиной грипп. Правда, доктор пообещал Эдварду, что тайна по возможности будет сохранена, но тот понимал, что рано или поздно правда все равно выйдет наружу и по всему Нью-Йорку разнесется слух о том, что Виктория Хендерсон находилась в связи с Уиткомом и потеряла его ребенка. Сплетники будут торжествовать и забьют последний гвоздь в крышку гроба утерянной респектабельности Хендерсонов.

— С таким же успехом он мог бы просто пустить ей пулю в лоб, — мрачно пробормотал Хендерсон перед уходом.

Оливия сказала, что проведет ночь на раскладной кровати в палате сестры и не приедет домой, пока той не станет лучше.

— Отец, не говори такого, — мягко пожурила она, но в глазах отца стоял мрак отчаяния.

— Это правда. Негодяй ее уничтожил. Впрочем, она виновата не меньше. Вела себя как последняя идиотка. Жаль, что никто ее не остановил, — проворчал отец, ни к кому вроде не обращаясь, но Оливия остро осознала упрек и встрепенулась.

— Я пыталась, папа, — тихо призналась она.

— Уверен, что так и было, — процедил он и так плотно сжал губы, что они превратились в почти невидимую ниточку, как всегда, когда он сердился. Но кроме злости, его обуревала тревога за безрассудную дочь. Наконец он поднял голову и задумчиво уставился на Оливию: — Ей необходимо срочно выйти замуж — это заткнет рты недоброжелателям. Если у истории будет счастливый конец, то и злые языки немного приутихнут.

— Он не может жениться на ней, — напомнила Оливия. Неужели отец способен так заблуждаться?

— Верно, — согласился Эдвард, — значит, нужно выбрать кого-то другого. Того, кто готов загладить ее грех. Это наилучший для нее выход.

— Но она не желает выходить замуж, — в который раз пояснила Оливия. — Утверждает, что ненавидит мужчин.

— Это вполне понятно, если учесть, что ей пришлось пережить, — согласился отец. Ему не передали подробности прошлой ночи, но он прекрасно понимал, что дочь подверглась тяжкому испытанию.

— Думаю, позже, когда пройдет достаточно времени, она все увидит в ином свете. — Оливия вздохнула. А если и нет, какое это имеет значение? Она натворила столько бед, и теперь придется за это расплачиваться.

— Не беспокойся об этом, дорогая.

Он рассеянно поцеловал Оливию и, нахмурившись, направился к двери.

Поздно вечером Виктории снова перелили кровь, и врачи некоторое время опасались, что придется все-таки делать операцию, но к утру Виктории стало лучше, хотя она все еще была крайне слаба. Только через два дня она села в постели, еще два дня спустя набралась храбрости сделать несколько шагов, а к концу недели уже была дома, где от нее не отходили Берти и Оливия. Но отец еще до ее приезда отправился в Нью-Йорк, по делам, связанным с продажей завода. Эдварду потребовались все силы, чтобы не наброситься на Уиткома, когда он встретил его в Университетском клубе, куда заехал пообедать с Джоном и Чарлзом. Уотсон не спускал глаз с друга и даже спросил, все ли в порядке. Эдвард коротко кивнул. К счастью, Тоби пробыл недолго и почти сразу же ушел вместе с компанией приятелей, не сказав Хендерсону ни слова и всячески избегая встретиться глазами с Джоном.

Вскоре Эдвард вернулся в Кротон, довольный поездкой. В Нью-Йорке он останавливался в отеле «Уолдорф-Астория», поскольку не желал больше видеть свой дом. Слишком много неприятностей и бед случилось там, да к тому же слуг, кроме Донована, он с собой не брал.

Когда он приехал, Виктория уже медленно прогуливалась по саду, под руку с сестрой. Выглядела она куда лучше, чем до отъезда Эдварда, и он был уверен, что еще день-другой, и дочь окончательно оправится. Он немного подождет, прежде чем объявить ей новость.

Верный своему решению, Эдвард так и сделал. При разговоре присутствовала Оливия. У него не было секретов от старшей дочери, и кроме того, он нуждался в ее поддержке. Но независимо от того, согласятся девушки или нет, все уже устроено и договоренность достигнута. В воскресенье днем он пригласил их в библиотеку, и Оливия сразу же поняла, что отец хочет им сообщить нечто важное. Она решила, что он собирается отослать их куда-нибудь, скорее всего в Европу, чтобы дать Виктории время забыть Тоби, хотя та ни разу не произнесла вслух имя неверного возлюбленного. Правда, Оливия подозревала, что чувства сестры к Тоби еще не перегорели, но предательство больно ее ранило, и поэтому Виктория старалась выбросить его из сердца.

— Девочки, — без обиняков начал отец, — мне необходимо потолковать с вами.

Вид у него был самый суровый, и Виктория сразу поняла, что речь пойдет о ее поступке. Она не ошиблась. Отец немедленно выложил карты на стол.

— Весь Нью-Йорк только и болтает что о тебе, Виктория. Мы, разумеется, никому не в силах заткнуть рот и только и можем либо игнорировать, либо отрицать сплетни. Думаю, в нашем положении наилучшим выходом будет молчание. Вскоре и здесь все узнают, особенно после твоего недавнего пребывания в больнице. Нетрудно догадаться, что будет, если обе неприятные истории свяжут в одну. Кроме того, мистер Уитком повсюду распространяется, что ты распущенная особа, и не только вешалась ему на шею, но и хвасталась, будто желаешь присоединить его имя к списку многочисленных жертв. Конечно, учитывая его репутацию, вряд ли многие ему поверят, но все посчитают, что нет дыма без огня.

— Я была так глупа, отец, — призналась Виктория, пошатнувшись от слабости. — Глупа и легкомысленна... но верила, что он меня любит.

— Верно, но это тебя не извиняет, — резко бросил отец, что было на него не похоже. Но он был доведен до крайности бездумным поведением дочери и сознанием того, что почти ничего нельзя ни исправить, ни уладить. Однако Эдвард все-таки сумел найти выход и теперь настоит на своем независимо от желания дочери.

— Заставить замолчать мистера Уиткома невозможно, как, впрочем, и выдумать достаточно правдоподобную ложь. Но ты обязана вернуть себе и всем нам утерянную репутацию. Сейчас все зависит от тебя.

— Но каким образом, папа? Ты знаешь, я все сделаю ради тебя.

В эту минуту она была действительно способна на все, лишь бы угодить отцу. Виктория буквально сгибалась под тяжестью его осуждения и разочарования и в любой момент готова была рухнуть без чувств.

— Рад это слышать. Сейчас главное — выдать тебя замуж, Виктория. По крайней мере это сразу положит конец слухам. И хотя люди посчитают тебя молодой дурочкой, возможно и ставшей по собственной наивности легкой добычей негодяя, но благосклонно отнесутся к респектабельной замужней женщине, а со временем вообще забудут всю эту историю. Ну а если ты не найдешь себе мужа, тогда вечно придется носить клеймо падшей женщины и ты навсегда останешься изгоем.

Девушки недоуменно переглянулись. Виктория осмелилась заговорить первой.

— Но он не женится на мне, папа, — пролепетала она. — Ты знаешь это. Тоби лгал с самого начала. И сам признался, что все это было для него лишь игрой. Эванджелине весной родить. Он не оставит ее.

— Надеюсь, — прогремел отец. — Нет, Виктория, Тобиас Уитком, вне всякого сомнения, не женится на тебе. Зато Чарлз Доусон согласен. Мы уже обсудили это с ним. Он человек умный, рассудительный и порядочный. И верно оценивает ситуацию. Разумеется, Доусон не питает заблуждений относительно твоих чувств к нему и, хотя не знает подробностей, все же подозревает, что случилось нечто весьма неприятное во время твоего пребывания в Нью-Йорке. Он вдовец, потерял горячо любимую жену и ищет мать для своего осиротевшего ребенка.

Виктория, ошеломленно слушавшая отца, широко распахнула глаза.

— Значит, ты подыскал мне подходящую работу, отец? Стать матерью неизвестному мальчику, а не женой любящему мужчине?! Как ты мог, отец?

— Как я мог?! Как мог?! — взорвался Эдвард.

За всю свою жизнь девушки никогда еще не слышали столь оглушительного крика. На этот раз чаша терпения Эдварда переполнилась. Она еще пытается возражать ему!

— Ты смеешь задавать мне подобные вопросы, после того как опозорила нас, связавшись с женатым мужчиной и забеременев?! Подумать только, если бы не выкидыш, в семье Хендерсон появился бы ублюдок! И ты еще что-то лепечешь?! Запомни, если немедленно и без колебаний не подчинишься мне, я либо запру тебя в монастырь, либо выгоню из дому без цента в кармане!

— Делай как знаешь! — к ужасу Оливии, взвизгнула сестра. Боже, во что превратилась их жизнь! — Никому не удастся выдать меня замуж за человека, едва знакомого, и к тому же нелюбимого, который не питает ко мне никаких чувств. Это все равно что продать меня как рабыню, как вещь, как бездушный предмет. У тебя нет прав избавляться от меня подобным образом, приказывать своему адвокату на мне жениться. Или ты ему заплатил? — продолжала бушевать Виктория, раненная в самое сердце. Кроме того, Чарлз Доусон ей даже не нравится!

— Я никому не плачу, Виктория. Просто он понял, что происходит, причем куда лучше, чем ты. Ты не в том положении, чтобы ждать сказочного принца или оставаться здесь, в Кротоне. Никто из нас не посмеет показаться на люди, пока положение не изменится. Ты заварила всю эту кашу — тебе и расхлебывать.

— В таком случае отрежь мне волосы, отсеки голову, делай что хочешь. Только не смей продавать меня этому человеку в возмещение за нанесенный ущерб. На дворе тысяча девятьсот тринадцатый год, отец! Это не средневековье! Ты не можешь так поступить!

— Могу и поступлю, и на этом конец спорам, Виктория. Иначе я лишу тебя наследства и прокляну. Не позволю тебе опозорить себя и Оливию только из-за твоего своеволия и упрямства. Чарлз хороший человек, и тебе повезло. Откровенно говоря, не будь мальчика, он и не подумал бы жениться, так что моли Бога, чтобы он не передумал.

— Ты это серьезно?

Виктория уставилась на отца, не в силах поверить своим ушам. Оливия потрясенно откинулась на спинку кресла, готовая вот-вот потерять сознание.

— Ты в самом деле лишишь меня наследства, если я не выйду за него?

— Будь уверена, Виктория, так и сделаю. И ты подчинишься. Такова цена, которую ты заплатишь за свою глупость, и, согласись, цена справедливая. Ты будешь жить в красивом доме, окруженная комфортом. Твоего мужа ждет блестящая карьера, а ты когда-нибудь получишь половину моего состояния. Деньги дадут тебе больше свободы. Иначе, гарантирую, тебе предстоит скрести полы где-нибудь в меблированных комнатах. Ты пойдешь к алтарю ради всех нас — меня, себя и сестры. Подумай об Оливии! Ее больше не примут в обществе, посчитав, что она такая же, как ты. Виктория, ты обязана выйти за Доусона. Ни к чему торопиться со свадьбой. Можно подождать несколько месяцев, даже до весны, чтобы никто не подумал, будто ты вынуждена сделать это по... по вполне очевидным причинам. Но сразу же после Дня благодарения мы объявим о вашей помолвке.

Виктория, шатаясь, сползла с кресла и поплелась к окну.

— Ты поняла? — не обратив на это внимания, допытывался отец.

— Поняла, — выдавила девушка, не оборачиваясь. В эту минуту она ненавидела его с такой же силой, как Тоби, а теперь и Чарлза. Мужчины все одинаковы: работорговцы, пожиратели женской плоти.

Повернувшись, она с удивлением заметила, что Оливия плачет. Должно быть, из-за предстоящей разлуки. Правда, Нью-Йорк не так далеко, но они вряд ли будут часто видеться. К тому же отец попросту не разрешит Оливии навещать ее.

— Прости, что пришлось подвергнуть тебя таким испытаниям, — уже мягче заметил отец, гладя старшую дочь по плечу. Он искренне сожалел, что так расстроил ее. — Но я посчитал, что твои рассудительность и спокойствие помогут привести твою сестру в чувство. Должна же она понять, что судьба не предоставила ей выбора!

— Разумеется, отец, — кивнула Оливия. — Ты желаешь нам лишь добра.

Каким бы жестоким ни оказался удар, нанесенный Виктории, Оливия совершенно была раздавлена. Она влюблена в Чарлза, а Виктория считает его занудой, ничтожеством, которого обычно словом не удостаивала! Сам того не зная, отец ухитрился смертельно ранить обеих дочерей. О слепота богини правосудия!

— Возможно, вам стоит подняться к себе и все обсудить, — предложил отец, хорошо представляя, что должны испытывать девушки. Пусть Виктория возненавидела его, ей придется пойти к венцу!

Оцепеневшие от неожиданности, сестры медленно направились к себе. Только когда за ними закрылась дверь, Виктория дала волю ярости.

— Что он себе вообразил! Поехать в Нью-Йорк и выставить меня на аукцион! Кто больше даст?! Продать меня этому гнусному слизняку?!

— Он не слизняк, — улыбнулась Оливия сквозь слезы. — Чарлз порядочный и добрый. Ты его полюбишь.

— О, прекрати! — вскричала Виктория. — Ты еще хуже отца!

— Возможно, он прав, и тебе ничего другого не остается. Выйдя замуж за Чарлза Доусона, ты вновь обретешь честное имя.

— Да не желаю я ничего обретать! Скорее уж немедленно сяду на корабль и уплыву в Англию! Найду там работу, вступлю в лигу суфражисток и присоединюсь к Панкхерстам.

— Разве их не засадили в тюрьму на три года? Или по крайней мере мамашу? И каким образом ты намереваешься заплатить за билеты? Отец все-таки прав, Виктория, подумай хорошенько.

— Да какой мужчина захочет подобную жену?! Зачем я ему нужна?

— Ты же слышала, что сказал отец, — Чарлз ищет мать для своего сына.

Оливии тоже показались странными мотивы Чарлза. Правда, ему, наверное, трудно одному воспитывать сына, и возможно, для Виктории это к лучшему. Только вот с чем останется она, Оливия?

— Виктория, попытайся по крайней мере привыкнуть к нему! Хотя бы ради себя!

Она никому, даже своей сестре, не признается, какие чувства питает к Доусону и как убита решением отца. А Виктория слишком жалела себя, чтобы заметить, как расстроена Оливия. Вечером она отказалась спуститься к ужину.

— Ну как она? — тихо спросил Эдвард, когда Оливия уселась за стол.

— Убита, потрясена. Последние несколько недель ей тяжело приходилось. Но она привыкнет. Дай ей время.

Эдвард кивнул и немного погодя печально заметил:

— Скоро останемся вдвоем. Тебе будет очень одиноко?

— Я буду ужасно по ней скучать, — призналась Оливия, смахивая слезы. Сама мысль о разлуке с сестрой была невыносимой, а потеря Чарлза означала трагический конец ее девических грез. — Но я не покину тебя, папа, обещаю.

— Кто знает, возможно, когда-нибудь и покинешь. Как только все утихнет и она выйдет замуж, мы снова попробуем покорить Нью-Йорк и ты встретишь своего принца.

Он нежно улыбнулся дочери, не зная, какую боль причинил.

— Не нужен мне никакой принц, папа. У меня есть ты. Здесь мое место. Не хочу я выходить замуж, — убежденно поклялась девушка.

Отец не мог представить ее старой девой и все-таки со старческим эгоизмом боялся расстаться с дочерью. Она так прекрасно вела хозяйство и к тому же была для отца истинным утешением, куда большим, чем Виктория. Может, что Господь ни делает, все к лучшему?

— Я всегда буду заботиться о тебе, клянусь. И когда-нибудь все здесь, включая дом, отойдет тебе, Оливия. Виктория получит дом в Нью-Йорке. Тебе он не понадобится.

Он уже все решил. Все устроил. Остаток жизни она проведет здесь в качестве домоправительницы. За что она так прогневала Господа?

И хотя Оливия никогда не мечтала получить Чарлза, все-таки не ожидала, что его поднесут сестре в буквальном смысле слова на блюдечке в «наказание» за ее проступок. Какая ирония!

— Ты позволишь мне навещать ее? — спросила Оливия затаив дыхание. Как невыносимо будет потерять не только свою вторую половинку, но и человека, о котором втайне грезила!

— Разумеется, дорогая, — согласился отец. — Я не собираюсь разлучать вас, мне только хочется помочь Виктории выпутаться из той ужасной передряги, в которую она впуталась по собственной вине!

Слушая отца, Оливия горько жалела, что с самого начала не сумела разлучить Тоби с Викторией. Как же сестра ухитрилась испортить себе жизнь всего за несколько недель!

— Можешь приезжать к ней, когда захочешь, только не забывай обо мне.

Он улыбнулся, и Оливия обняла отца и спрятала на его плече заплаканное лицо. Больше ей нечего хотеть, желать, добиваться, некуда стремиться. Она всегда будет принадлежать только отцу.

Неужели жизнь ее кончена?

Глава 8

Чарлз и Джеффри Доусоны прибыли в Кротон в конце ноября ясным солнечным днем. В воздухе веяло холодком, пахло дымом горящих листьев, во всем чувствовалось приближение зимы. Как раз перед их приездом повар зарезал индейку. Завтра праздник, День благодарения.

Эдвард уехал в Тарритаун по делам, а Виктория отправилась кататься верхом по окрестностям. Никто не встречал гостей, и Оливия, хлопотавшая на кухне, по чистой случайности глянула в окно и заметила гостей. Она поспешно вытерла руки о передник и быстро выбежала во двор, даже забыв накинуть пальто. Она была так счастлива видеть Чарлза, что ей хотелось броситься ему на шею. Может, это и сбудется... когда он станет ее родственником.

Сдержавшись в последний момент, она улыбнулась, протянула руку, пробормотала вежливое приветствие и только потом взглянула на Джеффри.

Сердце ее перевернулось. Она словно встретила родного человека, с которым не виделась сто лет. Человека, бывшего неотъемлемой частью ее жизни.

Слегка наклонившись, она протянула руку, которую мальчик серьезно пожал.

— Здравствуй, Джеффри. Я Оливия, сестра Виктории.

Мальчик быстро взглянул на отца, и Оливия сообразила, что тот ничего не сказал сыну. Видимо, сначала хотел побеседовать с Викторией и понять, готова ли она к столь решительному шагу.

— Мы с Викторией близнецы, — пояснила девушка и мгновенно заметила в глазах ребенка искорки неподдельного интереса. — Это означает, что мы похожи как две капли воды, и бьюсь об заклад, ты не сумеешь нас различить.

— Спорим, что сумею! — храбро возразил мальчик, ероша светлые волосы. Он напоминал Чарлза, но не слишком, и Оливия могла только предположить, что Джеффри унаследовал внешность от матери. Она с первого взгляда ощутила, как близок ей этот осиротевший ребенок, и больше всего на свете желала бы стать его ангелом-хранителем, не допустить, чтобы его коснулись беды и несчастья. Странно, но она вряд ли осмелится поделиться этим открытием с кем-то посторонним. Даже с сестрой.

— Когда-нибудь, если мы по-настоящему подружимся и ты в самом деле будешь безошибочно нас различать, я открою тебе секрет, — заговорщически улыбнулась она и повела Джеффри в кухню, где на столе остывало печенье.

— А мне? — шутливо заныл Чарлз. — Почему я в стороне?

— Потому что тайна предназначена только для Джеффри, — сообщила Оливия, положив руку на плечо мальчика. Она сама не понимала, почему сделала это. Но он послан ей небом, и, что бы там ни было, она уже любит Джеффри как собственного сына. Он согреет ей душу, утешит в старости, ведь своих детей у нее никогда не будет. Ей уготована унылая жизнь старой девы. Отец одним махом лишил ее и сестры, и будущего. Теперь уже очевидно, что он не желает лишиться забот старшей дочери.

— И никто больше не узнает? — восторженно осведомился мальчик, гордясь своей исключительностью.

— Только Берти, — пояснила Оливия и представила его миссис Пибоди, как раз входившей в кухню. Та была очень рада видеть Чарлза и сразу же проводила гостей в отведенные им комнаты и принялась раскладывать вещи. Через полчаса Доусон спустился вниз и объявил, что Джеффри помогает Берти.

— Замечательный мальчишка, — с улыбкой похвалила Оливия, но Чарлз, не отвечая, долго стоял, глядя на нее, и лишь потом с печальным вздохом отвернулся к окну.

«Какие невеселые мысли обуревают его?» — подумала Оливия.

— Совсем как мать, — тихо сознался Чарлз, снова повернувшись к Оливии. — А как поживаете вы, с тех пор как уехали из Нью-Йорка?

В его голосе звучали нотки искреннего участия, отчего Оливии стало еще больнее. Скорее бы вернулись сестра и отец, иначе она не выдержит!

— Прекрасно. Правда, дел было много.

Она не упомянула о болезни Виктории, хотя и гадала, знает ли об этом Чарлз.

— Старались уладить отношения вашей сестры с полицией? — пошутил он, и оба рассмеялись, но тут на пороге возникла Виктория в амазонке и грязных ботинках. Волосы разметались по плечам темным грозовым облаком.

— Не нахожу в этом ничего забавного, — процедила она.

— Чарлз приехал, — нервно пробормотала Оливия, и Виктория с отвращением воззрилась на сестру.

— Вижу, но все же история с моим задержанием отчего-то больше не кажется веселой, — сообщила она, и Чарлз с Оливией украдкой переглянулись, совсем как застигнутые врасплох озорники.

— Прошу прощения, Виктория, — добродушно извинился Чарлз, пожимая ей руку. — Как прогулка?

Очевидно, он искренне пытался узнать ее получше, но та держалась холодно и скованно, отвечала односложно и вскоре упорхнула наверх переодеться к ужину.

— Похоже, у нее не слишком хорошее настроение, — заметил Чарлз.

Не слишком? Это еще мягко сказано! Но стоит ли заострять на этом внимание?

— Наверное, — уклончиво пробормотала Оливия. — Она очень расстроилась, что пришлось так неожиданно покинуть Нью-Йорк.

Оливия понятия не имела, насколько посвящен Чарлз во всю историю, но сама не собиралась ничего ему рассказывать.

— Кроме того, Виктория недавно болела.

— Полагаю, все это стало для нее нелегким испытанием, — откровенно заявил Чарлз. — Правда, и для меня это тоже оказалось некоторым потрясением, но зато Джеффри обретет мать.

«Именно поэтому вы и пошли на такое?» — едва не вырвалось у Оливии, но она вовремя сжала губы. Какое право она имеет допытываться? Они едва знакомы!

— Я не в силах один воспитывать ребенка, — неожиданно обронил Чарлз, словно в ответ на невысказанный вопрос.

— Мой отец сумел, — тихо возразила девушка.

— Отговариваете меня жениться на вашей сестре? — усмехнулся Чарлз.

Оливия искренне пожалела, что у нее на это не хватит мужества.

— Нет, просто считаю, что одной этой причины недостаточно.

— Уверен, что появятся и другие, как только мы получше узнаем друг друга.

Оба согласно кивнули, прислушиваясь к доносившимся сверху голосам. Должно быть, Виктория знакомилась с Джеффри.

— Вы совсем как она, — зачарованно протянул мальчик.

— Верно. А тебя как зовут?

— Джеффри, — без всякой застенчивости объявил он.

— Сколько тебе лет? — равнодушно спросила Виктория, и Джеффри с безошибочной интуицией ребенка мгновенно это понял. Как и то, чем именно она отличается от сестры.

— Девять.

Виктория вежливо улыбнулась, но не сделала попытки пожать ему руку или хотя бы дотронуться до плеча.

125

— Ты не слишком мал для своего возраста?

— Наоборот, высок, — терпеливо пояснил Джеффри.

— Я не очень разбираюсь в детях.

— А Оливия разбирается. Мне она нравится.

— Мне тоже, — заверила Виктория, провожая мальчика в библиотеку.

Сестры оказались рядом. Их сходство было поистине ошеломляющим. Словно один человек внезапно раздвоился. Волосы, глаза, улыбка, платье, туфли...

Джеффри, сузив глаза, долго смотрел на них и наконец, ко всеобщему удивлению, покачал головой.

— А по-моему, вы совсем разные, — серьезно заключил он, чем вызвал общий смех.

— Придется в понедельник заказать ему очки, — решил отец под одобрительные возгласы сестер, но Джеффри стоял на своем:

— Да посмотри же, папа. Неужели не видишь?

— Извини, сынок, но мы уже встречались, и довольно часто. И каждый раз им удавалось меня одурачить. Если сумеешь различить их, тебя стоит поздравить.

Правда, он иногда инстинктивно понимал, кто перед ним. Они оказывали на него совершенно разное воздействие, но с первого взгляда Чарлз никогда не мог с уверенностью назвать каждую по имени. Для Чарлза это было вопросом чисто сексуального притяжения на подсознательном уровне, но Джеффри просто знал, кто есть кто.

— Это Оливия, — не колеблясь показал он, — а это Виктория.

Девушки поменялись местами, но сбить с толку Джеффри оказалось невозможно. Только когда они закружились в объятиях друг друга, он ошибся, но всего раз. В дальнейшем Джеффри оказался непоколебим, и все, даже Виктория, утверждавшая, что ненавидит детей, были потрясены. Позже Оливия попросила сестру не упоминать о своей нелюбви к детям.

— Почему? — закапризничала та. — Может, Доусон передумает жениться на мне!

— И тогда отец исполнит обещание и отошлет тебя на край света. Пожалуйста, Виктория, не раздражай его.

— Хорошо, так и быть, не стану, — отмахнулась она. И сдержала слово. Почти все время молчала, даже за ужином. И вообще только Оливия и Чарлз поддерживали беседу.

— Почему бы тебе не выйти за него? — спросила Виктория перед сном. — Похоже, он тебе нравится.

— Отец хочет, чтобы я продолжала вести дом, и кроме того, моя репутация в отличие от твоей не запятнана, — отрезала Оливия. В планы отца действительно не входило замужество старшей дочери, так что и речи не могло быть о браке с Чарлзом. — Джеффри просто чудо, верно? — сменила она тему разговора.

— Не знаю. Не обратила внимания. Ты же знаешь: все, что связано с Чарлзом, меня не интересует.

— А вот Джеффри просто без ума от нас, — улыбнулась Оливия, вспоминая, как мальчик с первого взгляда мог их различить. Очевидно, он, как и Оливия, чувствовал незримую, но крепкую связь между ними: узы приязни, дружбы и, возможно, любви. Правда, несмотря на равнодушие Виктории, она, похоже, ему нравилась.

Джеффри поужинал в утренней столовой вместе с Берти, и та была ужасно рада появлению в доме ребенка. Эдвард тоже с удовольствием общался с мальчиком. На следующий день он даже отправился с ним на прогулку. Оливия присоединилась к ним, не желая мешать Чарлзу с Викторией, которые тоже вышли в сад и о чем-то серьезно беседовали. Им нужно многое сказать друг другу, и Оливия надеялась, что сестра примирится со своей участью и не станет оскорблять жениха. Если Чарлз откажется жениться, отец будет вне себя.

— Все это несколько необычно, не правда ли? — спросил Чарлз Викторию, когда они медленно шли по саду. — Не знаю даже, что вам сказать. Ваш отец застал меня врасплох, когда заговорил об этом. Но сама идея мне понравилась. Для меня, вдовца с ребенком, все это имеет смысл.

— И лишь потому, что некому воспитывать Джеффри, вы и решили жениться? — резко бросила Виктория, не в силах представить, как способен мужчина примириться с тем, что жена его не любит.

— В основном да, — честно ответил он. — Но и одиночество меня измучило. Недаром ваша сестра считает, что в моем возрасте нехорошо оставаться неприкаянным. Видите ли, я очень любил мать Джеффри. И для меня никогда и никто не сумеет с ней сравниться. Мы знали друг друга едва ли не с детства. Она была немного необузданна и очень взбалмошна. Все время смеялась и обладала по-мужски сильной волей. Совсем как вы. — Его глаза затуманились воспоминаниями. — Кроме того, Сьюзен была очень упряма. В конце концов это и стало причиной ее смерти. Она обожала детей.

— Отец упоминал, что она погибла на «Титанике», — заметила Виктория, в отличие от сестры далеко не преисполненная сочувствием. Но как ни странно, именно поэтому с ней было легче говорить о трагедии. Оливия так участливо смотрела на Чарлза, что у него иногда выступали слезы на глазах.

— Верно. Сьюзен должна была сесть вместе с Джеффри в спасательную шлюпку, но слишком много детей оставалось на борту, и она отдала одному свое место. Наверняка шлюпка могла вместить и ее, но она старалась помочь оставшимся ребятишкам. Даже пожертвовала свой спасательный жилет. Те, кто видел ее последним, утверждали, что у Сьюзен на руках был ребенок. Благодарение Богу, что хоть не Джеффри. — И после долгого молчания Чарлз добавил: — Она была необыкновенной женщиной.

— Мне очень жаль, — пробормотала Виктория, на этот раз вполне искренне.

— Почему-то мне кажется, что на ее месте вы сделали бы то же самое, — великодушно заметил Чарлз, но она покачала головой, поскольку слишком хорошо себя знала.

— Оливия — возможно, но только не я. Слишком я эгоистична. И равнодушна к детям.

— Все придет со временем, — мягко пообещал он. — А как насчет вас? И разорванной помолвки? Эдвард, правда, утверждал, что она была неофициальной?

— Можно сказать, что так.

Она спала с женатым человеком, так что если это вежливая форма объяснения ее поступка...

— Это вам папа сообщил?

— Не совсем, — улыбнулся он, не желая ранить ее чувства. Эдвард был с ним достаточно честен. — Должно быть,

128

вам тяжело пришлось. Но у меня нет никаких иллюзий относительно возможности романтических чувств между нами. Думаю, мы сумеем стать хорошими друзьями. Мне нужна мать для Джеффа, а вам — спокойное убежище после перенесенной бури.

К сожалению, Чарлзу было известно лишь о флирте с женатым мужчиной, обещаниях, которые тот не сдержал, и о разбитом сердце, но о подробностях неприятной истории, включавших выкидыш, едва не убивший Викторию, Эдвард не посмел признаться.

— Собственно говоря, нам повезло больше, чем остальным. Мы вступаем в брак с открытыми глазами. Ни погубленных грез, ни лживых клятв. Единственное, что я хочу, — обрести надежную опору.

Он и представить не мог, что снова влюбится, и не собирался давать волю тем зачаткам чувства к Виктории, которые едва зарождались в его сердце.

— Почему бы вам попросту не нанять домоправительницу или гувернантку для мальчика? — чистосердечно выпалила Виктория. — Кого-то вроде Берти?

Чарлз, расхохотавшись, весело покачал головой.

— Должно быть, вы считаете меня не совсем нормальным лишь потому, что я женюсь из подобных соображений. Но я не ищу любви, потому что боюсь снова потерять любимую женщину. Просто не вынесу еще одной трагедии.

— А что, если мы со временем полюбим друг друга? — полюбопытствовала Виктория, скорее из потребности возразить, чем допуская подобную возможность.

— Вы считаете себя способной на это? — в свою очередь осведомился Чарлз, в полной мере сознавая степень ее равнодушия к нему. — Находите меня настолько неотразимым?

— Ни в малейшей степени, — отпарировала Виктория, с удивлением отмечая, что Чарлз начинает ей нравиться. Весьма приятный человек, хотя не в ее вкусе. — С этой стороны опасность вам не грозит.

— Превосходно. А если я найму экономку, вы останетесь без мужа. Во всяком случае, придется искать другого жениха, а это куда как хлопотно. Гораздо проще выйти за меня. Но с одним условием, — серьезно добавил он.

— Каким именно? — с подозрением спросила она. Глаза Чарлза озорно блеснули.

— Я предпочел бы, чтобы вы не ввязывались в неприятности с полицией. По крайней мере не слишком часто. Для моей карьеры это может оказаться роковым.

— Сделаю все, что в моих силах, — усмехнулась девушка, уже гадая, как поведет себя, если встретит в Нью-Йорке Тоби. В эту минуту она ненавидела его с такой силой, что была готова выцарапать ему глаза или перерезать горло. Но с Чарлзом она должна быть откровенной.

— Я по-прежнему стану ходить на собрания. Я феминистка и суфражистка. Но если вас это смущает... что ж, мне очень жаль.

— Ничуть не смущает. Я нахожу ваши устремления весьма интересными и не вижу причин заставлять вас отказываться от политических воззрений. Вы имеете право на собственное мнение.

— Не понимаю почему, — вздохнула она, не подозревая о том, как его тянет к ней. Правда, он всячески сопротивлялся, упрекая себя в глупости. Ведь он знает, как она избалованна, своевольна, порывиста, и все же в глубине души жаждет укротить ее. Для Чарлза принять брошенный вызов стало делом чести, пусть она и не любит его. Да, их союз обещает стать весьма необычным.

— Я сам не понимаю, — откровенно признался он, — но объяснять слишком долго и сложно. Вероятно, всему виной моя глупость. — И, провожая ее к дому, задал последний вопрос — словно затем, чтобы скрепить сделку: — Когда вы хотите, чтобы это произошло?

«Как можно позже», — едва не ответила она, но вместо этого пролепетала:

— Когда угодно. Никакой спешки.

Пусть никто не посмеет вообразить, что она беременна!

— Как насчет июня?

— Вполне разумно. У Джеффа к тому времени закончатся занятия, так что будет время получше с вами познакомиться. А как насчет свадебного путешествия? — деловито осведомился он. Беседа приобретала все более странный, почти неправдоподобный характер. — Куда хотите поехать? Может, в Калифорнию?

— Лучше в Европу, — возразила Виктория.

— Не хочу плыть на корабле, — отказался он по вполне очевидным причинам, но Виктория заупрямилась:

— Не желаю ни в какую Калифорнию.

— Значит, придется обсудить это позже.

— Прекрасно, — бросила она.

Они молча окинули друг друга взглядами, лишенными каких-либо эмоций. Ни романтики, ни сантиментов, ни любви, разве что неосознанное чувственное влечение с его стороны. Странная пара, решившая построить жизнь на песке. Но ему нужна мать для сына, а ей — честное имя. Значит, так тому и быть. Они молча направились к дому.

Несмотря на скрытые противоречия, День благодарения прошел на редкость гладко. Виктория вела себя дружелюбно и спокойно, чем немало удивила Эдварда. Она почти не разговаривала с женихом и не обращала никакого внимания на Джеффа, но тот уже успел влюбиться в Оливию, а Чарлз много времени проводил с будущим тестем за деловыми беседами. И хотя Оливии было нестерпимо больно видеть Чарлза рядом с Викторией, она была без ума от Джеффри. Она взяла его кататься верхом и дала свою любимую лошадь Санни. А в воскресенье утром они сидели в поле на большом камне, смеясь над игравшей рядом собакой управляющего, и Оливия показала ему крошечное родимое пятнышко на правой ладони, почти между пальцами, и взяла обещание никому не говорить, даже его отцу. Она заставила мальчика поднять руку и произнести старую индейскую клятву, которую выучила еще в детстве.

— Когда мы с Викторией были совсем маленькими, то часто разыгрывали людей, меняясь местами. Я притворялась Викторией, а она — мной. И все этому верили, кроме Берти. Вот мы веселились!

— И теперь собираетесь подшутить над папой? — обрадовался Джеффри, но Оливия рассмеялась:

— Разумеется, нет! Так нечестно!

— А с тех пор вы никогда так не поступали? — удивился мальчик. Для своих лет он был очень развит и к тому же с первого взгляда полюбил новообретенную тетку. Ему уже сообщили, что отец решил жениться на Виктории, и это, казалось, ничуть его не беспокоило.

— Бывало, но очень редко, — призналась Оливия. — Чтобы разыграть людей, которые нам не нравились, или если нас заставляли делать что-то совсем уж неприятное.

— Например, идти к зубному врачу?

— Нет, не совсем. Вот если кто-то из нас не желал ехать на очень скучный ужин или принимать какого-то противного гостя.

— А вы будете очень скучать по Виктории, когда она уедет?

— Ужасно, — печально вздохнула Оливия. — Зато вы будете чаще сюда приезжать, особенно ты. Я очень рада, что познакомилась с тобой.

— Я тоже, — кивнул мальчик, доверчиво вкладывая в ее ладонь свою. — И никому не скажу о родинке.

— Смотри, я на тебя надеюсь, — серьезно предупредила она и обняла мальчика. Как приятно хоть на минуту представить себя его матерью. Счастливица Виктория!

Вечером того же дня Чарлз увез сына, но пообещал вернуться на Рождество. Джеффри уже начал строить планы, а Оливия пообещала устроить грандиозный ужин в честь будущей помолвки и пригласить всю округу.

Отец остался очень доволен, но Виктория выглядела усталой. Правда, все было не так плохо, как она ожидала. Этим вечером она рано легла спать, а Оливия еще долго сидела у камина, предаваясь невеселым мыслям. Опять все перевернулось за один день. Виктория, Чарлз и Джефф стали семьей, а она... она неожиданно превратилась в старую деву.

Глава 9

Объявление о помолвке Виктории Элизабет Хендерсон и Чарлза Уэстербрука Доусона было напечатано в «Нью-Йорк таймс» в первую среду после Дня благодарения. Там же упоминалось о том, что свадьба назначена на июнь, хотя точная дата еще не определена. Эдвард Хендерсон, радостно улыбаясь, сложил газету и бросил на стол. Все устроено!

Известие вызвало обычное, не слишком бурное волнение. Приходили открытки с поздравлениями, кое-кто даже звонил. По городу вновь поползли слухи, но уже не такие грязные. Передавали, правда, что невеста слишком откровенно флиртовала с Тоби Уиткомом и их даже видели наедине. Но никто ничего не знал наверняка, кроме Тоби, а распускать язык было не в его интересах. Зато теперь Виктория, с точки зрения отца, была в безопасности.

Но сама девушка с тупым изумлением уставилась на объявление. Как они могли сделать это? И почему? Всего лишь из-за ее несчастного романа с Тоби? Потому что она доверилась негодяю? И теперь пожинает плоды своего безрассудства... продана в рабство человеку, которому совершенно безразлична, и вынуждена будет делать с ним в постели то же, что и с Тоби! Какая мерзость! Сумеет ли она выдержать, пройти через все это? Правда, Чарлз дал понять, что хочет от нее лишь дружбы и материнской заботы о Джеффри.

Но даже мысль о ребенке ей отвратительна. Она не желает быть ничьей матерью! При виде Джеффри она сразу же вспоминала о малыше, которого потеряла, и корчилась от душевной боли. Но так или иначе, а в ней теплилась надежда, что муж не потребует, чтобы она делила с ним постель. Хоть бы так и было! Его прикосновения ей противны!

— Почему ты такая хмурая? О чем задумалась? — спросила Оливия, входя в комнату со стопкой свежих полотенец. И, заметив в руках Виктории газету с объявлением, понимающе кивнула. — Ты будешь счастлива с ним, Виктория. Он хороший человек и позволит тебе делать все, что пожелаешь.

Виктория тяжело вздохнула, настолько погруженная в собственное отчаяние, что даже не чувствовала, как несчастна сестра.

С этого времени она подолгу гуляла днем, и Оливия делала вид, что не замечает исчезновений сестры. Виктория по-прежнему убегала на собрания суфражисток и становилась все более раздражительной. Ее гнев на мужчин временами граничил с ненавистью, и, хотя она старалась сдержи-

133

ваться, при каждой удобной возможности не стеснялась высказывать свое нелестное мнение. Оливия была убеждена, что ее отношение к противоположному полу и сочувствие к женщинам, как жертвам правительств разных стран в целом и мужчин в частности, вызвано поведением Тоби Уиткома и, как ни странно, Чарлза Доусона. Виктория считала последнего чем-то вроде работорговца, заключившего союз с ее отцом, чтобы наказать ее за любовь к Уиткому.

К сожалению, задуманный Оливией обед не интересовал Викторию, и она почти не слушала сестру, читавшую список гостей, а потом заявила, что ей совершенно все равно, кто приедет. И равнодушно пожала плечами при упоминании Рокфеллеров и Кларков. Ей, во всяком случае, нечего праздновать! Всего-навсего очередная сделка!

— Не говори так, Виктория, — расстроилась Оливия, когда сестра накануне приезда Доусонов на Рождество в очередной раз распространялась о несправедливости отца. — Он желает тебе добра. Вы оба заинтересованы в этом браке. Чарлз спас тебя от всеобщего остракизма, а ты... подумай о маленьком Джеффри и о том, как он будет счастлив получить мать!

— Не желаю быть ничьей матерью! — разозлилась Виктория. — Не хочу и не умею! И я ему даже не нравлюсь.

— Вздор! Не будь глупышкой!

— Он любит тебя, — твердо объявила Виктория. — И при этом прав. Мальчик прекрасно знает разницу между мной и тобой и чувствует, что я терпеть не могу детей.

Оливия не желала признаться даже себе, что Джеффри Доусон обладал необычайной способностью различать их, даже не видя знаменитой родинки.

— Он любит нас обеих. И я уверена, что ты очень скоро изменишь к нему отношение.

Но Виктория ничего не желала знать. Она считала, что ее принуждают, и ненавидела навязанные ей обязанности. Ей хотелось только вежливо-отстраненных отношений с мужем и возможности видеться с приятелями в Нью-Йорке, а также посещать политические собрания и митинги. Она даже мечтала стать когда-нибудь политическим деятелем, будучи искренне уверенной, что это ее призвание. Виктория воображала себя чем-то вроде Жанны Д'Арк, героини, отдавшей жизнь во имя идеалов.

Слушая ее, Оливия обычно бывала потрясена крайностями, присущими сестре.

— Тебе следует немного больше и чаще думать о самых повседневных вещах, Виктория. О муже, будущем доме и приготовлениях к свадьбе.

Упоминание о Чарлзе как о муже сестры всегда острой болью отзывалось в сердце Оливии. Какой грех она совершает! Только порочная женщина способна мечтать о муже родной сестры и всего лишь потому, что он так добр и ей нравится с ним беседовать! У нее нет никаких прав на это! Правда, когда они жили в Нью-Йорке, она так бездумно предавалась девическим грезам о Чарлзе. Но теперь пора покончить с этим. Скоро сестрам исполнится двадцать один, и обе, хотя и по-разному, стали женщинами. У каждой свое предназначение. Виктория познала плотскую любовь, пусть и вне брака, и выходит замуж. А Оливия отныне принадлежит этому дому и отцу и проведет следующее десятилетие, а может, и куда больше, ухаживая за стариком. Существование Виктории основано на компромиссе и взаимных уступках, смысл жизни Оливии — в самоотречении и самопожертвовании. Сестры примирились со своей судьбой... или по крайней мере так считали.

Оливия снова поговорила с Викторией о предстоящем приеме и на этот раз заставила ее слушать. Она заказала для себя и сестры новые платья из тяжелого черного бархата с короткими тренами, по последней моде, скопировав фасон с модели француженок сестер Калло.

— Когда я поеду в Париж, — нежно улыбнулась сестре Виктория, — я куплю тебе что-нибудь «настоящее», шедевр одного из модельеров, которых ты так почитаешь. Что заказываешь? Бира? Вортс? Пуаре? Придется сделать список, и я объеду все магазины.

Обе боялись думать о той минуте, когда им придется жить вдали друг от друга, и по временам Виктория решительно заявляла, что не выйдет замуж. Она не вынесет такого удара! Они еще никогда не разлучались больше чем на несколько часов! Это все равно что потерять руку или ногу. При мысли о том, что сестры не будет рядом, Оливии становилось трудно дышать. В такие минуты она старалась подбежать к сестре, обнять покрепче, еще раз сказать, как станет тосковать о ней. Ужасно. Невероятно.

— Ты будешь жить с нами, — как ни в чем не бывало заявила Виктория. Она уже все обдумала и решила.

— Уверена, что Чарлз будет в восторге от этой идеи, — невесело рассмеялась Оливия, прекрасно представляя, какой мукой будет жить под одной крышей с тем, кому никогда не суждено ей принадлежать.

— Получит сразу двух по цене одной, — беспечно бросила Виктория. — И ты сможешь позаботиться о Джеффе. И все обойдется лучше некуда.

Широко улыбнувшись, она закурила, а Оливия раздраженно поморщилась и открыла окно.

— Берти убьет нас, если поймает тебя с папиросой, — предупредила она, закрывая дверь на замок. — А как насчет отца? Он тоже переедет к вам? Кстати, он обещает отпускать меня к тебе. Когда я только захочу.

— Это не одно и то же, Олли, и ты это знаешь.

— Верно, — вздохнула она, — но большего сделать не могу. Кстати, а Джефф? Ты возьмешь его с собой в свадебное путешествие?

Хотя бы мысль о том, что Джефф будет под присмотром, окажется для нее неким утешением!

— Надеюсь, что нет, — презрительно скривила губы Виктория, глубоко затягиваясь, и Оливия поспешно замахала рукой, отгоняя дым.

— Какая мерзкая привычка! Когда ты ее бросишь?

— В Европе все женщины курят. Это последний писк моды! — сообщила Виктория смеясь.

— И доят коров! Мне и этого не хотелось бы делать, хотя коровы пахнут далеко не так ужасно! Но так или иначе, как насчет Джеффа? Ты возьмешь его?

— Мы с Чарлзом еще не говорили на эту тему, но вряд ли он захочет. Я собиралась провести медовый месяц в Европе.

Оливия сокрушенно покачала головой. У Виктории теперь свои планы.

— Может, Джефф согласится остаться здесь, со мной? Ему это пойдет на пользу, да и я была бы рада.

— Великолепная мысль! — оживилась Виктория.

В самом деле, лучше не придумаешь! Пусть мальчишка сидит в Кротоне! Не хватало еще гоняться за ним по всему кораблю, а еще хуже — по всей Европе! Правда, Чарлз еще не согласился отправиться в Европу и до сих пор твердит о Калифорнии, но Виктория оставалась неумолимой и была твердо уверена, что сумеет его убедить. Никакая Калифорния ей не нужна! Судя по тому, что она слышала, это дикая, нецивилизованная и жуткая местность!

— Я обязательно поговорю с Чарлзом, когда он приедет. Или ты сама? — спросила Оливия, закрывая окно. На улице ужасный холод, и со Дня благодарения уже дважды шел снег.

— Нет уж, лучше я снова заведу речь о Европе, — улыбнулась Виктория.

Чуть позже сестры спустились вниз рука об руку, чувствуя себя немного лучше. Виктория думала о медовом месяце и женщинах, с которыми хотела встретиться в Лондоне. Она уже написала в тамошнюю лигу суфражисток и втайне от Оливии послала еще одно письмо в тюрьму, Эммалайн Панкхерст. А сестра, в свою очередь, была счастлива мыслью о Джеффри.

Назавтра приехали Доусоны, и взволнованный Джеффри, мигом выпорхнув из машины, помчался к крыльцу.

— Где Оливия? — крикнул он стоявшей на ступеньках Виктории.

— На кухне, — ответила та, едва успев посторониться. Мальчик едва не сбил ее с ног, торопясь встретиться со своей новой подругой. Чарлз неторопливо приблизился к девушке, смущенно улыбаясь. Жаль, что он не такой глазастый, как сын!

— Джеффри прав? Вы действительно Виктория?

До чего же глупо и неловко не знать, кто из двоих твоя невеста! Говоря по правде, они по-прежнему ставят его в тупик. Сначала Чарлзу казалось, что он чувствует, кто есть кто, но потом опять запутался. Временами на Викторию нападала застенчивость, скорее присущая Оливии, а та все чаще вела себя с ним как с родственником и бывала такой же дерзкой и открытой, как когда-то сестра. И чем лучше он их узнавал, тем труднее становилось различать. Теперь, когда сестры освоились с Чарлзом, все яснее становилось, что они обладают незаурядным чувством юмора и чаще всего смеются по одному и тому же поводу. Одни и те же улыбки, гримаски, жесты, даже чихают одинаково!

Виктория сжалилась над ним и милостиво подтвердила, что она и есть его будущая жена, а Чарлз, облегченно вздохнув, наградил ее целомудренным поцелуем в щечку и расписал, как счастлив ее видеть.

— Придется купить вам бриллиантовые булавки с вашими инициалами, иначе я выгляжу круглым дураком каждый раз, когда приезжаю сюда, — посетовал Чарлз. Оба расхохотались, и Виктория, взяв жениха под руку, направилась к парадным дверям.

— Неплохо придумано, — похвалила она и нерешительно взглянула на жениха. Ее так и подмывало поиграть с ним. Искушение оказалось слишком велико. Интересно бы окончательно сконфузить Чарлза и посмотреть, как он отреагирует.

— А откуда вы знаете, что я не Олли? — с невинным видом осведомилась она, искренне наслаждаясь его растерянностью.

— А вы Олли? — сокрушенно пробормотал он, сгорая от стыда, что позволил себе подобную фамильярность с будущей свояченицей. Виктория с самым серьезным видом кивнула, но в этот момент в холл ворвался раскрасневшийся, взъерошенный Джеффри, ведя за руку Оливию.

— Привет, Виктория, — небрежно бросил он, и Чарлз почувствовал легкое раздражение. Значит, Виктория опять за свое? Или сын ошибся?

Он недоуменно переводил взгляд с одного лица на другое, и Оливия, догадавшись, в чем дело, укоризненно погрозила сестре пальцем.

— Издеваешься над Чарлзом? — осуждающе покачала она головой. Слишком хорошо Оливия знала сестру: Виктория очень любила меняться с ней местами.

— Представьте себе, — пожаловался Чарлз, густо краснея и окидывая благодарным взглядом будущую свояченицу. —

Пыталась уверить, что она — это вы, и почти сбила меня с толку.

Джеффри про себя посчитал, что со стороны отца крайне глупо не видеть разницы.

— Но откуда у тебя такая уверенность? — допрашивал его отец. Поразительно, как такой маленький мальчик способен обладать столь безошибочной интуицией! Или сам Чарлз слишком поддается эмоциям?

— Не знаю, — равнодушно отмахнулся Джеффри. — Просто они совсем не похожи друг на друга.

— Он единственный, кроме Берти, кто узнает нас с первого взгляда, — улыбнулась Оливия, протягивая руку Чарлзу. Пожав узкую ладонь, он вновь обернулся к развеселившейся невесте. Ей явно нравилось выводить жениха из равновесия, и он это чувствовал.

— Больше никогда не доверюсь вам, Виктория Хендерсон, — объявил он, и Оливия торжественно подтвердила:

— На вашем месте и я ни за что не стала бы, Чарлз. Помните, она опасна!

— Что здесь происходит? — весело осведомился Эдвард.

Ужин прошел оживленно. Они беседовали о нью-йоркских знакомых и последних делах. Завод наконец был продан за очень неплохую сумму, и Эдвард был чрезвычайно доволен результатом. Чарлз прекрасно провел сделку. Сразу видно настоящего адвоката!

После ужина Оливия и Эдвард оставили жениха с невестой наедине. Оливия поднялась наверх, чтобы посмотреть, как там Джефф. Эдвард заявил, что устал и хочет лечь пораньше. Они медленно поднялись по ступенькам в полной уверенности, что все идет как нельзя лучше. Отец был на седьмом небе, и Оливии ничего не оставалось, как поддакивать ему, хотя на душе у нее было тяжело.

Но при виде Джеффа все было мгновенно забыто. Берти уложила его в постель, но он еще не спал и что-то тихо втолковывал потертой игрушечной обезьянке.

— Что это? — поинтересовалась Оливия.

— Генри. Ему столько же лет, сколько мне. Он со мной повсюду, кроме школы, — объяснил мальчик, обнимая Генри. Джеффри выглядел таким маленьким и несчастным в этой огромной постели, что Оливии захотелось наклониться и поцеловать его. Но как он воспримет ласку? Что, если обидится?

— Генри очень красивый, — серьезно заметила Оливия. — А он кусается? Обезьяны иногда кусаются.

— А моя — нет, — торжествующе усмехнулся Джеффри. — Жаль, что у меня нет брата-близнеца. Мы могли бы всех разыгрывать, как Виктория — папу. Он в самом деле подумал, что она — это вы! И так смутился!

— А как ты нас различаешь? — полюбопытствовала Оливия, гадая, что он видит такого, чего другие не замечают. Возможно, дети куда наблюдательнее взрослых!

— Вы думаете по-разному, — просто ответил он, — и я это вижу.

— Ты способен видеть, как мы думаем? — окончательно растерялась Оливия. Он умен не по годам. Всегда таким был или у него это после гибели матери?

— Иногда, — ответил он и удивил Оливию еще больше, добавив: — Она меня не любит!

— Ты ошибаешься, Джеффри, она тебя любит, — поспешно заверила Оливия. — Просто не привыкла к детям.

— Она привыкла к тому же, к чему и вы. Но терпеть не может детей. И никогда со мной не заговаривает. А папа ей нравится?

Оливия не знала, что ответить. Каким образом ему удается проникнуть в суть вещей?

— Думаю, что ей очень нравится твой папа, Джефф, просто они еще мало знают друг друга, но со временем все будет иначе.

— В таком случае зачем они женятся, если плохо знают друг друга? Ужасно глупо!

Он по-своему был прав, но жизнь куда сложнее, чем ему кажется, хотя Оливия не могла объяснить это ребенку.

— Люди вступают в брак по разным причинам, считая, что так будет для них лучше, и иногда лишь со временем начинают испытывать любовь друг к другу. Такие браки, между друзьями, бывают самыми крепкими.

Для самой Оливии эти доводы казались вполне убедительными, но Джеффри с сомнением покачал головой.

— Мама часто говорила, что любит нас больше всего на свете, и, когда выходила замуж за папу, никого, кроме него, не замечала, даже своих родителей. А потом появился я, и она полюбила меня так же сильно, как его. Собственно говоря, — заговорщическим шепотом признался он, — мама сказала, что любит меня больше, но предупредила, чтобы я не проболтался отцу, иначе это ранит его чувства.

— Верю, — пробормотала Оливия, сердце которой разрывалось от жалости к осиротевшему мальчику. — Такого, как ты, нельзя не любить.

— Да, — грустно вздохнул он и надолго замолчал, думая о матери. Он часто вспоминал ее и видел во сне. Она всегда представала в белом платье и, улыбаясь, шла навстречу сыну, но, прежде чем успевала подойти, Джеффри просыпался. — Я тоже любил ее, — обронил он, сжимая руку Оливии. — Она была такая красивая... веселая... вроде вас...

И тут Оливия, наконец поддавшись порыву, поцеловала его в щеку и прижала к себе. Ребенок, которого у нее никогда не будет, неожиданный дар небес, дитя, посланное ей на место сестры.

— Я люблю тебя, Джеффи, — тихо сказала она, гладя его по голове, и мальчик ответил счастливой улыбкой.

— Так меня мама называла... но все в порядке, вы тоже меня так зовите. Думаю, она разрешила бы.

Она стала рассказывать забавную историю о том, как однажды вместе с Викторией пригласила на чай школьных подружек, а потом поменялась местами с сестрой и долго дурачила гостей. Джеффри весело смеялся. Оливия сидела рядом, пока он не заснул, и, поправив одеяло, тихо спустилась вниз, чувствуя необычайную близость с мальчиком и, как ни странно, с его усопшей матерью.

Виктория уже была в спальне и курила папиросу, даже не позаботившись открыть окно.

— Скорее бы ты убиралась! — посетовала Оливия, закатив глаза и прикидываясь, что задыхается. Но Виктория отмахнулась, зная, каким ударом для сестры будет ее отъезд.

— Где ты была?

— С Джеффом. Бедный малыш! Он так тоскует по матери!

Виктория рассеянно кивнула, но промолчала.

— Чарлз согласился отправиться в свадебное путешествие по Европе, — объявила она чуть погодя, донельзя довольная собой.

— Несчастный! Ты настоящее чудовище. Кстати, он знает, что ты куришь?

Виктория покачала головой, и обе засмеялись.

— Может, тебе следует ему сказать, а еще лучше — бросить?

— Или ему начать!

— Как очаровательно! — фыркнула Оливия, медленно раздеваясь и твердя про себя, что Чарлз отныне ей всего лишь брат. Только брат.

— Я сказала ему о твоем предложении оставить Джеффри здесь. Он в восторге. Вряд ли мальчик вынесет еще одно путешествие на корабле.

— Наверное, — пробормотала Оливия. Еще бы! Трагедия до сих пор свежа в его памяти, ведь не прошло еще двух лет! — Кстати, вы уже назначили день свадьбы?

Виктория раздраженно скривила губы.

— Да. Двадцатое июня. «Аквитания» отплывает из Нью-Йорка двадцать первого. Это ее второй рейс.

Очевидно, Виктория была вне себя от радости, что добилась своего, хотя мысль о браке отнюдь ее не прельщала. Оливия встревоженно посмотрела на сестру:

— Ты не думаешь, что это тяжелое испытание для Чарлза?

Виктория, поколебавшись, равнодушно пожала плечами:

— Он не был с ней на корабле. Какое тут испытание?

— Но он столько пережил! Тебе следовало быть к нему более внимательной, — предупредила Оливия, но Викторию, очевидно, это ничуть не волновало.

— Возможно, тебе следовало бы ехать вместо меня. Он все равно не заметит разницы.

— Возможно, — тихо согласилась Оливия. Вот только Джеффри обязательно заметит!

Назавтра сам Чарлз нашел способ различать сестер. Перед обедом он пригласил Викторию на прогулку, и они долго сидели на скамейке, любуясь рекой.

142

— Здесь так чудесно! Не представляю, как можно покинуть эти места, — заметил Чарлз, и Виктория с трудом удержалась, чтобы не напомнить, что отец вынудил ее согласиться на замужество с нелюбимым человеком, но мудро промолчала.

— По правде говоря, я предпочитаю Нью-Йорк. Здесь невыносимо скучно. Это Оливия обожает Кротон. Мне нравится шум большого города.

— Неужели? — притворно удивился он. — Никогда бы не подумал!

На самом деле он знал Викторию куда лучше, чем она полагала, хотя и не всегда мог точно сказать, кто перед ним.

Виктория озорно хихикнула. Он совсем не глуп и наделен чувством юмора, и ей это нравилось. Кроме того, Чарлз не питал иллюзий относительно их союза.

— Знаете, я догадался, как сделать, чтобы не путать вас. Надеюсь, вы одобрите.

Виктория сразу представила себе нечто вроде дурацких лент, которые они носили в детстве, и уже хотела возразить, как он взял ее руку и молча надел на безымянный палец изумительное тонкой работы кольцо с бриллиантом. Камень, хоть и небольшой, играл всеми цветами радуги. Чарлз сказал, что перстень принадлежал его матери, умершей несколько лет назад, и все ее драгоценности перешли к сыну. Некоторые надевала Сьюзен, но это кольцо мать все время носила и была еще жива, когда он женился в первый раз.

Виктория потрясенно уставилась на кольцо. Сидит как влитое! Рука ее слегка дрожала. Но Чарлз неотрывно смотрел на нее с высоты своего роста, и в глазах светились тепло, доброта и надежда. Он не обнял ее, не поклялся в любви, хотя втайне жалел, что не набрался мужества поцеловать невесту.

— Оно прелестно... Спасибо...

Виктория тяжело вздохнула, страстно желая, чтобы все было иначе.

— Мечтаю о том, что когда-нибудь мы будем счастливы, — выдохнул он, сжав ее пальчики. — Брак между друзьями совсем неплохая штука.

— Разве для семейной жизни этого достаточно? — грустно спросила она, вспоминая краткие мгновения блаженства, которые делила с Тоби, любовь и страсть, испытанные в его постели.

— Иногда, если очень повезет, — ответил Чарлз, думая о прошлом. На этот раз все будет по-другому. Но если он сумеет завоевать ее, укротить, Виктория, возможно, тоже станет хорошей женой. Он обязан попытаться, хотя бы ради Джеффа. — Любовь — странная вещь, не так ли? — улыбнулся он, обнимая ее за плечи. — Иногда ее находишь там, где не ищешь. Я не причиню вам ни боли, ни зла, Виктория. Постараюсь стать вашим другом и, если позволите, всегда буду рядом.

Она все еще держала его на расстоянии, и не известно, сколько это продлится. Но пока Виктория напоминала дикую кобылицу, и Чарлз понимал, что не стоит подходить слишком близко.

— Простите, Чарлз, мне очень жаль, — грустно пролепетала девушка. Сейчас она была с ним искренна как никогда, но при этом не знала, сколько времени пройдет, прежде чем она забудет Тоби. И вообще — забудет ли?

— Не стоит, — мягко посоветовал Чарлз. — Вы пока ничем мне не обязаны.

А позже? Что будет позже? Захочет ли она его, как хотела Тоби, только потому, что их брак будет освящен по закону, она встанет перед алтарем в белом платье, а священник пробормочет мешанину латинских слов? И сразу все переменится?

— Значит, наша помолвка отныне стала официальной, — осторожно заметила Виктория. — Мы жених и невеста.

У нее был такой ошеломленный вид, словно она не до конца поняла, что происходит, и Чарлз засмеялся.

— Разумеется. И в июне вы станете миссис Чарлз Доусон. Остается шесть месяцев, чтобы привыкнуть друг к другу, — сказал он и, шагнув вперед, нежно положил ей руки на плечи. — Могу я поцеловать невесту немного раньше свадьбы? — осведомился он, и Виктория, не зная, что делать, кивнула.

Чарлз снова обнял ее и легко притронулся губами к губам. И тут же едва не рухнул под бременем нахлынувших воспоминаний. Он ощутил прилив желания к этой загадочной красавице и лишь усилием воли не позволил собственным эмоциям взять верх над собой. Она первая женщина, которую он поцеловал за два долгих года, и теперь нежность и тоска одолевают его и он не знает, что делать.

Но Виктория была далека от Чарлза и его переживаний. И ощущала лишь прикосновение губ человека, которого не любила и за которого была вынуждена выйти замуж. Он долго держал ее в объятиях, понимая, что она ничего к нему не испытывает, но убежденный, что со временем все будет по-другому. Хорошо, что лето они проведут в Европе!

— Пойдем обратно? — предложил он, беря ее за руку.

Виктория ничего не сказала про кольцо, и Оливия заметила его только за обедом. Заметила — и расстроилась. Только сейчас помолвка стала чем-то реальным для нее. Как и сознание того, что Виктория скоро покинет дом, оставив ее с отцом.

Глаза Оливии наполнились слезами, и она поспешно отвернулась. Виктория немедленно почувствовала неладное и взглянула на свой палец, сгорая от раскаяния. Как только все встали из-за стола, она подбежала к сестре. Чарлз, не понимая, что происходит, уставился на обнимавшихся девушек.

— Мне будет ужасно тебя недоставать, — прошептала Оливия, когда они вышли из столовой.

— Ты должна поехать со мной, — настаивала Виктория.

— Не могу, сама знаешь, — всхлипнула Оливия под недоуменным взглядом Чарлза.

— Никогда никого не полюблю, кроме тебя, — твердо объявила Виктория, но сестра покачала головой.

— Ты должна. Ты всем обязана ему. Нужно научиться любить его.

Оливия подошла к Чарлзу и похвалила кольцо, сказав, что никогда не видела ничего красивее. Он довольно улыбнулся, и все трое вышли на улицу полюбоваться последними лучами заходящего солнца.

Глава 10

Рождество прошло куда веселее обычного, несмотря на то что Виктория постоянно дулась. Оливия с восторгом наблюдала за Джеффом, разворачивавшим подарки, а на следующее утро все отправились кататься на санках. В сочельник выпал глубокий снег, и холмы над рекой Гудзон были окутаны толстой мантией белого бархата.

Оливия позволила Джеффри править санями, а потом они вместе налепили снежков и загнали Викторию с Чарлзом в дом, а сами принялись лепить снеговика и провозились до сумерек. Чудесный день был омрачен только болезнью Эдварда, ухитрившегося простудиться. Бедняге пришлось пролежать в кровати почти до Нового года. Он поднялся как раз в день бала, который Оливия давала в честь жениха с невестой в канун праздника. Вечер на диво удался. Гости выпили море шампанского, ели, веселились и танцевали в парадном зале под мелодии оркестра, выписанного Оливией из Нью-Йорка.

Отец позволил Джеффри спуститься вниз перед ужином, и гости радостно приветствовали мальчика. Все искренне поздравляли Викторию, и похоже было, что сплетни улеглись. Репутация ее спасена. Будущее обеспечено. Все идет как нельзя лучше. Виктория и Чарлз уже не чуждались друг друга, время от времени подолгу беседовали, и если и не были влюблены, то по крайней мере стали хорошими приятелями. Единственным человеком, в чьем присутствии Виктории становилось не по себе, был Джеффри. Оливия, видя неприязнь сестры, старалась при малейшей возможности увести мальчика и постоянно твердила Виктории, что пора бы узнать получше будущего пасынка.

— Ради Бога, Виктория, он всего лишь ребенок! Девятилетний малыш. Что он может тебе сделать? Не будь глупышкой!

— Он ненавидит меня, — упрямилась Виктория.

— Неправда. Ты ему нравишься.

Это была беззастенчивая ложь, но Оливия страстно хотела, чтобы сестра перестала чуждаться Джеффри.

— Он просто привык ко мне больше. Давай сговоримся и поменяемся как-нибудь местами, и бьюсь об заклад, он не увидит разницы.

Но обе понимали, что этого не случится, поэтому первого января Оливия, как обычно, решила прогуляться вместе с Джеффри. Несмотря на то что земля была покрыта льдом и снегом, она приказала оседлать лошадей.

— Поосторожнее, мисс, — предупредил конюх. — Сегодня ужасно скользко.

— Верно. И буря, кажется, вот-вот начнется. Но мы ненадолго, Роберт. Спасибо.

Она отдала Джеффу кроткую старую клячу, на которой ездила в детстве. Ее собственная кобылка, к несчастью, застоялась и была в необычайно игривом настроении. Последнее время погода была плохой, и Оливия редко выезжала, но сегодня они отправились в холмы, где она показала мальчику все свои любимые места, в том числе домик на дереве и укромную лощинку, где они с сестрой часто прятались от Берти. Однажды они даже провели там всю ночь, скрываясь от гнева отца, узнавшего об очередной их проделке в школе. Эдварду пришлось вызвать шерифа с собаками, и девочек, разумеется, тут же разыскали. Обе плакали навзрыд, но, разумеется, ничего серьезного не произошло. Отец, во всем потакавший дочерям, даже не наказал их. Оливия не объяснила Джеффри, что Эдвард только раз вышел из себя и метал громы и молнии: когда узнал о романе Виктории с женатым человеком.

— Неужели вас никогда не шлепали? — с интересом осведомился Джеффри, и Оливия покачала головой. Отец и пальцем к ним не прикасался.

— Меня тоже, — удовлетворенно заключил мальчик.

Они немного поиграли в ковбоев и индейцев, и посторонний наблюдатель ни за что бы не поверил, что ей не десять, а двадцать, так увлеченно она гонялась за малышом по тропинкам и замерзшим ручьям. Иногда она перепрыгивала через поваленные деревья, но запрещала это делать Джеффри из опасения, что он свалится. К вечеру они медленно направились к конюшне. Оливия спугнула несколько кроликов, и Джефф весело смеялся над трусливыми зверьками, когда раздался удар грома. Небо разрезала молния, и, прежде чем Оливия успела что-то сказать, лошадь Джеффа метнулась в сторону. Девушка успела лишь увидеть огромные перепуганные глазищи ребенка, как кляча понесла.

— Джефф, держись! — что было сил закричала Оливия, моля Бога, чтобы мальчик услышал ее. — Крепче держись! Не отпускай поводья! Я сейчас!

Старая кобыла, уже давно еле передвигавшая ноги, сейчас буквально летела по полю, но Оливия довольно быстро успела ее нагнать и, перегнувшись так, что повисла над землей, схватилась одной рукой за седло, а другой — за узду лошади Джеффри. Кляча перешла на рысь, как раз в ту минуту, когда снова прогремел гром. Оливия дернула за узду, но тут ее собственная кобылка взвилась и заплясала. Оливия выпустила поводья Джеффа, поскольку ее кобылка встала на задние ноги и пришлось приложить все усилия, чтобы удержаться в седле.

Кобыла Джеффа тоже испугалась, но слишком устала, чтобы вновь выкинуть такой же трюк. Зато лошадь Оливии совершенно обезумела при очередном раскате грома и, отпрыгнув в сторону, взвилась в воздух, перелетев через живую изгородь. Она приземлилась на все четыре ноги, оставив позади беспомощное тело, распростертое на земле. Даже такой маленький мальчик, как Джеффри, с первого взгляда понял, что девушка без сознания.

— Оливия! Олли! — заплакал он, но не спешился, из опасения, что не сумеет вновь вскочить в седло. Немного погодя мальчик, судорожно всхлипывая и втянув голову в плечи, под проливным дождем отправился к конюшне.

Чарлз и конюх, увидевшие странную картину, вышли на дорогу, но, прежде чем успели добиться хоть слова от рыдавшего Джеффа, заметили мчавшуюся кобылку Оливии с болтавшимися поводьями. Она с разгону влетела в конюшню, пока Джефф лихорадочно пытался объяснить, в чем дело. Гром... молния... лошадь... упала... изгородь...

И прежде чем Чарлз успел опомниться, Роберт был уже в седле.

— Вы ездите верхом? — спросил он. Чарлз кивнул, поставил сына на землю и взял у него поводья. И хотя измученная кляча не хотела передвигать ноги, седлать другую лошадь не было времени.

Роберт немедленно понял, где были бедняги, когда произошло несчастье, и Чарлз с бешено бьющимся сердцем последовал за ним. Они ехали сквозь струи дождя, пока не отыскали Оливию. Это оказалось нелегко — она почти сливалась с землей. Коричневая амазонка насквозь промокла, темные волосы разметались по грязи. Мужчины спешились и наклонились над девушкой. Она была смертельно бледна и, казалось, не дышала. Чарлз едва не сошел с ума при мысли о том, что Оливии, возможно, уже нет в живых. Господи, что он скажет Джеффу и Эдварду с Викторией?!

— Она... — прошептал он, но голос потерялся в завывании ветра. Роберт повернулся к нему, покачал головой и кое-как объяснил, что должен привезти коляску.

— Оставайтесь с ней, — велел он. — Я сейчас вернусь. Нужно вызвать доктора.

Чарлз встал на колени и, приложив ухо к груди девушки, понял, что она дышит, хотя слабо и неровно. Сбросив пальто, он попытался укрыть ее от дождя и, к собственному изумлению, понял, что плачет. Как она могла поехать верхом в такой гололед! Ведь это Джефф мог лежать здесь... Нет, Оливия никогда не допустила бы такого! Недаром она посадила мальчика на полумертвую клячу, которой не под силу перескочить даже канавку!

Чарлз неотрывно смотрел на девушку, и в груди шевельнулось что-то теплое и мучительно-болезненное, как при думах о Сьюзен. Именно это он всегда чувствовал, когда разговаривал с ней. Такая же неизменная доброта, великодушие, забота о других, смех в глазах... И именно это так больно ранило, словно кинжал, вонзившийся в сердце, напоминая о том, что он потерял два года назад. Малыш прав: сестры совсем разные. Виктория, такая необузданная, вольная душа, невероятно чувственная и в то же время равнодушная. Он хотел укротить ее, обуздать, но в душе сознавал, что никогда не полюбит. Но эта женщина... то, что он ощущал, глядя на нее, побуждало немедленно бежать куда глаза глядят. Никогда больше никому не подарит он свое сердце, чтобы не позволить судьбе украсть у него самое дорогое.

Для него брак с Викторией куда безопаснее. Оливия бесконечно ему ближе. И если умрет сейчас... если умрет... он не вынесет еще одной трагедии. Это несправедливо, неправильно, он не должен ничего к ней испытывать. Не теперь... Но что бы ни случилось, он обязан жениться на ее сестре.

— Оливия, — позвал он, наклонившись, плача как дитя в порыве любви к ней и ненавидя себя за это. — Оливия...

Она шевельнулась, открыла глаза, и Чарлз нечеловеческим усилием взял себя в руки. Она непонимающе уставилась на него, словно не узнавая.

— Не двигайтесь, вы упали и сильно ушиблись, — предупредил он, перекрикивая свист ветра.

Она промокла до костей, несмотря на пальто, которое держал над ней Чарлз, пытаясь хоть немного защитить от дождя. С него тоже капала вода, каштановые волосы слиплись, слезы мешались с дождевыми каплями. И тут Оливия внезапно вспомнила.

— С Джеффом ничего не случилось? — едва шевеля губами, выговорила она. Перед глазами все плыло, так что Оливия с трудом различала черты наклонившегося человека, и лишь через несколько секунд сообразила, кто перед ней. Она даже попыталась улыбнуться, но голова слишком болела.

— Не волнуйтесь, все в порядке. Он послал нас сюда.

Она хотела кивнуть, но поморщилась и закрыла глаза. И хотя его до смерти пугали собственные чувства к ней, он все же был твердо убежден, что поступает правильно, женясь на Виктории. Слишком опасно любить женщину, подобную Оливии. Можно легко отдать ей сердце и душу. Брак же с Викторией ничем ему не грозит. Она интригует его, но и только. Но Оливия, с ее любящей, щедрой натурой, просто уничтожит его.

— Как вы себя чувствуете? — снова спросил он, прикрывая ее от дождя и ветра и умирая от желания дотронуться до ее руки.

— Отвратительно, — слабо улыбнулась Оливия, и Чарлз осторожно коснулся ее лба, стараясь побороть все эмоции, уверяя себя, что это ошибка, момент слабости.

— Вы поможете мне сесть? — пробормотала Оливия, боясь, что не справится сама.

— Не стоит шевелиться. Роберт сейчас явится с коляской.

— Не хочу волновать отца.

— Ему будет еще хуже, если вы что-нибудь себе повредите. Вам стоит на будущее быть поосторожнее.

Ни Джеффри, ни ему ни к чему еще одна трагедия. Чарлз растерянно огляделся, не зная, то ли выругать ее хорошенько, то ли поцеловать.

— Я здорова.

— По вашему виду этого не скажешь, — усмехнулся он, и они обменялись взглядами, сказавшими больше любых слов и уверений. Оливия забыла обо всем на свете. Сейчас существовал только этот миг: дождевые струи, летевшие на землю, его рука, нежно касавшаяся девичьей щеки, глаза, ласкавшие ее... Господи, неужели она сошла с ума?

— Моя лошадь жива?

— Нашли о чем спрашивать! Вы просто поражаете меня! — покачал головой Чарлз. — Ваша лошадь в полном порядке в отличие от ее хозяйки.

Оливия попыталась сесть, но тут же легла, почти теряя сознание от головной боли. На вершине холма показался Роберт, и на какое-то безумное мгновение Чарлзу захотелось спрятать от него Оливию, остаться с ней навсегда. Но оба понимали, что это невозможно и лучше забыть о том, что было между ними. Взгляды их опять встретились, жадные, голодные, проникающие в душу. Но волшебные двери тут же закрылись. Навеки.

— Как она? — осведомился Роберт, спрыгнув на землю.

— По-моему, чуть лучше, — сообщил Чарлз и, легко, как куклу, подняв ее, усадил в коляску. Оливия со стоном откинула голову. Похоже, она ничего себе не сломала, но получила сильнейшее сотрясение мозга. Чарлз сел напротив, а Роберт привязал его клячу к задку коляски и стегнул лошадей. По дороге оба молчали. Чарлз так много хотел ей сказать, но не посмел. Да и есть ли смысл открывать душу? Слишком опасную игру он поведет. Он достиг некоего жизненного перекрестка и сам выбрал себе дорогу. Его брак с Викторией — всего лишь своего рода сделка, а признавшись во всем Оливии, он рискует сильно обжечься. Виктория — вся чувственный, соблазнительный вихрь; Оливия — то, чего он так жаждет, но не посмеет получить. Хватит с него безумств. Пора жить ради Джеффри.

Оливия взглянула на него с таким видом, словно прочла его мысли, и, кивнув, протянула руку. Чарлз сжал ледяные пальчики.

— Простите, — тихо попросил он, и Оливия улыбнулась и опустила ресницы.

Все происходящее казалось ей сном. Чарлз рядом с ней... буря... дождь... ее рука в его руке... они вдвоем... И внезапно рядом оказались Виктория, Берти, отец и доктор... Она ничего не понимала.

Оливию уложили в постель, и Виктория уселась рядом. Оливия настаивала на приходе Джеффри. Она знала, что он сильно разволновался, и хотела его успокоить. Она объяснила мальчику, что сотворила глупость, отправившись верхом в такую погоду, а Джефф пообещал как можно скорее снова навестить ее и поцеловал в щеку. Тут Оливия вспомнила о ком-то... о ком? В голове все перепуталось.

Ей дали снотворное, чтобы она заснула. Виктория не отходила от кровати сестры и даже не позволила Берти за ней ухаживать. И Оливия поняла, что обязана что-то сказать сестре. Очень важное. Ужасно важное.

— Ты должна любить его, Виктория... должна, он нуждается в тебе.

Но тут она мирно задремала, думая о них обоих. И увидела их на палубе корабля. Викторию в подвенечном наряде и Чарлза, пытавшегося крикнуть что-то. Только Оливия его не слышала. Рядом стоял Джефф, держась за руку матери. Сьюзен наблюдала за новобрачными, и Виктория непонимающе разводила руками... И тут корабль в полной тишине медленно пошел ко дну.

Оливия проснулась только назавтра в полдень, с невыносимой головной болью. Ей казалось, что она всю ночь металась, терзаемая демонами. Виктория сообщила, что Доусоны уже уехали. Джеффри оставил ей цветы, а Чарлз — короткую записку, в которой выражал надежду на ее скорое выздоровление. Она несколько раз перечитала записку, гадая, было ли все это во сне или наяву. И заметила ли она в самом деле нечто необычное в лице Чарлза или ей только показалось? Но отличить явь от бреда не смогла.

— Здоровую шишку ты набила, старушка, — объявила Виктория, наливая ей чай. Оливия с трудом удержала чашку.

— Должно быть, я вправду сильно ударилась. Всю ночь снились совершенно омерзительные сны.

Сны, которые по-прежнему преследовали ее.

— Неудивительно. Доктор пообещал, что через несколько дней ты встанешь, а пока закрой глаза и спи, — велела Виктория.

Пока сестра не поправилась, девушка не отходила от нее — причесывала, умывала, кормила...

Поднявшись наконец с постели, Оливия твердо решила, что призраки, преследовавшие ее все это время, не что иное, как игра воображения и глупые видения. Правда, некоторые из них до сих пор ее смущали. Неужели Чарлз действительно... гладил ее по щеке... они ехали в коляске... и он плакал...

— Ну как, лучше? — спросила Виктория, помогая ей впервые спуститься к ужину.

— Намного, — без особой убежденности подтвердила Оливия, полная, однако, решимости вновь стать прежней. У нее нет времени думать о всякой чепухе! — Ну а теперь пора заняться подготовкой к свадьбе!

Виктория ничего не ответила, а Оливия постаралась выбросить из головы все, кроме своих грандиозных планов. И нечего обращать внимания на странный трепет в сердце!

— Ты прекрасно выглядишь! — воскликнул отец, радуясь выздоровлению дочери. Она тоже была счастлива находиться рядом с ним, подальше от тревожных грез, витавших в ее спальне. Они преследовали ее много дней, и находиться наедине с ними просто невыносимо!

— Спасибо, папа, — тихо ответила она, и девушки молча заняли места по обе стороны от Эдварда.

Глава 11

Как оказалось, в январе и феврале Чарлз был слишком занят, чтобы приехать в Кротон, поскольку готовился к важному процессу и по-прежнему улаживал многочисленные дела будущего тестя. Зато Оливия планировала на конец февраля поездку в Нью-Йорк, чтобы заказать подвенечное платье сестре. Виктория неохотно согласилась, но куда больше интересовалась новостями из Лондона. Эммалайн Панкхерст, просидев год в тюрьме, была освобождена и уже организовала нападение на министерство внутренних дел. Разъяренные дамы перебили все окна, а до того успели поджечь Теннисный клуб — и все во имя свободы женщин.

— Так им и надо! — истово твердила Виктория, услышав столь волнующие вести. Со времени помолвки она повсюду проповедовала идеи феминизма.

— Виктория! — упрекнула Оливия, шокированная неуместными выходками сестры. — По-моему, это отвратительно! Как ты можешь одобрять подобные действия?!

В своей последней речи Панкхерст разглагольствовала о взрывах.

— Они борются за правое дело, Оливия. На войне как на войне. Приходится иногда идти на насилие. Женщины во всем равны мужчинам.

— Глупости! — перебила Оливия, раздраженная упрямством сестры. — Ты представляешь их какими-то дикими зверями в клетках!

— А тебе не приходило в голову, что это именно так и есть? Только не дикие, а домашние животные, которых в любое время можно выкинуть на улицу. Вот что отвратительно!

— Ради Бога, не повторяй только эту чушь на людях! — фыркнула Оливия, уничтожая сестру взглядом. Спорить с ней безнадежно! Совершенно помешалась на своих суфражистках!

И чтобы сменить тему, Оливия принялась показывать ей рисунки нового платья, на которые Виктория взирала с полным безразличием. Она уже попросила Оливию выбрать фасон по своему вкусу и даже предложила, чтобы та отправилась за покупками сама, поскольку ей никуда не хочется ехать.

— Это плохая примета, и я на такое не пойду, — наотрез отказалась Оливия.

Иногда она была готова придушить сестру, особенно когда речь заходила о свадьбе. Оливии, как обычно, приходилось думать обо всем. Она вытянула из сестры имена тех, кого

Виктория хотела бы пригласить, и Чарлз незамедлительно прислал свой список. Они обменивались вежливыми короткими письмами, и в одном он сообщил, что у него много приятелей, друзей и деловых знакомых, которые обязательно должны быть на свадьбе. У Эдварда было двести кандидатур, у девушек — пятьдесят, так что всего набралось человек четыреста. Оливия считала, что приедут триста: многие были слишком стары, или жили слишком далеко, или приглашались только из вежливости. Венчание должно было проходить в кротонской церкви, прием назначили в Хендерсон-Мэнор.

Оливия, разумеется, будет подружкой невесты, Джеффри — подателем колец, и Виктория решительно отказалась от других подружек.

— Никого мне не нужно, кроме тебя, — твердила она, окутанная облаком табачного дыма, как-то ночью, когда сестры в сотый раз обсуждали предстоящую свадьбу.

— Почему бы тебе не курить в другом месте? — ворчала Оливия. Последнее время сестра не выпускала папиросы изо рта и постоянно нервничала. — Вспомни о бывших одноклассницах! Все прекрасные девушки и с удовольствием согласятся стать твоими подружками.

— А я не желаю! Кроме того, мы давно покинули школу! Восемь лет назад! Ты еще наших учительниц пригласи в подружки!

Девушки рассмеялись, представив чопорных старых дев с лошадиными физиономиями в платьях веселенькой расцветки.

— Прекрасно, сдаюсь. Но тогда твое платье должно быть куда наряднее.

— И твое, — немедленно возразила Виктория, хотя без особого интереса. Единственным, что заставляло ее примириться с ненавистным браком, была мысль о путешествии через океан, в Европу, где она встретится со своими кумирами, а потом вернется в Нью-Йорк и станет вести жизнь свободную и независимую.

— Почему бы нам не надеть одинаковые наряды, — лукаво предложила она, — и не сбить с толку всех гостей? Как считаешь?

— По-моему, ты не только куришь, но и пьешь!

— Прекрасная идея! Думаешь, отец заметит исчезновение своего бренди?

— Нет, но Берти заметит, так что даже не думай, что я позволю устроить из спальни еще и бар! — погрозила пальцем Оливия и тут же сморщилась от боли, при мысли о том, что скоро будет некому курить в комнате. Осталось всего четыре месяца!

Они все-таки отправились в Нью-Йорк вдвоем и остановились в отеле «Плаза», так что Оливии не пришлось брать с собой штат слуг и открывать дом. Отец предложил им взять миссис Пибоди, хотя бы ради приличия, но Виктория наотрез отказалась и, переступив порог номера, восторженно подбросила шляпу в воздух. Наконец-то они одни, в Нью-Йорке и могут делать все что угодно! Первым делом она велела принести из ресторана шампанское и немедленно закурила.

— Мне все равно, что ты вытворяешь в своей спальне, — наставительно заявила Оливия, — но если не будешь вести себя как подобает в отеле или в городе, я немедленно везу тебя домой, но сначала позвоню отцу. Не желаю, чтобы люди посчитали меня пьянчужкой или распущенной особой только потому, что ты весь день дымишь. Поэтому запомни: никаких безобразий!

— Хорошо, Олли, — озорно усмехнулась Виктория, которой ужасно нравилось жить в отеле без компаньонки.

Сегодня вечером ей предстояло ужинать с Чарлзом, но днем сестры отправились в «Бонуит Теллер» посмотреть платья. Оливии тоже нужен был наряд для свадьбы, а Виктории, кроме того, требовались туалеты для корабля и дороги. Оливия уже скопировала несколько моделей и заказала самые простые костюмы. Вечерние платья сестры собирались купить в Нью-Йорке. Оливия объяснила ей, где находятся самые прославленные парижские магазины. Как странно, что приходится покупать вещи только в одном экземпляре. До сих пор они все заказывали вдвойне. Но Оливии ни к чему модные наряды в Кротоне. Сердце ее разрывалось от горя и отчаяния, но ничего не поделаешь. Викторию ждет другая жизнь.

Они наскоро пообедали в отеле и поехали к «Саксу», но, где бы ни появлялись, повсюду привлекали внимание окружающих. Элегантные, неотразимо прекрасные, стройные... Люди не сводили с них глаз. В магазинах к ним немедленно бросались продавцы и заведующие отделами. Оливия привезла с собой наброски, точно зная, каким хочет видеть подвенечное платье. Несколько свободно ниспадающих ярусов белого атласа, скроенного по косой, а сверху дорогое кружево, и шлейф, который протянется по всей церкви. На голове Виктории будет старинная бриллиантовая диадема, принадлежавшая матери, а сверху — кружевная фата. И если все пойдет как задумано, сестра в день своей свадьбы будет выглядеть не хуже любой королевы. В «Бонуит Теллер» их заверили, что все получится, как заказано. Почти час ушел на обсуждение рисунков Оливии и сорта кружев, необходимых для платья. Виктория тем временем примеряла туфли и шляпки.

— Им нужно снять мерку, — наконец объявила она сестре.

— Пусть снимут с тебя: у нас одинаковые фигуры, — небрежно бросила та.

— Ничего подобного! — решительно возразила Оливия. Бюст Виктории был чуточку полнее, талия немного уже, так что разница все же была. — Ну же, — скомандовала Оливия, — немедленно раздевайся.

— Так и быть, — со вздохом согласилась Виктория.

Оливия стала рассказывать заведующей отделом, какое платье хочется ей. Она остановила выбор на светло-голубом атласе, фасон выбрала похожий на наряд сестры, только без шлейфа и кружев. Но заведующая возразила, что платье получится слишком простым. Пришлось добавить небольшой трен и длинный голубой кружевной жакет. Теперь наряды сестер идеально гармонировали. Оливия, радостно улыбаясь, показала сестре наброски, но та, улыбнувшись, прошептала:

— Почему бы нам не поменяться местами в день свадьбы? Никто не узнает.

— Веди себя прилично, — строго заметила Оливия. — Впереди еще много работы.

Виктории и в самом деле требовался немалый гардероб. Целое лето в Европе!

Оливия поняла, что сегодня они не успеют сделать все намеченное, и решила завтра заехать в магазин одна, без Виктории. Она уже встала, чтобы попрощаться, как заметила устремленный на дверь взгляд Виктории. Порог переступила хорошо одетая пара, и продавщицы бросились к новым клиентам. Высокий темноволосый мужчина держал под руку смеющуюся женщину в шиншилловом манто. Оливия узнала Тоби Уиткома и Эванджелину с огромным животом, очевидно, на последних месяцах беременности. Господи, что она делает на людях в таком виде?

Но очевидно, Эванджелине было все равно, что скажут окружающие. Она преспокойно скинула манто, под которым оказалось широкое платье серого атласа. Оливия украдкой взглянула на сестру. Та стояла словно пораженная громом и не двигалась с места. Оливия поспешно попрощалась с заведующей и потащила сестру к выходу.

— Пойдем, Виктория, нам пора, — как можно мягче втолковывала она, но та отказывалась пошевелиться и не спускала глаз с Тоби. Тот, словно почувствовав ее взгляд, обернулся, но, по-видимому, сначала даже не понял, кто перед ним. Однако, хорошенько присмотревшись, он узнал сестер и, неприятно пораженный, торопливо отвел взгляд и повел Эванджелину в дальний угол. К сожалению, она тоже успела заметить сестер и что-то возразила мужу.

— Виктория, пожалуйста... — тихо, но твердо повторила Оливия, донельзя смущенная неприятной сценой. Продавщицы неприкрыто глазели на них. Тоби, очевидно, резко осадил жену, потому что та зарыдала, посматривая в сторону близнецов. Оливия, не выдержав, схватила сестру за руку и насильно вытолкала из магазина на улицу, где им довольно быстро удалось поймать такси. Оливия не помнила, как усадила сестру и устроилась рядом. Только несколько минут спустя она заметила, что Виктория плачет. Оливия велела водителю ехать в отель и молча пережидала, пока истерические всхлипывания затихнут.

— Я была бы уже на пятом месяце, — жаловалась Виктория, впервые за все время скорбя о потерянном ребенке.

— Да, и жизнь твоя оказалась бы бесповоротно разбита. Ради Бога, Виктория, хоть раз посмотри на вещи здраво и попытайся понять, что он с тобой сделал. Только не стоит убеждать меня, что ты до сих пор влюблена в него! — в ужасе прошептала Оливия, но сестра лишь покачала головой и заплакала еще сильнее.

— Я ненавижу его, — пробормотала она. — Ненавижу землю, по которой он ступает.

И все же воспоминания о незабываемых часах, проведенных в маленьком коттедже, рвали сердце. Почему она так легко поверила всему, что он ей наговорил? Да способен ли он вообще любить кого-то? Обещал бросить жену, а теперь Эванджелина гордо расхаживает повсюду, демонстрируя огромный живот, и свысока, как на последнюю тварь, поглядывает на Викторию! Господи, неужели отец был прав, когда старался прикрыть ее грех, выдавая замуж за порядочного человека?

Впервые за все это время Виктория призадумалась о последствиях своего проступка и ощутила благодарность к Чарлзу Доусону, великодушно согласившемуся защитить ее. Как жаль, что она никогда не полюбит его!

Слезы лились потоком, даже когда сестры, пробежав через вестибюль, очутились в номере. Никакие уговоры и утешения не помогали. Виктория билась в истерике. Сегодня она получила горький, но заслуженный урок людской жестокости. Урок, который никогда не забудет.

Наконец она понемногу успокоилась и, совершенно измотанная, жалкая и смирившаяся, подняла на сестру молящие глаза.

— Когда-нибудь ты забудешь его. Обязательно забудешь, — пообещала та.

— Я никому больше не доверюсь. Ты не представляешь, что он говорил мне, Олли. Я никогда бы не отважилась на такое, если бы не...

Или отважилась? Теперь она совсем не была уверена, что хорошо себя знает. Тоби заставлял ее вытворять невероятные вещи в постели. И как теперь объяснить Чарлзу свою опытность? Трудно поверить, что он вообще на ней женится, и чувство признательности к этому человеку все росло.

— Я сделала невероятную глупость, — призналась она сестре.

Оливия обняла ее, и они так и просидели до приезда Чарлза. Тот удивился, увидев их в таком необычайно подавленном настроении.

— Что-то случилось? Вы больны? — всполошился он, но Оливия ободряюще улыбнулась.

— Просто очень устали, да и перенервничали. Выбор подвенечного платья — один из важнейших и памятных моментов в жизни женщины, — объяснила она, хотя по глазам Чарлза было видно, что он не очень-то верит ее объяснениям.

Чарлз посчитал, что они опечалены предстоящей разлукой, и, пожалев девушек, пригласил Оливию поужинать вместе. Жених с невестой собирались в ресторан «Ритц-Карлтон», а оттуда на концерт. Но Оливия решительно отказалась, желая, чтобы Чарлз и Виктория получше узнали друг друга. Они не виделись два месяца, пусть проведут хотя бы вечер вместе! Она велит подать ужин в номер и займется набросками туалетов для сестры.

— Вы уверены, что хотите побыть одна? — осведомился Чарлз, когда Виктория ушла переодеваться.

— Абсолютно, — спокойно ответила девушка, снова обуреваемая странными воспоминаниями о дождливом дне в Кротоне, когда она упала с лошади. Только со временем и без того нечеткие образы словно затянулись дымкой.

— Иногда ей бывает трудно, — попыталась объяснить Оливия, страстно желая, чтобы он сумел понять Викторию. Невыносимо думать, что сестра выйдет за равнодушного, сухого человека. Но нет, она все преувеличивает. Чарлз заботлив и порядочен и, что бы ни было в прошлом, не осудит Викторию. — Мы будем ужасно скучать друг без друга, — с горечью улыбнулась она. — Я рада, что Джеффри летом останется со мной.

— А он просто вне себя от восторга.

Их взгляды неожиданно встретились. Он искал и не находил ответа в глазах Оливии. Кто она на самом деле? И почему готова пожертвовать всем ради отца? Оливия так же красива, как сестра, зачем же обрекать себя на добровольное затворничество? Что за тайну хранит эта необыкновенная девушка? Она с первого взгляда поразила его своим спокойствием и сдержанностью.

— Мы подумываем о том, чтобы навестить вас на Пасху, — осторожно заметил он, чтобы сменить тему. — Если, конечно, не слишком затрудним своим визитом. Ваш отец пригласил нас при последней встрече.

— Будем очень рады! — воскликнула Оливия.

В комнату вошла Виктория в темно-синем атласном платье, выбранном Оливией. В сапфировых с бриллиантами серьгах, подаренных отцом, с длинной жемчужной нитью на шее, она казалась королевой ночи.

— Вы изумительно выглядите, — заметил Чарлз, с гордостью оглядывая невесту. Она и в самом деле неотразима! И подумать только, на свете существует точная ее копия! Жаль, что не удалось убедить Оливию присоединиться к ним. Они произвели бы настоящий фурор.

Но Оливия осталась непоколебимой, и через несколько минут обрученная пара удалилась.

Ресторан оказался весьма элегантным, и Виктория неожиданно занервничала. Что, если здесь появится Тоби под руку с женой? Она совершенно не готова к встрече и умирает от волнения.

— Вы сегодня очень молчаливы, — заметил Чарлз, после того как отошел официант, и, взяв руку девушки в свою, озабоченно спросил: — Что-то неладно?

Виктория покачала головой, но он заметил подозрительно блеснувшие глаза и не стал допытываться.

Они заговорили о посторонних вещах: о политике, будущем путешествии, предстоящей свадьбе, о европейских событиях. Чарлз с удивлением отметил, что невеста интересуется происходящим в мире и прекрасно осведомлена, хотя бурлит чрезвычайно либеральными, почти возмутительными идеями, но ему отчего-то это нравилось.

Он представил ее своим знакомым, и на концерте они сидели в ложе вместе с друзьями Чарлза, но Виктория немного пришла в себя, только когда снова очутилась в отеле. Она даже выкурила папиросу и выпила с женихом немного виски в ресторанчике рядом с вестибюлем.

— О Боже! — ошеломленно охнул Чарлз при виде невесты, выпускавшей кольца синеватого дыма, но тут же рассмеялся, и Виктория ответила веселой усмешкой.

— Шокированы, Чарлз? — Ей понравилось произведенное впечатление. Впервые за весь вечер она почувствовала себя уверенно.

— Вы именно этого ожидаете?

Чарлз пригубил шотландского виски, восхищенно взирая на невесту. Она не только красива, но и умна и обладает силой духа. Ему и на этот раз повезло, хотя со Сьюзен все было по-другому.

— Возможно. Возможно, мне это нравится, — улыбнулась Виктория, пустив в его сторону кольцо дыма.

— Я так и подозревал, — философски пожал плечами Чарлз. — В таком случае не находите ли вы, что нас ждет весьма интересная семейная жизнь?

Виски немного развязало ему язык, и он наконец осмелился задать давно вертевшийся на языке вопрос:

— Вы очень любили его? Человека, разорвавшего помолвку?

Виктория поколебалась, вспоминая того Тоби, которого так хорошо знала и так безмерно любила... и того, который расстался с ней в дверях своего офиса... безжалостно бросил, свалив на нее всю вину... того, которого сегодня встретила...

— Очень. Но теперь ничего не осталось. Временами мне кажется, что я его ненавижу.

— Но это всего лишь другая сторона любви, не так ли?

— Наверное. — Сегодня у нее едва не разорвалось сердце при виде Тоби. — Кстати, мы не были помолвлены.

Она взглянула Чарлзу в глаза, не желая больше никого обманывать. Довольно и того, что он ее спасает. Не стоит оскорблять его ложью.

Но Чарлз кивнул.

— Я так и знал. Просто старался облечь в вежливую форму. Ваш отец довольно туманно поведал мне о том, что произошло. Но вы очень молоды, и это вас извиняет.

Он нежно улыбнулся, желая в эту минуту, чтобы между ними было нечто большее, чем простая симпатия, и в то же время радуясь, что не питает к ней пылких чувств. Правда, Виктория невероятно возбуждала его, но ведь это совсем другая материя.

— Он поступил подло, воспользовавшись вашей неопытностью. Настоящий джентльмен никогда не поступит подобным образом. Ваш отец говорил, что он лгал вам, обещая жениться.

Виктория опустила голову, боясь что-то добавить к сказанному. Значит, Чарлз довольно много знает — и все же готов на ней жениться. Странно, почему? Но может, так предназначено судьбой?

— Иногда так трудно понять мотивы людских поступков, — печально заметила она. — Но больше такого не повторится.

— Смею надеяться, — улыбнулся Чарлз, хотя сразу понял, что означают ее слова. Больше она не доверится ни одному мужчине, даже мужу. Но это не имеет значения. Он и так постарается не ранить ее. — Я не обману вас, Виктория. Меня не стоит бояться. Я всегда был честен и ни разу не произнес слов неправды. Пусть я скучный, ничем не примечательный, зато правдивый и искренний человек. Такие тоже на что-то годятся.

— Я... я... — После сегодняшней встречи с Тоби Виктория в полной мере поняла, чем обязана Чарлзу. — Спасибо за все, что делаете для меня, — пролепетала она, поднимая полные слез глаза. — Вы вовсе не обязаны...

— Нет. Как, впрочем, и вы, — согласился он. — Но из любого положения всегда можно найти выход. Возможно, мы оба просто не знаем, какой именно.

Чарлз поставил стакан с виски, а Виктория отложила папиросу. Поднявшись, он обошел вокруг стола, наклонился и нежно поцеловал невесту.

— Не нужно бояться меня, Виктория. Я вас не обижу.

Девушка безвольно принимала поцелуи, но сердце болело при мысли о том, что она при этом ничего не чувствует. Ощущает ли это Чарлз?

Вскоре они поднялись наверх. Оливия еще не ложилась. Она сразу заметила, что Виктория по-прежнему грустна, но гораздо спокойнее, чем все последнее время. Должно быть, ей пошла на пользу встреча с Тоби. Остается надеяться, что сознание его предательства сблизит ее с Чарлзом и примирит с будущим.

Чарлз распрощался и сразу ушел, но на другой день повез их обедать в «Делла Роббиа», где Оливия развлекала его рассказами о своих последних приобретениях. Виктория почти не разговаривала, но была неизменно вежлива с женихом. Они распрощались у дверей «Бонуит Теллер», и девушки этим же вечером отправились домой. Донован заехал за ними и отвез в Кротон. Оливия жалела, что не увиделась в этот раз с Джеффом — не хватило времени, — и обещала встретиться с ним в марте, когда они снова приедут за покупками.

Все планы были нарушены болезнью Эдварда. В конце февраля он слег с гриппом и провел в постели целый месяц. Оливия смертельно боялась, что дело кончится пневмонией, но все обошлось. Однако отец был очень слаб, и она почти от него не отходила. Только первого апреля Эдвард наконец поднялся и вышел из комнаты. Через две недели приехали Чарлз с сыном. Оливия приготовила для Джеффри восхитительный сюрприз: двух только что вылупившихся цыплят и белого кролика.

— Ура! Здорово! Папа, посмотри, какая прелесть! — завопил Джеффри.

Она пыталась заставить Викторию вручить подарки мальчику, но та заявила, что ненавидит животных еще больше, чем детей. Оливия постоянно чувствовала себя строгой наставницей, вынужденной неукоснительно следить за лентяйкой ученицей, то и дело норовившей уклониться от своих обязанностей. Но сейчас положение несколько улучшилось: Виктория по крайней мере была рада Чарлзу.

Соседи устраивали в их честь приемы и балы, а Рокфеллеры пригласили на чудесный концерт, что явилось идеальной возможностью представить Чарлза друзьям и знакомым. Он был неизменно учтив, весел и занимателен. Виктория оставалась задумчивой, и Оливия то и дело напоминала сестре, что они готовятся не к похоронам, а к свадьбе.

— Да когда же ты немного развеселишься? — журила она, снова и снова изучая список гостей.

Три месяца ушло на то, чтобы уговорить Викторию обсудить меню. Когда начали прибывать подарки, именно Оливия разворачивала их и записывала, кто что прислал. Ей же пришлось и писать благодарственные открытки всем дарителям.

164

— А по-моему, это глупо, — взвилась как-то пришедшая в себя Виктория, по мнению сестры, похожая в эту минуту скорее на испорченную девчонку, чем на суфражистку. — Идиотская расточительность, совершенно никому не нужная. Вместо того чтобы послать деньги женщинам, томящимся в тюрьме, тратят их на дурацкие подарки!

— Ах, как мило! — фыркнула Оливия, закатив глаза. — Представляю, как им понравится подобное предложение. Просто в восторг придут! Нужно бы письменно посоветовать им, как лучше распорядиться своим капиталом!

— Ладно, ладно, — засмеялась и Виктория.

Она думала лишь о том, как тяжело покидать сестру. Из-за этого она еще сильнее не хотела выходить замуж. Правда, Чарлз уже не вызывал в ней такого отвращения, и теперь она понимала, что спасена от всеобщего осуждения. По крайней мере на нее никто не станет показывать пальцем! Кроме того, она наконец получит желанную свободу и навсегда покинет ненавистный Кротон. Но Олли должна остаться с ней! И она обязательно придумает способ не разлучаться с сестрой!

— Ты куда лучше обращаешься с Джеффом, чем я, — начала Виктория, обрадованная, что нашла подходящую причину. Теперь она сумеет уговорить Оливию жить вместе с ними в Нью-Йорке!

— Но Чарлз женится на тебе именно потому, что Джеффри нужна мать, — возразила Оливия. — И он не хочет, чтобы я заботилась о его сыне, для этого достаточно и тебя. Кроме того, ты знаешь, что я не могу оставить отца. Вспомни, как он болел! Кто ухаживал бы за ним, не будь меня рядом?

— Берти, — беззаботно объявила Виктория.

— Это не одно и то же!

— А если ты выйдешь замуж? — резонно заметила Виктория. — Ему придется обойтись без тебя.

— Я не выйду замуж, — спокойно обронила Оливия. — И ему это известно. Так что не стоит говорить на эту тему. Лучше скажи, какой десерт подавать на свадебном обеде?

Виктория с деланным ужасом завопила, и Чарлз едва успел ее спасти, предложив прогулку к реке.

— Моя сестра сведет меня с ума этими приготовлениями к свадьбе, — пожаловалась она жениху. Тот улыбнулся. Чарлз и Виктория уже успели привыкнуть к мысли о совместной жизни и убедили себя, что так будет лучше для них обоих.

— Она не хочет ни в чем принимать участие, — объяснила Оливия. — Что за жена вам достанется. Придется регулярно бить ее, чтобы приучить к домашним обязанностям!

— Обязательно куплю самую толстую трость, — пообещал Чарлз. — Или лучше хлыст? — Кивнув на прощание будущей свояченице, он увел Викторию и оставил Джеффа с Олли. Мальчик уже привык называть ее «тетей».

После Пасхи, когда Доусоны вернулись домой, Джефф взял с собой цыплят и кролика, но Оливия припасла ему еще один подарок. Она приезжала в Нью-Йорк сделать еще кое-какие покупки. Платья уже были готовы и отосланы, подвенечный наряд дожидался своего часа в особой кладовой, и остались последние приготовления.

Чарлз удивился и обрадовался звонку Оливии и был счастлив, когда она явилась к ним с именинным подарком для Джеффри. Когда девушкам исполнился двадцать один год, Чарлз тоже презентовал невесте золотой браслет, а Оливии — духи. Но подарок Оливии оказался куда занимательнее. Правда, она сначала испросила позволения у Чарлза, и тот не слишком охотно разрешил, а потом и вовсе забыл обо всем в предсвадебной суматохе. Но Оливия не забыла ничего. Она преподнесла мальчику пятнистого щенка коккер-спаниеля, и Джеффри потерял дар речи. Сияя огромными взволнованными глазищами, он прижал щенка к себе, и оба отчаянно завизжали. Взглянув на Чарлза, она заметила, как он взволнован.

— Вы так добры к нему. Он нуждается в ласке. Джеффу тяжело пришлось эти два года.

В апреле как раз исполнилось два года со дня катастрофы.

— Он чудесный парнишка. Мы прекрасно проведем время, — жизнерадостно пообещала Оливия, пытаясь не думать о разлуке с сестрой.

— Мы напишем вам из Европы, — шепнул он, словно угадав, о чем она думает. Слабое утешение! Возможно, Виктория права и Оливии следует жить с ними?

Но она тут же рассмеялась над собственными страхами.

— Не волнуйтесь, с нами ничего не случится, — заверила она, обнимая ворвавшегося в комнату Джеффри. — Кстати, малыш, как ты собираешься назвать щенка?

— Еще не знаю, — задохнулся от волнения мальчик, ероша светлые волосы. — Может, Джек... Джордж или Гарри... Не знаю... По-моему, он похож на шоколадную стружку.

— Тогда Чип?* — предложила Оливия, и Чарлз широко улыбнулся.

— Чип! — охнул Джеффри. — В самую точку!

Щенок радостно залаял, вильнул подобием хвостика, и тут же упал на спину, показав брюшко, и издал нечто вроде рычания, чем немало позабавил присутствующих. Джеффри немедленно унес Чипа, показать кухарке и горничной.

Дом Чарлза на Ист-Ривер оказался скромным, но уютным, с видом на реку. Разумеется, далеко не так роскошен, как Хендерсон-Мэнор, но достаточно респектабелен, и Виктория пока не упоминала ни о каких переменах. Не то что ее хозяйственная сестра. На ее месте Оливия давно уже перевернула бы все магазины в поисках новых обоев, декоративных растений и мебели. Но Виктория была далека от подобных хлопот. Ей хотелось вести собственную жизнь и вращаться в политических кругах.

Оливия погостила недолго: слишком много было дел. Правда, Чарлз уговорил ее вернуться к ужину, что она и сделала, и все трое отчаянно веселились, играли в шарады, смеялись, болтали, возились со щенком.

— Виктория права, — засмеялся Чарлз, когда кухарка с трудом уволокла в постель Джеффри, не выпускавшего из рук Чипа. — Вам следует переселиться к нам.

— Неужели она забивала вам голову этим вздором? — смутилась Оливия и поскорее подошла к окну, делая вид, что любуется баржами на реке. — Вы еще устанете от моих непрерывных визитов! Притом она прекрасно знает, что я не могу оставить отца.

— Что это за жизнь для вас, Оливия? — печально запротестовал Чарлз, чувствуя себя виноватым за то, что отнимает

* Стружка, ломтик, кусочек (*англ.*).

у нее сестру. Когда Виктория уедет, на долю Оливии выпадет влачить унылое существование. Что они с ней сделали!

— Иногда выхода просто не найти. Наши желания не всегда исполняются. И не все бывает так, как нам хочется. Но все проходит. Вспомните, какими были эти два года для вас. Но раны постепенно затягиваются, — мягко заметила она, поворачиваясь.

— Возможно, — задумчиво вздохнул Чарлз и, взглянув ей в глаза, едва не отпрянул. Глубокие синие озера, наполненные бездонной грустью. Стоять с ней рядом — все равно что находиться вблизи полыхающего костра. Еще шаг — и обожжешься. Страшно подумать, какая буря эмоций бушует в ее душе!

— Мне жаль, что я отбираю у вас Викторию, — пробормотал он. Оливия, кивнув, промолчала. Да и что тут говорить? Остается надеяться, что Виктории некогда будет грустить во время свадебного путешествия.

Перед уходом Оливия поцеловала Джеффри, по одну сторону от которого лежал Генри, а по другую устроился Чип. Мальчик улыбался во весь рот, и Оливия шутливо покачала головой.

— Не забудь захватить его с собой, когда приедешь к нам, — напутствовала она, и Джефф поклялся, что ни на минуту не оставит Чипа, разве что когда пойдет в школу, но, может, учитель разрешит приводить щенка на уроки.

— Сомневаюсь, — заметила Оливия и, пообещав, что вскоре они увидятся, спустилась вниз.

Чарлз настоял на том, чтобы проводить ее в отель.

— Вряд ли мы встретимся до свадьбы, — неловко пробормотал он, когда они медленно вошли в вестибюль.

Ему до сих пор казалось, что, женясь, он предает Сьюзен, но как Джеффу обходиться без матери? Даже во время кратких визитов Оливии мальчик расцветает на глазах. Правда, с Викторией у них не такие теплые отношения, но со временем все будет по-другому. Недаром они близнецы.

— На случай, если запутаетесь, я — та, что в голубом, — напомнила Оливия со смешком.

— Единственный раз, когда я точно буду знать, кто моя невеста, без необходимости искать взглядом обручальное кольцо матушки, — развел руками Чарлз.

— Почему же? — поддела Оливия. — Спросите Джеффа, он все точно определит.

Оба глядели друг на друга, сознавая, что скоро все изменится. Останутся ли они прежними друзьями?

— Увидимся в день свадьбы, — прошептала она, и Чарлз, грустно кивнув, поцеловал ее в щеку, повернулся и быстро зашагал к выходу.

Глава 12

Последняя ночь Виктории в родительском доме была мучительной для обеих сестер. Они сознавали, что больше Виктория никогда не будет спать рядом с Оливией на огромной постели и, даже приезжая погостить, остановится в другой спальне, вместе с мужем. Сколько они прожили вместе, делили радости и беды, и вот теперь приходится рвать по живому, терзать душу расставанием.

Окончательно изведенная Виктория наконец заснула, свернувшись клубочком, а Оливия до рассвета любовалась спящей сестрой, изредка касаясь длинных шелковистых волос, нежной щеки, и молилась, чтобы утро не настало. Но всему приходит конец, и солнце встало в безоблачно-голубом небе.

Оливия лежала неподвижно, выжидая, когда Виктория наконец пошевелится. Та открыла глаза, улыбнулась сестре, но тут же вспомнила все. Пора платить по счетам, давать брачные обеты, начинать новую жизнь, плыть к неизведанным берегам.

— Сегодня ты венчаешься, — торжественно объявила Оливия, и обе одновременно вскочили, не подозревая, какими синхронными со стороны кажутся их жесты и движения. Все слова и жалобы казались лишними. И Оливия рассерженно подумала, что, если бы Виктория не натворила глупостей, все шло бы как обычно. Как прежде.

Они искупались, медленно, молча оделись. В сердцах звучали непроизнесенные слова нежности, и обе безмолвно переглянулись, совсем как в детстве, читая мысли друг друга.

Наконец все было готово. Они уложили волосы строгими узлами, натянули шелковые чулки и атласное белье и чуть-чуть подвели глаза и накрасили губы. Сейчас никто не смог бы их различить. Даже кольцо Чарлза лежало на туалетном столике.

— Еще не поздно, — улыбнулась Виктория. — Сегодня мы могли бы отпраздновать твою свадьбу.

Оливия рассмеялась, и сестры вновь ощутили ту несказанную близость, которая неизменно их связывала.

— Неплохо бы заставить гостей гадать, кто невеста. Бьюсь об заклад, даже Чарлз растерялся бы.

— Наверняка. И с тебя станется сыграть с ним шутку, — спокойно заметила Оливия. — Это твой день и его... и Джеффри, дорогая Виктория... я так тебя люблю. — На глазах Оливии выступили слезы. — Люблю и надеюсь, что ты будешь очень счастлива.

Они крепко обнялись, и Виктория тоже шмыгнула носом, но тут же отстранилась.

— А если нет? — с ужасом прошептала она.

— Не может быть! Я твердо знаю... только дай возможность Чарлзу доказать тебе... Он тебя любит.

Должен любить. Викторию нельзя не любить.

— Но если я буду несчастна, — твердо произнесла Виктория, — значит, разведусь с ним. У Тоби не хватило на такое мужества, но я... я ни за что не останусь с Чарлзом.

Оливия озабоченно нахмурилась:

— Не годится с такими мыслями идти к венцу. Постарайся всем сердцем стать ему верной женой. Я чувствую, что он тебя ни в чем не разочарует.

— А вдруг именно я разочарую его? Мы оба идем к алтарю, терзаемые призраками прошлого. Чарлз не в силах забыть жену, а я сгибаюсь под бременем смертного греха, — саркастически усмехнулась Виктория.

— Но все это позади. С Тоби покончено, — напомнила Оливия. — У вас с Чарлзом начинается другая жизнь. Пора забыть старые обиды. Прошло достаточно времени, чтобы ваши раны затянулись. Я знаю, ощущаю, что это лучший выход для вас обоих.

— Правда? — сокрушенно прошептала Виктория. — Тогда почему я ничего не испытываю? Рядом с Чарлзом я словно каменная.

Весь ужас заключался в том, что Оливия, к сожалению, слишком многое чувствовала в присутствии Чарлза и постоянно опасалась, что он это заметит.

— Подожди. Ты слишком спешишь. Вот увидишь, когда вы наконец останетесь наедине, все изменится. Романтическая обстановка, новые места...

— Ах, о чем ты! — досадливо бросила Виктория. — Иногда мне кажется, что я просто не смогу... выполнять то, что называется супружескими обязанностями. Хуже всего, что мы с ним до сих пор держимся, скорее, как хорошие знакомые — вежливо, учтиво и совершенно равнодушно.

— Пожалуйста... постарайся... ради него... и себя... ради Джеффа.

— Пытаешься всеми силами избавиться от меня? — печально улыбнулась Виктория. — Хочешь захватить мой шкаф для одежды?

— По правде говоря, мечтаю о твоей желтой шляпе с зеленым пером.

Это ужасающее изделие моды они ради смеха купили на сельской ярмарке несколько лет назад, и поскольку другого экземпляра не нашлось, считалось, что шляпа принадлежит Виктории.

— Я дарю ее тебе. Можешь надеть сегодня же. Будет чудесно гармонировать с твоим нарядом.

Они, не сговариваясь, тянули время, но через несколько минут вошла Берти и поругала сестер за то, что они еще не одеты.

— Остались только платья, Берти, — объяснила Оливия, — все остальное готово. Мы уже в туфлях.

— Не можете же вы идти в церковь в таком виде. Поторопитесь, вас уже ждут.

Оливия оделась первой. Платье невероятно шло ей, мягко подчеркивая изгибы фигуры. Она выбрала материнские аквамарины, застегнула ожерелье, браслет и серьги, надвинула на лоб шляпу и неожиданно показалась Виктории совсем взрослой, чужой и чуть холодноватой. Она тяжело вздохнула.

— Жаль, что это не ты выходишь замуж, Олли.

Сестра кивнула.

— Мне тоже... но сегодня твой день, малышка.

Она не называла ее так с того времени, как обе были совсем крошечными. Сестры дружно направились в соседнюю комнату, совместными усилиями надели на Викторию платье, расправили бесконечный шлейф, прикололи диадему и накинули поверх вуаль. Оливия подумала, что никогда не видела подобной красоты, а Берти при виде невесты разразилась слезами. Девушки сегодня выглядели точной копией матери.

— О, мои дорогие! — прорыдала она, в десятый раз расправляя складки вуали. Сестры в самом деле были ослепительно прекрасны! Как никогда!

Экономка побежала за цветами. Букеты были собраны из белых орхидей вперемешку с ландышами. По комнате разлилось божественное благоухание. Спустившись в холл, девушки увидели отца. Тот остановился как вкопанный, и на секунду обе испугались, что он потеряет сознание. Но Эдвард справился с собой и только тихо вскрикнул от восторга. Берти сразу поняла, о чем он думает. Его покойной жене было ровно столько же, когда она умерла. Господи, перед ним ее ожившие портреты!

Он медленно направился к дочерям.

— Ну, сегодня я хоть знаю, кто из вас Оливия, — пробормотал он, вытирая глаза платком, и улыбнулся сквозь слезы. — Или вы снова дурачите нас? Интересно, кого получит в жены бедный Чарлз?

— Кто знает, папа? — озорно усмехнулась Виктория.

Все трое рассмеялись и неспешно спустились вниз. Оливия несла шлейф невесты. Все домочадцы согласились, что такого подвенечного наряда еще не бывало на свете.

Десять минут ушло на то, чтобы разместить в машине шлейф, вуаль и складки платья. Правда, Донован был чрезвычайно терпелив, а Берти всеми силами ему помогала. Наконец они отправились в церковь. Берти ехала в «форде» с

Петри. Накануне Оливия предложила взять с собой Джеффа, но Чарлз решил переночевать с сыном в отеле и приехать прямо в церковь.

Люди, завидев свадебный кортеж, останавливались, дети махали руками, проезжающие машины гудели. Считалось счастливой приметой встретить невесту, да еще такую хорошенькую. Но Виктория ни на кого не глядела, погруженная в невеселые мысли. Она думала о Чарлзе и о своих безрассудных поступках, приведших ее к браку с нелюбимым человеком. Ей постоянно казалось, что сегодня совершится величайшая ошибка в ее жизни. Она сказала сестре правду... и не желает превращаться в бесчувственную куклу.

Она уже была готова повернуться к отцу, молить его, уговаривать, твердить, что не сможет пойти к алтарю, пусть уж лучше отсылает ее в монастырь или хоть в Сибирь, ей все равно. Но прежде чем успела вымолвить слово, машина остановилась и Оливия помогла сестре выйти. Виктория пришла в отчаяние. Ей во что бы то ни стало необходимо поговорить с ней с глазу на глаз!

В церкви уже заиграл орган.

— Не могу... — в панике пробормотала она, цепляясь за Оливию, прежде чем направиться по проходу под руку с отцом. — Не могу, Оливия... избавь меня от этого!

— Ты должна! — свирепо прошипела Оливия, боясь за сестру. Виктория была бледна, как призрак, лицо искажено ужасом. — Слишком поздно! Придется выполнить свой долг! Клянусь, ты никогда не пожалеешь!

— А если пожалею? Что тогда? Вдруг он откажется развестись?

— Об этом даже думать сейчас не смей! Ради нас всех, ради Джеффа ты обязана стать ему хорошей женой! Пожалуйста, пожалуйста, крошка, будь сильной!

Виктория, потеряв дар речи, едва сдерживала рыдания, но тут двери церкви открылись и Оливия плавно заскользила вперед под звуки органа. Виктория с отцом медленно следовали за ней. Виктории хотелось бежать отсюда что было сил. Ей казалось, что она идет на эшафот, навстречу собственной смерти, в присутствии любопытных, жадно глазевших на нее. И когда отец, не скрывая слез, струившихся по щекам, оставил ее у алтаря, Виктория подняла глаза и увидела жениха. Чарлз, высокий, гордый, такой красивый, добрый и порядочный, готовый всегда прийти на помощь, смотрел на нее так нежно и восторженно, что она неожиданно почти поверила: все будет хорошо. Она страстно хотела, чтобы это оказалось правдой!

Встав рядом, Чарлз взял Викторию за руку, ощутил, как лихорадочно она вздрагивает, попытался успокоить невесту. Он ободряюще пожал маленькую ладонь, безмолвно давая понять, что всегда станет ее защищать. К сожалению, это было самое большее, что он мог дать. Остальное умерло вместе со Сьюзен.

Виктория посмотрела на жениха, словно поняв, что он хотел сказать. Они вступают в брак не по взаимному чувству, но все же этот союз благотворен для обоих. Соглашение между двумя пережившими трагедию людьми, готовыми смириться с потерей грез.

Они обменялись кольцами, обетами, обещаниями, и Виктория понемногу успокоилась. И даже улыбнулась, вновь шагая по проходу, но уже под руку с Чарлзом. Позади шла Оливия, с отцом и Джеффом. Ее обуревали смешанные чувства любви, горечи и радости. Теперь эти двое — старик и мальчик — все, что у нее осталось.

Глава 13

Торжественный прием, состоявшийся после венчания, имел огромный успех. Оливия, как обычно, предусмотрела каждую мелочь. Месяцы ее упорной работы обернулись полной победой. Еда была изумительной, обстановка — элегантной, цветы — роскошными, ледяные скульптуры выглядели живыми и до конца вечера даже не подтаяли. Оркестр, выписанный из Нью-Йорка, играл модные мелодии. Гости были прекрасно одеты, и все соглашались, что невеста просто пленительна. Да, про нее ходило много неприятных слухов, но им трудно поверить, настолько скромно ведет себя девушка. И к тому же явно влюблена в своего красавца мужа!

Приглашенные дружно аплодировали, когда Чарлз танцевал первый танец, вальс «Голубой Дунай», с новобрачной, и с каждым па облако кружев грациозно колыхалось, как пенный прибой. Оливия, хотя и не привлекавшая такого внимания, была тем не менее так же красива. Сначала она танцевала с отцом, потом с Чарлзом и, наконец, с Джеффри.

Уже ближе к вечеру Оливию снова пригласил Чарлз, и она вспомнила, что Виктории пора снимать свадебный наряд и надевать дорожный костюм. Совсем скоро новобрачные покинут дом. Они собирались провести ночь в «Уолдорф-Астории», а утром сесть на «Аквитанию». Сначала было решено, что она с отцом и Джеффри приедут их проводить, но мальчик так расстроился, узнав, что отцу предстоит путешествие на корабле, что Оливия первая отказалась от этой мысли. Они распрощаются здесь, в Кротоне.

— Вы проделали невероятную работу, Оливия, — великодушно заметил Чарлз. — Поистине идеальная свадьба. Вы прекрасная хозяйка!

— Я вела дом папы много лет, — беспечно улыбнулась она. — Рада, что все прошло так хорошо.

Она тоже была довольна. И теперь слегка откинулась назад и притворилась, что рассматривает его чуть прищуренными глазами. Только бы скрыть, что она испытывает в эту минуту.

— Итак, как чувствует себя женатый мужчина? По-другому?

— Совершенно. Неужели не видно по тому, как я танцую? Ядро и цепь вокруг ноги сильно затрудняют движения.

— Вы невыносимы, — засмеялась Оливия, порадовавшись в душе, что он кажется таким счастливым.

Виктория тоже выглядела куда спокойнее. Все кончено, и она выстояла! Нашла в себе силы не впасть в истерику. Она была очень довольна собой, непринужденно беседовала с гостями, танцевала со старыми друзьями отца и мужа. Когда Оливия проплывала мимо в паре с Чарлзом, сестра подала ей знак. Настало время!

Оливия наспех объяснила зятю, в чем дело, и подвела его к Джеффри. Мальчик боялся расставаться с отцом так надолго, но Оливия успокоила его и пообещала, что все время будет рядом.

Виктория ожидала ее у подножия лестницы, смеющаяся и радостная, и Оливия просто не могла поверить столь неожиданным переменам.

— Что случилось? — прошептала она, когда они, держась за руки, стали подниматься по ступенькам. — Похоже, тебе внезапно это понравилось. Неужели я была права?

— Не знаю, — честно созналась Виктория. — Не уверена. Просто вдруг набралась мужества, решила идти вперед и ни о чем не тревожиться. Думаю, все постепенно уладится.

Оливия вдруг поняла, что сестра немного под хмельком. Не пьяна, но определенно нетрезва. Очевидно, пыталась снять напряжение.

— Молодец! Все будет лучше некуда, — поспешила заверить она, помогая Виктории снять платье. Они осторожно уложили наряд на постель, и Оливия вынула белый шелковый костюм, сшитый специально для этого случая. К нему полагалась белая шелковая шляпка, и Виктория, надев ее, беспомощно посмотрела на сестру широко раскрытыми глазами.

— Что я буду делать без тебя? — прошептала она, и Оливия не нашла ответа.

— Не думай об этом, — пробормотала она, глотая слезы. — Я всегда буду ждать тебя.

— О Боже, Олли, — выдавила Виктория, и сестры бросились друг другу в объятия, — я не могу тебя оставить.

— Знаю... знаю... — Оливия пыталась быть храброй и отважной, но растеряла все силы. — Придется, родная. Чарлз расстроится, если ты пошлешь в путешествие вместо себя Джеффри, а сама останешься в Кротоне.

— Давай попробуем — вдруг он не заметит?

Девушки грустно рассмеялись сквозь слезы, мужественно пытаясь пережить худший момент в их жизни. Они появились внизу только через четверть часа с подозрительно красными глазами и припудренными носиками.

176

— Где вы были? — расстроился отец, стоявший с Чарлзом, но сестры пробормотали что-то невнятное.

Виктория, выйдя на крыльцо, бросила букет компании девушек, нетерпеливо ожидавших этого события. Оливия тоже присоединилась к ним, скорее по обязанности, чем из интереса. Но Виктория тщательно прицелилась и бросила букет прямо в сестру. Та была вынуждена поймать его под веселые крики: «Несправедливо!» «Нечестно!»

Но никто особенно не сердился, и Виктория неожиданно оказалась у машины вместе с мужем. Оливия сама не помнила, как бросилась вперед. И обняла сестру.

— Я люблю тебя... береги себя, — шептала Оливия сквозь слезы.

Видеть это было слишком мучительно. Чарлз смущенно отвернулся, а отец опустил глаза. Мужчины выглядели крайне расстроенными.

Виктория, тоже боясь заплакать, молча кивнула, поцеловала отца и села в машину. Она даже не попрощалась с Джеффри. Чарлз на мгновение прижал к себе мальчика, пожал руку тестю, поблагодарил и после минутного колебания обнял свояченицу.

— Позаботьтесь о ней, — попросила Оливия, все еще всхлипывая. Чарлз отступил, и в его взгляде отразилось все то, что он до сих пор скрывал.

— Обязательно. Благослови вас Бог, Оливия. Не забывайте моего мальчика, если с нами что-то случится.

— Не беспокойтесь, — улыбнулась она, сжимая его руку.

Молодожены помахали на прощание, машина отъехала, а родные остались стоять, бесполезные, никому не нужные, покинутые, одинокие, как потерпевшие крушение матросы, выброшенные волнами на необитаемый остров. Оливия взяла ладошку Джеффри в свою руку и повела мальчика к гостям. Впереди целое долгое лето.

После первого поворота Чарлз молча вручил жене носовой платок. Он понимал, что она сейчас переживает. Но чем ее утешить? По словам Виктории, девушки никогда не расставались, и он уже успел заметить, как дорожат они своей бесценной близостью.

— Как ты? — сочувственно спросил он, когда она в очередной раз высморкалась.

— Н-ничего, — прорыдала она, пытаясь улыбнуться. Но заплакала еще сильнее. Ей никогда еще не было так плохо, даже в тот день, когда ушел Тоби.

— Сначала вам обеим придется нелегко, — откровенно заметил Чарлз, никогда не скрывавший даже самую неприятную истину. — Но вы постепенно привыкнете. Многие близнецы женятся, выходят замуж и разлучаются. Разве вы не знали?

Девушка покачала головой и придвинулась чуть ближе, словно в поисках утешения. Этот жест невыразимо тронул Чарлза. Без Оливии Виктория казалась такой беззащитной, маленькой и неуверенной в себе. Вся ее бойкость и дерзость куда-то девались.

— На корабле будет весело, — пообещал он, не зная, что сказать. — Ты никогда не плавала?

Виктория покачала головой и вздохнула. Он так старается помочь ей, а она невероятно одинока без Олли. Правда, Чарлз ни в чем не виноват.

— Прости, — пробормотала она, глядя на мужа и снова замечая, как он красив. И все же никто не сравнится с Тоби и таких чувств она больше ни к кому не испытает. — Никогда не думала, что так будет. Не представляла, что разлука так больно ранит.

— Все хорошо, — мягко сказал он. — Все хорошо, Виктория.

Дорогой они почти не говорили, а когда настала ночь, оказалось, что Виктория так устала и измучилась за день, что заснула, едва легла в постель, прежде чем он вышел из ванной.

Чарлз заказал шампанское — оно уже стояло в другой комнате в ведерке со льдом, — но сейчас улыбнулся и покачал головой.

— Спокойной ночи, милая девочка, — шепнул он, укрывая ее. Виктория тихо замурлыкала. — Впереди целая жизнь... еще будет много шампанского...

Он вышел, налил себе бокал, вспоминая о своем сыне, о новых родственниках и гадая, как они теперь.

Оливия к этому времени тоже уснула, уложив рядом Джеффа. Они не забыли ни про Генри, ни про Чипа, мирно дремавшего рядом. Если бы Чарлз мог их сейчас видеть! Как бы стало тепло у него на сердце!

Но вместо этого он медленно направился в спальню и долго смотрел на свою жену. Как сложится их семейная жизнь? Трудно представить... С одной стороны, эти мысли приятно волнуют его, с другой — пугают...

Глава 14

Когда Виктория проснулась, Чарлз успел уже побриться, умыться, одеться и заказал газеты и кофе.

— Доброе утро, Спящая Красавица, — приветствовал он сонную жену. — Ты еще в халате?

Вчера она слишком много выпила, и спиртное сильно на нее подействовало.

— Хорошо спала?

— Очень, — кивнула она, наливая себе кофе, и вынула из сумочки папиросу.

Чарлз удивленно уставился на нее поверх газеты.

— Ты всегда начинаешь день с этого?

Правда, его скорее позабавило, чем возмутило поведение жены. Истинная отступница, отвергающая традиции и приличия!

— Если удается, — улыбнулась она. — Тебя это шокирует?

— Нет, если не будешь пускать дым мне в физиономию, особенно перед первой чашкой кофе. Не могу сказать, что мне нравится запах, но готов смириться.

— Прекрасно! — довольно заключила жена, радуясь, что первое препятствие преодолено. Теперь вперед, к следующему.

Заглянув через плечо мужа в газету, она стала комментировать восстание в Италии и голодовку, объявленную Мэри Ричардсон в английской тюрьме. В заметке говорилось, что ее пришлось перевести на принудительное кормление.

— Тебя в самом деле интересуют подобные вещи? — удивился Чарлз, заинтригованный устремлениями жены. Будет о чем поговорить, когда они останутся наедине.

— Я за свободу женщин, — честно сообщила жена, — и готова на все, лишь бы ее добиться. И не только женщин, но и всех угнетенных. Я верю в то, что у женщин должны быть равные права с мужчинами.

Она смело встретила его взгляд, и Чарлз снова поразился той неосознанной чувственности, которую излучала Виктория.

— В таком случае зачем выходить замуж? — осведомился он, забавляясь течением, которое приняла их беседа.

— Потому что это тоже путь к свободе. Я буду гораздо независимее, живя с тобой, чем в отцовском доме.

— Откуда тебе знать? — рассмеялся он.

— Потому что я уже взрослая. До вчерашнего вечера я оставалась ребенком и должна была во всем угождать папе.

— А теперь придется делать все, что я хочу, — грозно объявил он, и Виктория поспешно взглянула на мужа, боясь найти в его глазах подтверждение своим страхам. — Нет, Виктория, я не чудовище, — тут же разубедил ее Чарлз. — Можешь поступать как угодно при условии, что не доведешь дело до публичного скандала и не опозоришь меня на людях. Я бы предпочитал также, чтобы ты постаралась избегать ареста. Все остальное — твое дело. Посещай митинги, собрания, проводи время с другими женщинами в разговорах о полной испорченности мужчин — даю тебе на это свое разрешение.

Виктория облегченно вздохнула. Отец был прав. Чарлз крайне снисходителен и добр. И кажется, ничего такого от нее не хочет.

— Спасибо, — тихо поблагодарила она, сразу становясь похожей на маленькую испуганную девочку.

— А теперь тебе следует одеться, иначе мы опоздаем на корабль.

Чарлз посмотрел на часы. Уже десять, а им нужно быть на «Аквитании» в половине двенадцатого.

— Хочешь позавтракать? — вежливо спросил он, словно говорил с хорошим знакомым. Чарлз и в самом деле вел себя безупречно учтиво и ничем не напугал и не расстроил жену.

— Я не голодна, — пробормотала она, гадая, что произошло бы в постели, если бы она не заснула. Как странно, что она, сама того не сознавая, провела с ним ночь! Она еще не воспринимает его как мужа. Кроме того, между ними нет ничего, даже отдаленно похожего на то, что она испытывала с Тоби. Но хотя Виктория сознавала, что от нее ожидается, все же представить не могла, как это произойдет. И со страхом ждала наступления очередной ночи. Правда, пока Чарлз ведет себя как истинный джентльмен и ничем не потревожил жену.

Виктория ушла одеваться и час спустя вошла в гостиную в красном платье с таким же жакетом, выбранным Оливией. В безупречно модном туалете она производила ошеломляющее впечатление. Но настроение оставляло желать лучшего. Странно чувствовать себя одинокой, без своей копии, всегда находившейся рядом. Пусть Чарлз милый, хороший человек, все равно ей не по себе.

Муж заботливо проводил ее к машине и усадил. Багаж заранее был отправлен на корабль.

Когда они наконец добрались до пирса, у которого было пришвартовано судно, их встретили музыка и летающие в воздухе разноцветные кружочки конфетти. Элегантно одетые люди поднимались по сходням. Тут были и пассажиры, и провожающие. Вокруг стояла огромная толпа, и щеки Виктории загорелись от возбуждения. Она жалела лишь о том, что Оливия не видит всего этого. Чарлз заметил, что глаза ее на мгновение снова стали грустными, и понял, о чем думает жена.

— Может, в следующий раз она поедет с нами, — пообещал он, и Виктория улыбнулась, благодарная за такое великодушие.

Их каюта на средней палубе оказалась большой, красивой и, как ни странно, солнечной. Она располагалась около роскошного салона, удивительно походившего на старый английский сад. Они прогулялись по кораблю, и Виктория была поражена элегантностью и роскошью, а также ослепительными туалетами других пассажирок. Она словно очутилась на страницах одного из модных журналов Оливии. Хорошо, что сестра заставила ее взять весь обширный гардероб!

— О, как здесь весело! — по-детски захлопала она в ладоши, и Чарлз невольно обнял жену за плечи. Он и раньше бывал на кораблях и легко переносил плавание, но после трагедии с женой не хотел и близко к ним подходить. Только Виктория сумела уговорить мужа изменить решение.

Они побродили у плавательного бассейна, а потом поднялись на главную палубу, чтобы не пропустить отплытие. Музыка стала почти оглушительной, корабельные рожки пронзительно загудели, и огромное судно медленно отошло от причала. Провожающие махали руками, кричали. Виктория сняла шляпу, и ее волосы мгновенно покрылись кружочками конфетти. Это было обратное путешествие «Аквитании» в родной порт после ее первого рейса в Нью-Йорк, и Чарлз надеялся, что судно окажется удачливее своего собрата «Титаника». Конструкция его была усовершенствована, на борту находилось достаточное количество спасательных шлюпок, но тем не менее Чарлз настороженно хмурился, когда они вернулись в каюту. Из головы не шла Сьюзен.

— Какая она была? — дерзко спросила Виктория, вновь закуривая. Но Чарлз не рассердился. Он хотел, чтобы жена поскорее к нему привыкла.

— Я был бы несправедлив, если бы объявил Сьюзен идеальной женщиной. Но она была самой судьбой предназначена для меня, и я горячо ее любил. И никак не мог свыкнуться с ее смертью. Возможно, теперь, когда мы поженились, все изменится, — с надеждой выдохнул Чарлз, словно не был уверен, что излечился от долгой болезни.

— С вашей стороны это был смелый поступок, — тихо заметила Виктория. — Вы ведь совсем меня не знали.

— Ошибаетесь. Кроме того, нам обоим требовалась помощь в беде.

— Странная причина для брака, не так ли? — вздохнула Виктория, неожиданно захотевшая, чтобы все было по-иному.

Чарлз налил бокал шампанского и протянул жене. Она искренне наслаждалась преимуществами своего нового положения замужней женщины.

— Брак — вообще странная штука. Подумать только, двое соединяются на всю жизнь. Это большой риск, но думаю, дело того стоит, — заметил он, садясь рядом и глядя на жену.

— А если риск не оправдается? — допытывалась Виктория, в упор глядя на мужа. Чарлзу отчего-то стало не по себе, но неприятное чувство быстро рассеялось.

— Риск обязательно оправдается, если очень захотеть, — твердо ответил он. И, посмотрев ей в глаза, задал самый трудный вопрос: — А ты хочешь?

Последовала долгая пауза.

— Н-наверное, — подумав, ответила Виктория. — Вчера я смертельно боялась. Едва не сбежала от алтаря. Но потом стало чуть легче.

— Вполне понятные опасения. Поверь, очень многие могли бы сказать про себя то же самое. Да и меня посещали подобные мысли. Приблизительно с полминуты.

— Мои продолжались немного дольше, — тихо шепнула она.

— А сейчас? — не отставал муж, шагнув ближе и не сводя с нее глаз. Опять эта аура неосознанной чувственности, которой не обладала Оливия и которая сводила его с ума. — Ты по-прежнему хочешь убежать?

Теперь он был совсем рядом. Виктория медленно покачала головой. Она сама еще не знала, чего хочет, но только не этого.

— Корабль недостаточно велик, чтобы скрыться, — хрипловато пробормотал он, ставя на стол бокал, и, не дав ей опомниться, поцеловал.

Виктория на мгновение задохнулась, но тут же ответила на поцелуй — куда раскованнее, чем он ожидал. Она в точности такая, какой он себе представлял: дикая кобылка, которую так и не удастся укротить. Зато Виктория из тех, кто ни за что не попросит о том, чего он не в силах дать.

Чарлз бережно снял с нее алый жакет и снова обнял. Они опустились на диван в гостиной. Каюта была обставлена более чем роскошно — Чарлз не пожалел средств на свадебное путешествие с красавицей женой.

Виктория нервно закурила, но на этот раз муж отнял папиросу и снова поцеловал жену. Ее губы пахли дымом, но ему было все равно. Все в этой женщине невероятно его возбуждало. Они долго целовались, и казалось, прошла целая вечность, прежде чем он поднял ее и понес в спальню.

К этому времени судно уже вышло в открытое море, но за иллюминаторами по-прежнему вились чайки.

Их никто не тревожил, они были совершенно одни, когда Чарлз снял с Виктории красное платье и небрежно отбросил, восхищаясь ее длинными ногами, узкими бедрами, неправдоподобно тонкой талией и высокой налитой грудью. Она сводила его с ума!

Чарлз принялся поспешно раздеваться и, задернув занавеси, откинул покрывало и лег в постель рядом с женой. Только потом он скинул остальную одежду и снял с Виктории тонкую сорочку. Его бросило в жар, когда он ощутил близость шелковистой плоти, которой так долго жаждал. Он попеременно горел и дрожал в ознобе от невыносимого желания. В его жизни не было места женщинам после смерти Сьюзен. Целых два мучительно долгих года!

Но когда он потянулся к жене, та неожиданно сжалась в комочек и затрепетала.

— Не бойся, — прошептал он, сгорая от потребности войти в это тугое тело. — Обещаю, что не причиню тебе боли.

Но она уже отвернулась и дрожала так сильно, что, даже когда он прижал ее к себе, не смогла успокоиться.

Они долго лежали неподвижно, и лишь какое-то время спустя Чарлз повернул Викторию лицом к себе и заставил поднять на него глаза.

— Я не стану принуждать тебя ни к чему против твоей воли, Виктория. Тебе нечего меня бояться. Я знаю, как тебе трудно приходится.

Он вспомнил свою первую ночь со Сьюзен, такой юной, невинной и застенчивой, куда стеснительнее дерзкой, почти бесстыдной Виктории. Но оказалось, что все это чистое притворство. Ведь ей всего двадцать один. Хотя Чарлз знал о неудачном романе, все равно искренне считал ее невинной. Он на шестнадцать лет старше и должен быть терпеливым, несмотря на все усиливающийся чувственный голод.

— Не могу, — пробормотала она, уткнувшись лицом ему в плечо, вне себя от страха и паники. Она так живо представляла себе чувственные восторги с человеком, которого любила, и муки, перенесенные несколько месяцев спустя. — Не могу сделать это с тобой...

184

— Тебе не обязательно... сейчас... у нас впереди целая жизнь.

Но Виктория истерически разрыдалась. Как она тосковала без сестры! Оливия поняла бы!

— Прости, — жалко пролепетала она. — Прости... не могу...

— Ш-ш-ш, — шепнул он, укачивая ее, совсем как Джеффри, когда тот ушибался или был чем-то огорчен. Наконец она прижалась к нему и заснула. Чарлз осторожно встал и накинул халат. Не хотел, чтобы она снова испугалась, увидев его голым. Он приказал принести чай и, когда Виктория проснулась, подал ей в постель вместе с пирожными.

— Я не заслужила этого, — расстроенно обронила она, жалея, что не в силах вести себя иначе. Она даже не хотела брать из рук мужа чашку, чувствуя, как обидела его. Но по-настоящему плохо ей стало, когда Чарлз протянул телеграмму:

«Мы любим вас. Доброго пути и счастливого медового месяца. Отец, Оливия, Джеффри».

Тоска по дому с новой силой всколыхнулась в Виктории. Она поднялась и, как испуганная лань, бросилась в ванную. Чарлз пытался не смотреть в ее сторону, но она была так прелестна, что он ничего не мог с собой поделать.

Через некоторое время она вновь появилась, закутанная в сиреневый шелковый халат.

— Ни о чем не тревожься, — заверил он, нежно целуя жену. Он никогда не признается, что желание овладеть ею сводит его с ума. Но он больше не пытался приблизиться к ней, а вскоре настало время одеваться к ужину.

Виктория надела белое атласное вечернее платье, соблазнительно льнущее к телу, с низким вырезом сзади.

— Да сегодня все мужчины головы потеряют, — гордо улыбнулся Чарлз, провожая ее в кают-компанию. Они сидели за столом самого капитана Тернера, и, когда заиграла музыка, Чарлз повел жену танцевать. Она с такой чувственной грацией следовала страстной мелодии танго, что Чарлз с трудом сдержал порыв унести ее в каюту.

— Больше я тебя не отпущу, — объявил он, когда музыканты опустили инструменты. — Посмотри, что творится с беднягами!

Виктория рассмеялась, очевидно наслаждаясь всеобщим вниманием. Но почему же она так пугается ласк мужа? Чарлз как ни пытался, не мог понять жену.

Когда настала ночь и они снова легли в постель, он боялся даже дотронуться до нее. Но не смог удержаться. И на этот раз Виктория поняла, что должна покориться. Не стоит оттягивать неизбежное! Так больше продолжаться не может.

Он снял с нее ночную рубашку. Она лежала в его объятиях вялая и безжизненная, как прелестная фарфоровая кукла. Он почти физически ощущал ее страх и был исполнен решимости не принуждать жену. Хотел, чтобы она лишилась рассудка от его ласк, впервые в жизни испытав наслаждение.

Чарлз был нежен и нетороплив, но по мере того, как росло его желание, становился все более страстным. Виктория поняла, что муж — пылкий и щедрый любовник, до которого Тоби Уиткому далеко: тот был куда более нетерпелив и груб. Но разница в том, что Тоби она любила и желала с безумной силой, и все, что они ни делали в постели, казалось единственно правильным и верным. С ним она ничего не боялась. И хотя искренне пыталась стать хорошей женой Чарлзу и не отталкивала его, все же так ничего и не почувствовала. Даже когда он задрожал и, излившись в нее, обмяк, тяжело дыша. Правда, почти тут же поднял голову, поцеловал ее и заверил, что обожает ее. Но вдруг замер, осознав то, что до сих пор оставалось для него скрытым. Понял, что произошло.

— Для тебя это не в первый раз, верно? — резко бросил он, зарываясь лицом в ее груди. Виктория печально покачала головой. — Ты должна была сказать правду. Я с ума сходил от страха, что причиню тебе боль!

— Мне не было больно, — тихо откликнулась она. Он в порыве страсти испытал нечто вроде наслаждения. Она же осталась ни с чем.

Она ощущала, что стала ближе к мужу, но только потому, что жалела его и понимала, как обделила этого прекрасного человека. Что бы там ни говорили, нельзя научиться любить кого-то. Чувство либо есть, либо отсутствует. И теперь она осознала, что обманулась и обманула Чарлза. Между ними никогда ничего не будет. Они так и проведут остаток жизни вместе, но оставаясь чужими.

— Ты ведь любила его, так? — допытывался Чарлз, не собираясь больше оставаться в неведении.

— Да, — выдохнула Виктория, на этот раз не отводя глаз. Недостойно скрывать от него правду! — Любила.

— Сколько это продолжалось?

— Почти два месяца.

Чарлз кивнул. Хоть не два года, и то спасибо. Впрочем, какая разница?

— Он лгал мне с самого начала. Просто вознамерился обольстить. Расписывал, как его обманом завлекли в сети брака, уверял, что подаст на развод и бросит жену. Я ему верила. В голову не приходило, что можно так бесстыдно обманывать.

Виктория с несчастным видом огляделась. Ей так плохо сейчас, но и в голову не приходит соврать. Это уже что-то.

— Ну а потом он начал повсюду хвастаться своей победой. Смеяться надо мной. Когда его спросили, правда ли это, он поклялся, что это я его соблазнила. Твердил, что я ничего для него не значу и он в жизни не собирался уходить от жены. Вскоре я узнала, что она ждет ребенка.

— Каков подонок! Из-за него ты и мне теперь не доверяешь?

— Дело не в этом, — мучительно сморщилась Виктория, коснувшись пальцами его щеки. — Сама не знаю, что со мной. Не могу... между нами словно стена... любой мужчина... не хочу, чтобы меня кто-то касался.

Да, хорошего тут мало. Вряд ли их ждет счастливая семейная жизнь!

— Ты все рассказала, Виктория, или было что-то еще?

Он заподозрил неладное, прежде чем она успела признаться во всем. Виктория уже качнула было головой, но посмотрела на мужа и пожала плечами. Ей не хотелось затрагивать эту тему.

— Все.

Но на этот раз Чарлз сразу понял, что она лжет. Он сжал ее грудь, пытаясь пробудить в ней желание, но Виктория ответила печальным взглядом.

— Я забеременела, — едва слышно пролепетала она.

— Я так и думал.

— Но почти сразу после возвращения в Кротон я упала с лошади и погубила ребенка. Оливия спасла меня... началось кровотечение... это было ужасно... я едва не умерла, и меня пришлось положить в больницу.

Слезы медленно ползли по ее щекам, и Чарлз сочувственно стиснул ее руку, жалея эту глупую маленькую девочку.

— Больше я не хочу иметь детей.

— Пойми, все это ужасно, но так бывает далеко не всегда. Теперь с тобой буду я. Подумать только — одна, выкидыш, ребенок от человека, который тебя не любил... Страшное испытание для такой молодой и неопытной девушки. Все могло быть иначе.

Он сострадал ей, но не находил в своем сердце истинной любви, и Виктория чувствовала это. Да если бы и любил? Все это не важно. Главное — она ничего к нему не испытывает.

— Моя мама умерла, когда рожала меня. Я ее убила, — всхлипнула она.

— Это неправда, — убежденно возразил Чарлз.

— Она прекрасно перенесла рождение Оливии, а я оказалась слишком большой и разорвала ее. Она сразу скончалась. Я родилась на одиннадцать минут позже Олли.

— Но ты не могла убить ее, — объяснил он, дивясь ее наивности. Поверить невозможно, что она была близка с мужчиной и успела потерять ребенка! — Я могу обойтись без детей, — объяснил Чарлз, — но не желаю, чтобы ты винила себя за то, чего не совершала. Рождение Джеффа было самым счастливым моментом в жизни Сьюзен... по крайней мере потом она это осознала.

Роды отнюдь не были легкими, поскольку ребенок оказался достаточно велик. Но он до сих пор помнил выражение лица жены, у груди которой лежал спеленутый малыш. Чарлз никогда не видел картины прекраснее и не мог удержаться от слез. И хотя прошло десять лет, он ничего не забыл.

— Когда-нибудь у нас будет свое дитя, Виктория. Все постепенно придет в норму. Мы привыкнем друг к другу. Люди и события, причинившие нам боль, канут в прошлое.

— А Сьюзен тоже причинила тебе боль? — удивилась Виктория. Как бы ей хотелось верить ему! Но это всего лишь мечты, которые так и не сбудутся. Он ошибается: между ними слишком глубокая пропасть. И она не испытывает к мужу ничего, кроме дружеского участия.

— Она погибла, — резко бросил он, — пошла ко дну вместе с проклятым кораблем. Отдала свое место чужому ребенку, которого я не знаю и знать не хочу. И покинула меня.

В его глазах стояли слезы гнева, обиды и горечи потери. Он познал муки ада, но теперь пришел в себя и готов протянуть руку Виктории и идти отныне вместе с ней одним путем. Беда в том, что это ей ни к чему.

— Мы не можем сдаться и до конца дней оплакивать людей, которые нас оставили. Даже если при этом никогда не оправимся от ран и ударов, — тихо пояснил он. — Пусть тебя предали — забудь и шагай вперед.

— Никак не получается.

— Еще получится. Я подожду.

— А пока? — встревоженно спросила она.

Их отношения еще далеки от идеальных, но последние годы у Чарлза не было и этого, и он не сетовал, готовый удовлетвориться малым.

— Постараемся... сделаем все возможное, станем друзьями. Я попытаюсь не слишком... тебя беспокоить.

Но Виктория понимала, что не имеет права ему отказывать. Ее желания в расчет не идут.

— Посмотрим... нам следует привыкать, Виктория. Мы муж и жена.

— Ты достоин куда большего, чем я в силах дать, Чарлз, — убежденно заявила она.

— Если это правда, значит, со временем мы все поймем. И ты тоже. Ну а сейчас остается...

Чарлз философски улыбнулся и пожал плечами. Он готов принять ее такой, какова она есть: красивая молодая женщина, волнующая его до глубины души, хотя и не любит его. Но она еще совсем юная и рано или поздно забудет своего Тоби. И воспылает желанием к человеку, за которого вышла замуж. Вот тогда настанет его час.

Глава 15

Их медовый месяц оказался совсем не таким, как надеялся Чарлз. Отношение Виктории к мужу не претерпело никаких изменений. Она по-прежнему обращалась с ним как с
посторонним человеком.

Супруги прибыли в Европу двадцать шестого июня, а два
дня спустя молодой сербский националист Гаврило Прин-
цип убил племянника императора Австро-Венгрии эрцгерцога
Франца Фердинанда и его жену. Трагедия произошла в городке Сараево и сначала казалась инцидентом исключительно местного значения, но вскоре в Европе начались волнения. Виктория и Чарлз в это время жили в Лондоне, в отеле
«Кларидж». Виктория больше интересовалась маршем суфражисток на Вашингтон и их требованиями предоставить женщинам избирательные права, чем красотами столицы. Даже
среди лондонских друзей Чарлза нашлись несколько суфражисток, и Виктория с головой погрузилась в дела защитниц
прав женщин. Но ее заветное желание навестить в тюрьме
мать и дочь Панкхерст не исполнилось. Чарлз решительно
воспротивился столь экстравагантной прихоти. Он не желал,
чтобы его жена связывалась с арестантами. Последовала довольно бурная ссора, но Виктории пришлось сдаться. Чарлз,
обычно снисходительный, на этот раз был неумолим.

— Но я переписывалась с ними, Чарлз! — едва не плакала она, как будто это что-то могло изменить.

— Если хочешь поклониться своим кумирам — ради Бога.
Но никаких визитов в тюрьму. Тебя включат в черный список и выбросят из Англии.

— Но это абсурдно! У здешних властей взгляды куда
шире, — наивно возразила Виктория.

— Прости, но я почему-то сомневаюсь, — отрезал Чарлз.
Последнее время он находился в постоянном раздраже-
нии, и оба знали почему. Все его попытки наладить семейную жизнь, сделать их брак действительным не только на
бумаге потерпели крах. К тому времени как они оказались в
Париже, Виктория содрогалась от омерзения каждый раз, когда он прикасался к ней. Она сама не понимала, почему так

ведет себя. Все происходило на чисто подсознательном уровне. Она просто не хотела, чтобы какой-либо мужчина дотрагивался до нее, не желала испытывать те чувства, что пережила раньше, и наотрез отказывалась иметь детей. Она так и заявила мужу, и тот заверил ее, что можно принять определенные предосторожности. Чарлз даже посетил аптеку, но все оказалось ни к чему. Каждый вечер, в постели, стоило ему подвинуться ближе, как она начинала трястись и плакать. И хотя Чарлз старался быть с ней нежным и заботливым, терпение его истощалось.

— Почему ты заранее не предупредила, что будешь вести себя подобным образом? — набросился он на нее как-то ночью в парижском отеле. Как бы сильно он ни хотел ее, не мог он заниматься любовью с женщиной, которая сжимается от страха при виде его. Он чувствовал себя насильником и боялся, что скоро станет импотентом.

— Я не знала, что так будет, — призналась Виктория, всхлипывая.

Вся окружавшая их роскошь оказалась ни к чему, а романтика Парижа оставляла Викторию равнодушной. Она не хотела оставаться с мужем наедине в гостиничном номере. В голове у нее была одна политика, суфражистки и демонстрации. Чарлзу начинало казаться, что муж ей ни к чему.

— С Тоби все было совсем по-другому! — неожиданно выпалила она, и униженный до крайности Чарлз вылетел из номера и отправился бесцельно бродить по Парижу.

Когда он вернулся, жена долго извинялась и искренне старалась загладить неосторожное оскорбление. И Чарлз не смог устоять перед юным, чувственным, возбуждающим телом. Он потянулся к ней, но она тут же съежилась, охваченная отвращением.

— Ты не забеременеешь, Виктория, — прошептал он в порыве страсти, но даже в судорогах мощного оргазма не чувствовал ответной реакции. Она лежала под ним как мертвая, и ничто не могло ее оживить.

— Я не доктор и не волшебник, — наконец в отчаянии пробормотал Чарлз. Никогда еще он не попадал в столь ужасное положение: женщина, которую он хотел, оказалась настоящей ледышкой. Эта пытка продолжалась неделями, и Чарлз все больше мрачнел.

Оливия регулярно писала, и Виктория, казалось, только и жила ожиданием очередного письма. Это да еще суфражистское движение стали смыслом ее жизни, остальное значения не имело. Она веселела только в женском обществе, и Чарлз начинал подозревать, что она из тех, кто не питает пристрастия к мужчинам. Возможно, в этом заключается вся проблема. Что за кошмар устроил ему Эдвард Хендерсон? Нашел наивного глупца и подсунул это сокровище? Чарлзу не хотелось думать, что мотивы Эдварда были именно таковы, но факты говорили сами за себя.

Оливия писала, что у них все хорошо. Лето выдалось необычайно жарким, отец здоров, а Джеффри наслаждается каждым днем, проведенным в Кротоне. Он прекрасно ездит верхом и не озорничает. Оливия подумывала купить мальчику новую лошадь, которую можно оставить в Кротоне. Каждый раз, приезжая погостить, Джеффри сможет выезжать на прогулки. Чип тоже процветает, сжевал всю мебель и прогрыз дорожки на коврах в ее спальне.

Она надеялась, что зять с сестрой счастливы и довольны и что несчастный случай в Сараево не нарушит их планов. Они тоже слышали новости, но надеются, что конфликт не затронет Европу. Австрийцы, несомненно, обозлены, но весь мир отнесся к убийству без особого интереса.

Чарлз полностью разделял мнение свояченицы, хотя на последней неделе июля, когда новобрачные отдыхали на юге Франции, Австро-Венгрия объявила войну Сербии. Но это никого особенно не удивило. Печальные вести пришли позже, четыре дня спустя, когда Германия объявила войну России, а потом, через два дня, и Франции. События разворачивались с ужасающей быстротой.

В это время супруги были в Ницце, в отеле «Англетер», и Чарлз решил немедленно возвращаться на родину.

— Но это смешно и глупо, — вскинулась Виктория. Ей понравилась Франция и не хотелось уезжать. Кроме того, предстояло еще посетить Италию. — Я не собираюсь менять планы только потому, что какая-то идиотская страна впала в истерику.

— Эта истерика называется войной. Мы находимся в стране, которая вот-вот превратится в ад на земле, а с Германией шутить не стоит. В любой момент можно ожидать нападения. Складывай вещи. Мы уезжаем.

— Я остаюсь.

Виктория скрестила руки и преспокойно уселась на диван.

— Ты рехнулась! И немедленно сделаешь как велено!

Он устал от ее бесконечных капризов и не собирался церемониться.

Они все еще спорили, когда на следующий день германские войска вошли в Бельгию. На этот раз Виктория присмирела. Наутро они покинули Ниццу, как раз в тот день, когда в войну вступила Черногория. Европа с каждым днем все глубже погрязала в клубке взаимных свар и обвинений.

Они уехали в Англию, где стали потрясенными свидетелями того, как сербы объявили войну Германии, австрийцы — России, черногорцы — Германии. И наконец, двенадцатого августа Англия и Франция вступили в войну с Австро-Венгрией, и в газетах появились восторженные статьи. Едва услышав об этом, Чарлз поспешил обменять билеты. Они хотели остаться в Англии еще на неделю, но теперь нужно было спешить. Наутро они вновь окажутся на борту «Аквитании». Чарлз едва успел послать телеграмму Оливии, упаковать вещи, и к тому времени, как Виктория вернулась из поездки по магазинам, все было готово.

— Как? Мы уезжаем? — охнула она. — И ты даже не спросил, согласна ли я?!

— Послушай, Германия только что объявила войну Англии. Я не собираюсь дожидаться, пока засвистят пули. Пора ехать домой, где по крайней мере моя жена будет в безопасности.

— Я не вещь, которую можно переправить куда угодно без ее позволения!

— По-моему, мы уже обсудили эту тему, Виктория, и нужно сказать, мне надоело повторять одно и то же. Пустая трата времени.

— Мне очень жаль, — вздохнула Виктория.

Сегодня настроение у нее было хуже обычного и к тому же разболелась голова. Прошлой ночью в постели произошла очередная «неприятная интерлюдия», как она это называла, и оба не спали почти всю ночь, Виктория не понимала, что заставляет ее сжиматься при одном его приближении и почему его плоть мгновенно превращается в некое подобие желе. У нее было слишком мало опыта в подобных вещах, но с Тоби никогда ничего подобного не случалось Чарлз вспылил, когда она сказала это. И бросил в ответ, что и со Сьюзен у него все было прекрасно. Из таких словесных схваток оба выходили рассерженными, раздраженными и еще более одинокими, чем обычно.

— Мы отплываем в десять утра, — холодно предупредил Чарлз. Каким кошмаром обернулся долгожданный медовый месяц!

— Ты отплываешь, — поправила Виктория, снова кидаясь в битву. Хуже всего, она обнаружила, что ей нравится дразнить мужа. Сама мысль об очередной ссоре возбуждала ее. — Я остаюсь.

— В Европе? В воюющей Европе? Только через мой труп! Ты едешь со мной.

— Послушай, Чарлз, может, мы не зря оказались в этом месте, в эту минуту?

Глаза Виктории взволнованно блестели. В такие моменты она почти пугала его, и неприятнее всего, что стоило лишь взглянуть на жену в таком состоянии, как желание вспыхивало с новой силой. О, какие же демоны завладели его душой и дали в жены женщину, которая так сильно возбуждает его! Снежную Королеву, которую никто и ничто не в силах растопить.

— А что, если это судьба привела нас в Европу в час войны?

Она была такой юной и прекрасной и, вероятно, немного сумасбродной. Мятежная страсть к приключениям и авантюрам лишала ее рассудка. Но даже в гневе Чарлз не посмел бы назвать ее безумной. Просто эксцентричной.

Наверное, Эдвард Хендерсон потому и поспешил выдать ее замуж! И как разумный человек, оставил дома спокойную милую Оливию, свое истинное сокровище. С Викторией на каждом шагу приходилось спорить, что-то доказывать, и, по чести говоря, ему это смертельно надоело. Он слишком стар

194

для таких баталий. Но к сожалению, Виктория не могла без них обходиться. Она обожала изводить его, мучить, придираться, отказывалась слушать резонные доводы. Приходилось то и дело удерживать ее от бездумных, глупых выходок.

— Я знаю, что мои уговоры кажутся скучными, Виктория, — вздохнул он, пытаясь сохранить спокойствие. Она всеми силами старалась довести его едва ли не до исступления. — Но нам ни к чему чужая война. Если я оставлю тебя, Эдвард меня убьет. Так что независимо от твоего согласия и от того, случайно ли мы оказались здесь или это судьба, завтра мы плывем домой. И если ты находишь это таким уж невыносимым, а меня — тираном, предлагаю подумать о своей сестре. Представь, что станется с ней, если она узнает, что ты здесь. Что до меня, я волнуюсь не о себе, а о своем сыне, который уже потерял мать. Не хватало, чтобы и меня убили случайной пулей! Я достаточно ясно выразился?

На этот раз Виктория молча кивнула. Достаточно оказалось упоминания об Оливии, как она пришла в себя. И хотя ничто не заставило бы ее признаться, но в глубине души Виктория была уверена, что Оливия привела бы те же самые доводы. Но все равно — какой же он невероятный зануда! И как здорово было бы остаться в Европе и посмотреть своими глазами, что произойдет.

Она допоздна просидела в гостиной и думала о том, что случилось со всеми ее прекрасными планами. Жестокий каприз рока свел их, и удача, казалось, покинула ее со времени запретного романа с Тоби. Ребенок, который так нелепо погиб... уничтоженная репутация... вынужденное замужество... разлука с сестрой... а теперь и супружеские обязанности, которые она принуждена выполнять и не в силах выносить. Трудно представить, что их ждет счастливое будущее.

Может, уйти от мужа? Не возвращаться домой?

Нет, и это немыслимо. И хотя ей противно вспоминать о Нью-Йорке, нужно во что бы то ни стало повидаться с Оливией. Но как это отвратительно: совместная жизнь с Чарлзом, заботы о его сыне, домашние обязанности... А ее мечты о политике, свободе, вступлении в ассоциацию суфражисток? Духовно она ничем не связана с этим человеком, и, как бы он ни был добр и терпелив, между ними никогда не будет истинной близости. Он тоже понимает это, но еще не готов признать. И возможно, не будет готов. И что тогда делать? Она так храбро рассуждала с Оливией о разводе, но Чарлз ни за что не согласится развестись. Она очутилась в капкане, из которого не выбраться. Ее судьба навеки скреплена с его судьбой, и оба навсегда останутся несчастными. И пойдут ко дну вместе. Мучительно удушливая жизнь с нелюбимым человеком рано или поздно убьет ее.

Признаться во всем Оливии? Но какой смысл? Так или иначе, сестра ничего не сможет посоветовать. Они заключили сделку, дали обеты, пошли ва-банк и проиграли. И до сих пор так и не узнали друг друга.

— Ты ложишься? — нетерпеливо спросил он наконец, и Виктория подпрыгнула от неожиданности при звуках его голоса. Чарлз стоял на пороге спальни. Она нерешительно посмотрела на него и кивнула, боясь, что он снова захочет повторения вчерашнего или потребует немедленно подчиниться его приказу. В любом случае ей не нравилось ни то ни другое.

Она все-таки легла и с изумлением почувствовала, что Чарлз просто обнял ее и прижал к себе. Ничего больше.

— Не знаю, как достучаться до тебя, Виктория, — печально вздохнул он. — Ты спряталась за непроницаемой стеной, и я не могу тебя найти.

Его жена — и одновременно не его, и он не знает, как быть. Подобно Виктории, он стал терять надежду. Они женаты два месяца, совсем недолго, а ему казалось, прошла вечность.

— Я сама себя не найду, Чарлз, — жалобно всхлипнула она. Оба жадно прильнули друг к другу — крошечные щепки в необозримом океанском просторе.

— Наверное, если набраться терпения и ждать, когданибудь все обязательно уладится. Я не из тех, кто легко сдается. Прошло несколько месяцев, прежде чем я поверил, что Сьюзен мертва. Все надеялся, что ее спасли.

Виктория, мгновенно успокоившись, кивнула. Господи, как легко было бы любить его! Только она не знала, как этого добиться, да и, похоже, переболев любовью, навсегда

196

получила иммунитет. Теперь в ее сердце не осталось места этому чувству, и муж, кажется, это понимал.

— Не бросай меня, Чарлз, — тихо попросила она. — Только не бросай.

Без него и Оливии она пропадет.

— Ни за что, — шепнул он, прижав ее к себе. — Ни за что.

Они так и заснули, обнимая друг друга, и последней мыслью Чарлза было, что медовый месяц закончился не так уж и плохо. Кто знает, возможно, через несколько месяцев все пойдет по-другому.

А Виктория в это время мирно закрыла глаза, грезя о свободе.

Глава 16

Обратное путешествие на «Аквитании» заняло, казалось, вдвое больше времени. Чарлз и Виктория целыми днями просиживали на палубе. Он спал, она читала. Правда, Виктории довелось познакомиться со знаменитой Андреа Гамильтон, и с тех пор женщины почти не разлучались. Виктория, затаив дыхание, слушала рассуждения Андреа по поводу суфражистского движения. Чарлз, как правило, вежливо отмахивался, когда Виктория принималась пересказывать ему новейшие теории поборницы гражданских прав. Оказалось, что жена буквально одержима идеями женской свободы. Для нее это отнюдь не являлось преходящим увлечением или темой для застольной беседы. Она жила и дышала этим. И хотя он и раньше знал о ее увлечении, все же не сознавал, как далеко зашла болезнь. Только об этом она заботилась, читала, говорила. Постепенно Чарлз стал находить ее навязчивую страсть довольно утомительной.

— Сегодня мы ужинаем за капитанским столом, — сонно объявил он в один прекрасный день, с трудом приоткрыв один глаз. — Я подумал, что тебя лучше предупредить.

— Очень мило со стороны капитана, — равнодушно обронила жена. — Хочешь поплавать?

Иногда Чарлз остро ощущал разницу в возрасте. Ему сейчас хотелось лишь лежать на солнышке, впитывая благодатные лучи, а Викторию обуревала жажда деятельности. Но он рад был ей угодить.

Они спустились к бассейну, и Чарлз привычно отогнал от себя мысли о соблазнительном теле жены. Черный купальник изумительно ей шел, да и плавала Виктория безупречно. Чарлз почти против воли восхищался ее стилем и стройной гибкой фигуркой. Наконец он присоединился к ней и быстро нагнал. Они поплавали вместе, пока Виктория не утомилась. Но настроение ее явно улучшилось.

— Ты совсем меня загоняла, — улыбнулся он.

Это была чистая правда: Виктория действительно не знала устали и готова была каждый день таскать мужа по театрам и музеям. Правда, она слишком часто бросала ему вызов и, уж разумеется, была далека от идеала покорной любящей жены. Иногда он жалел, что так и не узнал ее получше, но чаще всего проклинал минуту, когда встретил. И вспоминал о ее сестре с горечью и тоской. Интересно, сможет ли он теперь различить близнецов? Раньше он хотя бы чувствовал почти неуловимую разницу между ними, но теперь, казалось, его интуиция притупилась. Виктория не оправдала ни одно из его ожиданий.

— Ты сильно скучаешь по Оливии? — неожиданно спросил он, когда они уселись в шезлонги, расставленные вокруг бассейна.

— Ужасно! — вырвалось у Виктории. — Никогда не думала, что придется существовать без нее! В детстве я была твердо уверена, что, если у меня отнимут Оливию, я умру.

Чарлз не стал упоминать, что именно то же чувствовал в отношении Сьюзен.

— А теперь? — допытывался он с искренним любопытством. Его неизменно интриговала таинственная связь между близнецами, способность общаться без слов, на уровне инстинктов.

— Теперь я знаю, что смогу жить без нее. Но не хочу. Как было бы хорошо, если бы она поселилась с нами! Но Оливия ни за что не оставит отца. Да он ее и не отпустит.

Кто же будет о нем заботиться? Это так несправедливо по отношению к Оливии, но она ничего не замечает!

Чарлз тоже так считал и без обиняков высказал все Оливии, когда та принесла Джеффу щенка.

— Может, мы сумеем ее уговорить, когда вернемся. Или попросим подольше у нас гостить. Вот Джефф обрадуется!

— Ты не стал бы возражать? — удивилась Виктория.

Чарлз был поражен ее откровениями об отце. Старому эгоисту все сходит с рук, потому что дочь слишком снисходительна. За все приходится расплачиваться Оливии, и Чарлза отчего-то это больно задевало.

— Разумеется, нет, — пожал плечами Чарлз. — Лучше ее я не встречал человека. Умна, красива, невероятно добра и всегда готова прийти на помощь.

Он повернул голову и заметил напряженный взгляд жены. Жены? Самое странное, что он до сих пор не думал о Виктории как о жене. Даже два месяца спустя после свадьбы они оставались чужими.

— Наверное, тебе следовало жениться на ней, — язвительно бросила Виктория.

— Она не делала мне предложения, — отпарировал он с неожиданной яростью. Временами его охватывал неудержимый гнев на жену, посмевшую скрыть от него свое неприглядное прошлое. И хотя он был готов ее простить, горечь в душе по-прежнему давала о себе знать.

— Подожди. А вдруг мы решим поменяться местами? — фыркнула Виктория, но Чарлз брезгливо поморщился.

— Это не смешно.

Мысль о том, что они способны его одурачить, не раз приходила ему в голову и всегда расстраивала. Он очень боялся, что совершит какую-нибудь глупость или скажет нечто неподобающее в присутствии той, кому его слова не предназначены.

— Поднимемся наверх? — буркнул он, чтобы поскорее закончить неприятный разговор.

Виктория кивнула. Последние дни они постоянно спорили или ссорились, сами того не желая.

Супруги переоделись к ужину и направились в кают-компанию. За столом только и было разговоров что о войне. И

Виктория не только слушала, но и высказывала собственное мнение, подчас слишком резкое, но никогда не банальное. Чарлз гордо взирал на жену. Она, несомненно, далеко не глупа. Как жаль, что с ней невозможно ужиться!

Они немного потанцевали, но без особой охоты, и вскоре вернулись на палубу. Ночь выдалась тихой и прекрасной, и Виктория закурила папиросу, любуясь игрой лунного света на воде.

— Ну как? — грустно улыбнулся Чарлз. — Хороший у нас получился медовый месяц или не очень? Тебе было весело?

— Иногда. Хороший или нет? А как по-твоему?

— Мне было с тобой интересно, но вовсе не легко. Может, именно так и суждено. И жизнь ничего не преподносит нам на блюдечке. Все нужно завоевывать. Что, если судьба предоставила мне только один шанс?

Он имеет в виду Сьюзен! И Тоби, которого она безумно любила, пусть он и не оказался волшебным принцем.

— Наверное, на все требуется время, и, как говорят, стерпится — слюбится.

Оба печально усмехнулись. Пословицы иногда врут!

— А что теперь? Мне предназначена роль домашней хозяйки?

— У вас какие-то иные планы, миссис Доусон? Собираетесь стать доктором или адвокатом?

— Ни за что! Скорее политиком.

Она просто бредила политическими проблемами и военными событиями.

— Я хотела бы вернуться и изучать все, что происходит в Европе. А может, и самой принять участие в войне. Вдруг и я окажусь в чем-нибудь полезной!

— Полезной? — ужаснулся он. — Станешь водить машину или что-то в этом роде?

— Возможно, — задумчиво протянула Виктория.

— Посмей только! — не шутя пригрозил он. — Хватит с меня суфражистских демонстраций. Никаких войн!

Но Виктория отчего-то задалась вопросом, стал бы он ее удерживать, если бы она действительно вознамерилась уехать в Европу. Оливия, разумеется, не одобрила бы ее намерений, так что не стоит обсуждать с ней или с отцом подобные вещи.

Но сама Виктория серьезно подумывала о возвращении. Ей все время казалось, что она упускает нечто очень важное, что непременно наложит отпечаток на ее дальнейшую судьбу.

— А как насчет Джеффа? Каким образом он вписывается в твою бурную деятельность? Найдется ли у тебя для него время? — встревожился Чарлз.

— Не волнуйся, я позабочусь о нем.

— Вот и хорошо, — улыбнулся муж, удовлетворенный ее заверениями, и, взяв жену под руку, направился к каюте. Было так тепло, что они оставили оба иллюминатора открытыми, но в эту ночь Чарлз не пытался коснуться ее. Не хватило ни энергии, ни мужества.

На девять утра были назначены учения по спуску на воду спасательных шлюпок — на случай нападения вражеских судов. Виктория боялась, что это расстроит Чарлза, напомнив о Сьюзен, но, если так и было, муж не показывал виду и, когда они отправились в каюту завтракать, улыбнулся и поцеловал жену.

— Что это с тобой? — удивилась она.

— Ничего. Это за то, что ты стала моей женой. Нам нелегко пришлось эти два месяца. Попытаюсь сделаться идеальным мужем, когда окажемся дома. Возможно, возвращение к нормальной жизни пойдет нам на пользу. Наверное, медовый месяц чересчур действует на нервы.

Виктория кивнула, понимая, что он имеет в виду неудачную физическую сторону их отношений. Этой ночью они снова были вместе, и хотя на этот раз Чарлз вошел в нее, а Виктория прилагала все усилия, чтобы принять его, у нее ничего не получилось, и это все больше беспокоило мужа. В постели со Сьюзен все было великолепно, а теперь... после каждого такого соития он чувствовал себя невыразимо одиноким и опустошенным. Долго еще после того, как заснула Виктория, Чарлз лежал, глядя в потолок и спрашивая себя, осталась ли надежда на то, что все изменится. Во всяком случае, оптимизма в нем на этот счет сильно поубавилось.

Когда судно проплывало мимо статуи Свободы, Виктория и Чарлз вышли на палубу полюбоваться восходом солнца, при этом сознавая, что стали ближе друг другу, чем за последние два месяца. Обоим не терпелось поскорее попасть домой, увидеться с Оливией и Джеффом. Оливия пообещала, что приедет их встречать.

Как только гигантский корабль ошвартовался у причала, Виктория принялась всматриваться в собравшихся на пристани и уже через несколько минут издала радостный вопль. Они стали лихорадочно махать руками, чтобы привлечь внимание Оливии, и та, заметив их, заплакала от радости и запрыгала, не выпуская руки Джеффа. Рядом стоял отец. Увидев Викторию и Чарлза, он приветственно поднял руку. Тут же весело вилял хвостом Чип. Как он вырос!

Виктория почти бегом направилась к сходням и бросилась на шею сестре. Обе смеялись и рыдали одновременно. Когда сестры наконец немного успокоились, Чарлз, оглядев их, понял, что по-прежнему не сумеет различить. Обе, не сговариваясь, надели одинаковые платья, и Чарлзу пришлось проверить, на чьей руке блестит обручальное кольцо. Невероятно! Опять он чувствует себя идиотом!

— Что же, вижу, некоторые вещи переменам не поддаются, — заключил он со смехом, но девушки только крепче прижались друг к другу, и Оливия честно призналась, что думала, будто умрет без сестры.

— Но Джефф неусыпно обо мне заботился, — добавила она, с гордостью глядя на мальчика. Он и вправду оказался чудесным ребенком, и они прекрасно провели время вместе.

— Ну как прошел медовый месяц? — осведомился Эдвард.

— Великолепно, — поспешно заверил Чарлз. — Если не считать войны, разумеется. Без этого мы прекрасно могли бы обойтись. Хорошо еще, что удалось сразу же выбраться оттуда.

— Похоже, положение с каждым днем все ухудшается, — озабоченно заметил тесть.

Пришлось подождать, пока таможенники проверят багаж. Паспорта просмотрели на корабле еще рано утром.

Оливия открыла дом на Пятой авеню и собиралась провести там несколько дней вместе с отцом, посмотреть, как устроятся молодожены. Джефф никак не мог решить, где остановится. Ему страшно хотелось побыть с отцом, но и оставить Оливию не было сил. Ей удалось стать мальчику второй матерью.

— Она так добра ко мне, па! Мы каждый день катались верхом, купались, устраивали пикники. Повсюду побывали. Олли даже купила мне лошадь! — тараторил Джефф, помогая отцу грузить вещи в машину.

Эдвард взял с собой оба автомобиля, и, очутившись у себя в доме, Чарлз сразу понял, что Оливия и здесь постаралась. Она велела горничной прибраться, проветрить комнаты, постелить чистое белье. Повсюду стояли цветы. Дом приобрел совершенно иной облик. Для всех были приготовлены маленькие сувениры, у Джеффри в комнате оказались игрушки и новая подстилка для щенка.

— Кто все это сделал? — ошеломленно пробормотал Чарлз, оглядываясь, но Виктория сразу сообразила, в чем дело, и слегка поморщилась. Теперь она здесь хозяйка и не хочет, чтобы сестра выставляла ее в невыгодном свете, выказывая свои недюжинные способности. Виктория не собирается следовать по ее стопам!

— Оливия, естественно, — негромко бросила она.

— С нетерпением жду вашего следующего визита, — благодарно выдохнул Чарлз, с игривым взглядом в сторону жены.

— К сожалению, Чарлз, я не похожа на Оливию. И все делаю по-своему.

— А по вашему виду не скажешь, — пошутил Чарлз и, перед тем как все спустились вниз, разыграл небольшую сценку: поцеловал жену, делая вид, что принимает ее за свояченицу, и поблагодарил за все труды. Все, даже Виктория, рассмеялись.

Горничная приготовила лимонад, и, пока мужчины обсуждали войну, а Джефф играл со щенком в саду, женщины решили разобрать вещи. Виктория наконец немного успокоилась и улыбнулась сестре.

— Не думала, что смогу это вынести... остаться без тебя... ужасно!

— Не верю, — покачала головой Оливия, хотя и ей пришлось пережить немало горьких минут. Казалось, прошла целая вечность. — Ты довольна? — осмелилась спросить она.

Ей не хотелось вмешиваться, но как иначе узнать, счастлива ли сестра?

Виктория долго молчала, и когда все-таки заговорила, Оливия потрясенно схватилась за сердце.

— Не знаю, долго ли сумею выдержать, — едва слышно призналась Виктория. — Олли, я попытаюсь, но... нам не стоило заключать этот брак. Он тоже это чувствует, хотя и старается изо всех сил. Но все это так неверно, все зря. Он по-прежнему любит жену, а я не могу забыть Тоби, он постоянно присутствует третьим между нами... особенно в постели.

— Не позволяй этому человеку разрушить ваш брак! — ужаснулась Оливия, взяв сестру за руку и садясь рядом. — Выбрось его из головы.

— А Сьюзен? Он помнит о ней каждую минуту. Олли, поверь, он никогда не питал и не будет питать ко мне ничего кроме дружеских чувств, — призналась Виктория, грустно, но без особого отчаяния. — И все уверения насчет того, что люди со временем начинают любить друг друга, — чистый вздор. Да как можно полюбить совершенно чужого тебе человека?!

— Вы привыкнете... свыкнетесь... дай срок... Джеффри тебе поможет.

— Он ненавидит меня. Как и его отец.

— Перестань! — едва не заплакала Оливия. Такого она не ожидала. Правда, временами ее одолевали дурные предчувствия, но она в жизни не предполагала, что Виктория так несчастна. — Обещай, что попытаешься. Только не наделай глупостей!

— Представить не могу, что мне придет в голову, — откровенно призналась Виктория, и внезапно она показалась Оливии куда более взрослой и женственной. Правда, это, возможно, всего лишь иллюзия. Посторонний человек наверняка не увидит разницы. — Никогда не чувствовала себя более беспомощной, — продолжала Виктория. — Олли, что мне делать?

— Стань ему хорошей женой, будь терпеливой и доброй к Джеффри. Помнишь, ты обещала Чарлзу в день свадьбы?

— Любить, почитать и слушаться мужа? Как все это унизительно! — фыркнула Виктория, вынимая папиросу.

— Как ты можешь говорить такое? — взорвалась Оливия, пристально глядя на сестру. Виктория просто невозможна! И хотя Оливия любила сестру, все же безошибочно могла предсказать, что хорошей жены из нее не получится.

— Чарлз не возражает против твоего курения? — встревожилась Оливия.

— Надеюсь, нет, — засмеялась сестра. — Теперь я здесь госпожа.

Правда, она ничего подобного не чувствовала. Ее привезли в чужой дом, заставили жить с чужими людьми, а она больше всего на свете хотела уехать в Кротон, с сестрой и отцом. Но они не позволят ей покинуть мужа.

— Ты побудешь в Нью-Йорке несколько дней? — взволнованно спросила она и облегченно вздохнула, увидев кивок Оливии. — Я даже не знаю, с чего начать, — заныла она.

— Я буду приходить каждый день, пока все не устроится.

— А потом? — в отчаянии заломила руки Виктория. Теперь, когда сестра рядом, больше нет нужды скрывать свои чувства и ужас, охвативший ее. — Что потом? Я даже не знаю, что это такое — быть женой! А если я не справлюсь?

— Справишься, дорогая, просто ты сейчас расстроена, — заверила Оливия, обняв ее, и Виктория мгновенно успокоилась, словно получив наконец возможность выплакаться на материнском плече.

— Не могу, Олли... я знаю... все было так отвратительно...

Вся ее утонченность и вновь приобретенный лоск мгновенно испарились, и она снова почувствовала себя ребенком, ровесницей Джеффри.

— Ш-ш-ш... ты все сумеешь, — утешила Оливия. — Будь хорошей девочкой, успокойся и перестань тревожиться. Я помогу тебе.

Виктория энергично высморкалась, и, когда сестры спустились вниз, никто бы не отличил ее от Оливии. Когда Эдвард сказал, что им пора возвращаться к себе, ответили сразу обе девушки, и мужчины беспомощно развели руками.

— Придется вновь заставить их носить ленты разных цветов, — добродушно посетовал Чарлз, довольный, что наконец возвратился домой и встретился с сыном. Казалось, прошлое вновь вернулось: в доме появилась хозяйка, повсюду благоухают цветы. Он не понимал одного: женщина, украсившая дом к его приезду, — вовсе не та, которую он взял в жены.

Перед уходом Оливия поцеловала сестру, пообещала приехать завтра и прижала к себе Джеффа.

— Я буду очень скучать по тебе, — тихо проговорила она. — Позаботься о Чипе и Генри.

— Возвращайся поскорее, — жалобно попросил мальчик.

Доусоны проводили родственников, вошли в дом и закрыли за собой дверь. Для них началась новая жизнь. Жизнь вместе.

Глава 17

Оливия провела в Нью-Йорке неделю, помогая Виктории разложить вещи и устроиться в новом доме на Ист-Ривер. И хотя место было уютным и удобным, но Виктории ничего здесь не нравилось и она мечтала о знакомом окружении и своей старой спальне. Они с Чарлзом делили большую солнечную комнату, но Виктория считала, что Джеффри постоянно путается под ногами со своими пушками, шариками, мячами и собакой.

— Боже, неужели он никуда не ходит, кроме школы? — сетовала она. Занятия начались на прошлой неделе. Джефф был счастлив увидеться с отцом и поджидал его на крыльце каждый вечер. Виктории все время казалось, что она должна стоять в очереди, чтобы поговорить с мужем.

Кроме того, она абсолютно не представляла, что они любят есть. Первый же ужин закончился катастрофой, и, хотя мужчины не сказали ей ни одного невежливого слова, еда осталась нетронутой. Виктория пожаловалась сестре, и Оливия дала ей список любимых блюд Джеффри.

— Может, ты останешься и сама приготовишь? — капризно фыркнула Виктория, хотя втайне только об этом и мечтала.

— Перестань, — велела Оливия, хотя видела, что Виктория не уверена в себе и терпеть не может домашнюю работу. Подобные обязанности казались ей унизительными.

— Он все равно не увидит разницы, так почему бы нам не поменяться местами? — пошутила Виктория, но в глазах промелькнуло что-то неприятное, встревожившее Оливию. Правда, сестра больше не возвращалась к этой теме, и к концу недели ситуация, казалось, улучшилась.

Чарлз пребывал в прекрасном настроении. Обеды были выше всяких похвал, работа в конторе шла превосходно, на этой неделе они начали оформлять новое финансовое предприятие для тестя, и Джефф вел себя идеально. Правда, Виктории не нравилось, что хозяйство отнимает у нее уйму времени и она ничего больше не успевает.

— Попробуй позаниматься этим неделю-другую, — предложила Оливия, — а потом, когда все будет под контролем и пойдет само собой, легко сможешь выкроить время на магазины или встречи с друзьями.

Виктория читала в газетах о собраниях суфражисток и мечтала побывать на них и побольше узнать о военных действиях в Европе. И хотя она буквально пожирала каждую строчку, все же многого не могла понять из-за недостатка информации. А Чарлз возвращался с работы слишком измученный, чтобы подробно ей объяснить.

Оливия наконец вернулась в Кротон вместе с отцом. Она и так слишком долго оставалась в Нью-Йорке, и Эдвард жаловался, что устал и хочет домой. Однако Оливия пообещала скоро вернуться, а Виктория и Чарлз заверили, что через несколько недель приедут в Кротон на уик-энд. Но оказалось, что Чарлз должен готовиться к процессу, а Виктория целиком погрузилась в митинги и демонстрации. Раз-другой она звонила Оливии, обе почти каждый день писали друг другу, но к тому времени настал уже конец сентября, и не только их жизни, но и мир постепенно менялся.

В августе Япония объявила войну Австрии и Германии. Битва на Марне положила конец немецкому наступлению на Францию, но тут же начались налеты германской авиации на Париж. Русские потерпели сокрушительное поражение на Мазурских озерах и в Пруссии. Виктория, хоть и честно пы-

207

талась, не могла за всем уследить. Последнее время война почти затмила ее интерес к движению суфражисток. Ей почему-то казалось, что первое куда важнее — настолько, что Виктории почти не бывало дома. Первые несколько недель она, по совету Оливии, усердно вела дом, но постепенно вернулась к прежним привычкам и все дни проводила в разъездах, посещая лекции известных политиков. Теперь ей было куда проще говорить с Чарлзом по вечерам, особенно когда у того хватало сил, что бывало нечасто. Но мужа беспокоило, что после отъезда Оливии Виктория совершенно забыла о долге и обязанностях замужней женщины. В доме царил полный хаос, сад превратился в джунгли, и Чарлз не раз слышал от соседей, что Джефф играет на улице, потому что Виктория совершенно не следит за пасынком.

— Ты совершенно забыла о нашем соглашении, — упрекал он, и хотя Виктория ни в чем не прекословила и даже время от времени пыталась сделать что-то, ее хватало ненадолго.

А их супружеские отношения ухудшались с каждой ночью. Он больше не приближался к ней, поскольку плотская любовь была Виктории омерзительна и, кроме того, она была убеждена, что Джефф непременно их услышит. Чарлз довольно много пил, Виктория постоянно курила, и запах табака доводил его до бешенства. Не такой жены и не такого брака он хотел. Подобная жизнь воплощала в себе все, что было ненавистно Чарлзу.

И когда Оливия через полтора месяца приехала к ним погостить, пред ней предстала ужасающая картина полной разрухи. Примерно это она себе и представляла: недаром ее, словно магнитом, тянуло в Нью-Йорк. Она остановилась в отеле, но, когда явилась в дом зятя, обнаружила, что он и жена почти не разговаривают. Оливия немедленно увезла Джеффа вместе с Генри и Чипом в отель, а перед этим не допускающим возражений тоном предложила сестре любым способом помириться с мужем. Но когда на следующий день она снова навестила родственников, оказалось, что положение еще более ухудшилось.

— Да что происходит?! Что ты вытворяешь?! — набросилась она на сестру, но Виктория ответила разъяренным взглядом.

— Это не брак, Оливия. Это сделка. Так всегда было, есть и будет. Он нанял меня горничной, экономкой и гувернанткой для своего сына. И только.

— Вздор! — резко перебила Оливия, вышагивая по комнате. Она, как всегда, взяла на себя роль рассудительной, умной старшей сестры. — Ведешь себя как избалованное, испорченное отродье! Он предложил тебе защиту, свое имя, спас от позора и вытащил из той передряги, куда ты попала по собственной глупости, дал тебе дом, ребенка, беспечную жизнь, а ты бесишься оттого, что должна вести хозяйство и присматривать, чтобы кухарка готовила приличный обед. Нет, Виктория, никто тебя не нанимал, просто тебе не слишком улыбается быть нормальной женой и матерью.

— Ты ничего об этом не знаешь! — взорвалась Виктория, задетая слишком справедливыми словами Оливии.

— Я знаю, как ты эгоистична и привыкла потворствовать своим желаниям, — уже спокойнее сказала Оливия, от всей души желая помочь сестре измениться. Она по-прежнему ужасно тосковала по ней, но не могла допустить, чтобы сестра сотворила очередную глупость, расставшись с мужем. Для Чарлза это окажется настоящей катастрофой. Что уж говорить о Джеффри! — Ты должна постараться, Виктория. Сделать усилие. Пройдет время, и ты привыкнешь. Я помогу тебе вести дом, — пообещала она, умоляя взглядом сестру образумиться.

— Не желаю вести ни его дом, ни чей-либо. И никогда не желала. Это все отец! Его выдумки! Решил наказать меня за Тоби!

Но Оливия знала, что истинная кара настигла сестру в ванной комнате в Кротоне. Пусть теперь выполняет свои обязательства и привыкает к новой жизни! Но Виктория напоминала птичку, бьющуюся о прутья клетки и ломавшую перышки. Она больше не могла летать, но продолжала рваться к свободе.

— Я скорее умру, Оливия, чем останусь здесь, — мрачно выговорила она, бросаясь в кресло и хмуро взирая на сестру.

Но Оливия оставалась непреклонной:

— Не желаю больше слышать подобный вздор.

— Это не вздор. В Европе идет война, каждодневно погибают тысячи людей. Невинных людей. Я принесу там куда больше пользы, чем здесь, угождая мужу и воспитывая Джеффри!

— Он нуждается в тебе, Виктория, — едва не заплакала Оливия, отчаявшись убедить сестру. Почему ей в голову вечно приходят безумные идеи?! Очередное правое дело, за которое стоит сражаться и умереть? Но ей безразлично собственное окружение, близкие люди, которым она необходима прямо сейчас.

— Чарлз тоже не сумеет обойтись без тебя.

Но Виктория упрямо покачала головой и, подойдя к окну, уставилась на неухоженный сад. Со времени возвращения из Европы она ни разу не говорила с садовником.

— Нет, — выпалила она, снова поворачиваясь к сестре, — он тоскует по Сьюзен! Но она не вернется. И может, ей повезло.

Оливия молча покачала головой. Что с ней делать?!

— У нас нет никакой жизни, если ты понимаешь, о чем я. Да и не было. С самого начала все пошло вкривь и вкось. Он мечтает о жене, а я... я просто не могу... после того, что случилось с Тоби.

На этот раз глаза Виктории наполнились слезами, плечи устало опустились. На Викторию не похоже. Обычно она не сдается, борется до конца, и для Оливии было очевидным, что стоит лишь немного постараться, и между ней и мужем снова все будет хорошо.

— Может, вам следует побыть наедине? — предложила она, смущенная тем, что вмешивается в столь интимную сферу, но сейчас не время быть застенчивой. Ситуация достаточно серьезна.

— Мы провели два месяца в Европе, — уныло напомнила Виктория, — и там все было ужасно.

— Это совсем другое дело, — материнским тоном наставляла Оливия. — Вы едва знали друг друга.

Она слегка покраснела, и Виктория понимающе улыбнулась. Оливия так невинна и понятия не имеет о всех сложностях, о том, как противны ей объятия Чарлза, как ее трясет, когда он прикасается к ней. Он ожидает от нее того, что она

210

не в силах дать, а Виктория каждую ночь умирает от омерзения.

— Здесь все ново для тебя. Может, если Джефф поживет со мной, вы скорее привыкнете друг к другу.

— Возможно, — с сомнением заметила Виктория. Но это ничего не меняло. Тот факт, что она была вынуждена выйти за него, зная, что он все еще любит первую жену, отнюдь не способствовал сближению. И хотя он желал Викторию, но не любил. Не любил и скрывал это от нее. Пусть Тоби лгал, но с ним она чувствовала себя бесценной и обожаемой и ни на миг не сомневалась, что он ее любит. А Чарлз... хотя он неизменно вежлив и добр, снисходителен и прекрасно воспитан — все равно глубоко к ней равнодушен.

— Ничего не изменить, Оливия. Поверь мне.

— Откуда тебе знать? Ты замужем всего три месяца, а до того вы едва были знакомы!

— А что будет через год, когда я повторю тебе то же самое? Что тогда запоешь? — грустно усмехнулась Виктория, бросив на сестру старчески умудренный взгляд. Ей уже был известен исход своего брака. Даже сто лет спустя они останутся безразличны друг другу. — Посоветуешь мне с ним развестись?

Обе понимали, что отец и слышать об этом не захочет, и даже Оливия была шокирована таким заявлением. Но Виктория всеми фибрами души ощущала, что долго этого не вынесет.

— Я не останусь здесь до конца дней, Оливия. Не смогу. Это меня убьет.

— Придется! — яростно прошипела Оливия. — По крайней мере до того, как разберешься в себе. Ты не имеешь права принимать поспешные решения. Пока еще слишком рано.

Потом, если Виктория будет по-настоящему несчастна, пусть перебирается в Кротон и живет там. Но только не развод! Правда, и это ее не устроит. Виктория так много хочет от жизни! И постоянно в поисках новых горизонтов. Она не станет сидеть дома и чинить отцовские носки подобно старшей сестре. Правда, Оливия втайне надеялась, что снова будет вместе с сестрой, но великодушие и благородство заставляли ее желать Виктории счастливой семейной жизни.

— Почему бы мне не взять с собой Джеффа на несколько дней? Если и пропустит занятия, ничего страшного. Заберу его в Кротон, а вы побудьте вдвоем. Иногда такие меры творят чудеса.

— Ты мечтательница, Олли, — вздохнула Виктория.

Она видела, что сестра отказывается понять безнадежность ситуации. Сама она сознавала, куда катится их брак. Но нужно признать, что избавиться от мальчишки на несколько дней будет для нее огромным облегчением. Нельзя сказать, что она его ненавидит, как любил повторять Джеффри, просто он ей не нужен. Не желает она заботиться о нем, складывать разбросанные повсюду игрушки, выгонять из своей спальни его паршивого пса. Она не из тех, кто берет на себя ответственность за другого человека. Просто не имела представления, как это утомительно и сколько времени отнимает.

— Может, ты и права, — призналась она наконец. По крайней мере можно будет спокойно посещать собрания. — Если бы он был моим, все, наверное, сложилось бы по-другому. Но не представляю, каково это — иметь детей!

Еще один камень преткновения. Виктория наотрез отказывалась родить ребенка. Да что же она за человек? Сама Оливия с изумлением осознала, что не могла бы любить Джеффа сильнее, будь он ее собственным сыном. И глубоко жалела о том, что не она родила его. Он заменил Оливии ее дитя, которому не суждено появиться на свет.

— Я буду счастлива побыть немного с Джеффом, — спокойно объявила она, — но при этом хочу, чтобы ты больше времени проводила с Чарлзом, а не бегала со своими суфражистками по старым церквам и темным закоулкам.

— В твоих устах это звучит так мрачно, — засмеялась Виктория, страшно довольная, что отделалась от пасынка. — Жаль, что ты не хочешь все увидеть своими глазами, поняла бы, как ошибаешься. Но последнее время мне не до суфражисток. Я стараюсь следить за военными действиями.

— Советую тебе получше узнать мужа, — строго отрезала Оливия, но Виктория, ничуть не смутившись, обняла сестру и поцеловала.

— Ты всегда меня спасаешь, — совсем по-детски пропищала она, и Оливия невольно прижала ее к себе. Как ей тоскливо без сестры, а теперь и Джефф уехал!

— Вряд ли я смогу на этот раз тебя спасти, — честно призналась она. — Придется потрудиться самой.

— Все было бы куда легче, поменяйся мы местами, — небрежно бросила Виктория, но Оливия насторожилась. Сестра уже не впервые это повторяет. Вроде бы в шутку, но кто ее знает...

— Неужели?! Можно подумать, ты согласилась бы остаться в Кротоне и ухаживать за отцом!

Сестре, разумеется, и Кротон ни к чему. Наверняка ее тянет в большой мир, на свободу. Остается надеяться, что Чарлз не опустит руки и не откажется от жены. Вероятно, будь у нее дети, все решилось бы само собой.

Днем Оливия заехала за Джеффом. Мальчик пришел в восторг, узнав, что поживет в Кротоне, снова оседлает свою лошадку и не расстанется с Оливией и ее отцом, которого именовал «дедушкой».

Но Чарлз удивился куда больше, узнав, что сын уже в Кротоне.

— А как насчет школы? — недовольно осведомился он.

— Подумаешь, пропустит несколько дней! Ему всего десять лет! — отмахнулась Виктория. Она прекрасно провела день, прослушав лекцию о сражении при Брюсселе. Знай Оливия об этом, она вряд ли обрадовалась бы.

— Ты могла бы спросить меня, — раздраженно буркнул муж, хотя каким-то краем сознания понимал, что остался наедине с Викторией и она сегодня хороша как никогда. Глаза живые и блестящие, а новое платье по последней парижской моде, купленное сестрой, прекрасно обрисовывает фигуру.

— А я думала, что выступаю в роли его матери, — огрызнулась Виктория.

Ему не понравился ее тон, но огонь в глазах делал жену еще привлекательнее.

— Возможно, но я старше и умнее, — уже мягче ответил он. — Что же, ему полезно немного побыть за городом, да и нам неплохо остаться вдвоем. Если все будет в порядке, может, и мы поедем в Кротон на уик-энд.

Виктория не слишком любила Кротон, но всегда радовалась встрече с сестрой. С другой стороны, их приезд нарушит все планы Оливии, специально забравшей с собой Джеффри.

— Как-нибудь в другой раз, — уклончиво пробормотала Виктория. — Мы оставим его здесь, а сами поедем к отцу и Оливии.

— Без Джеффа? — удивился Чарлз. — Он мне никогда не простит. — И, грустно глядя на жену, спросил: — Ты совсем не терпишь его, верно, Виктория?

— Просто не знаю, как с ним обращаться, — поправила она, закуривая и глядя куда-то вдаль, поверх головы мужа. Почему ей всегда так тяжело с ним? Жаль, что она не обладает добродетелями сестры! — К тому же я не привыкла к детям.

— Он такой добрый, хороший мальчик, — пробормотал Чарлз, жалея ребенка, лишенного материнской любви. Он не мог не сравнивать Викторию со Сьюзен. Правда, и сама Виктория рано осталась сиротой. Ее фактически воспитывала Оливия, обращавшаяся с сестрой как с ребенком. — Жаль, что вы так и не узнали друг друга лучше, — вздохнул он. Чарлз не зря собирался провести лето в Ньюпорте с женой и сыном, но Виктория настояла на путешествии в Европу.

— Оливия то же самое говорит о нас, — улыбнулась она сквозь папиросный дым.

— Ты ей жаловалась? — мгновенно встрепенулся Чарлз, не любивший выносить сор из избы. — Именно поэтому Оливия забрала Джеффа? Чтобы оставить нас вдвоем?

— Я сказала только, что с трудом привыкаю ко всему этому, — оправдывалась Виктория, но по ее взгляду было ясно, что она все выболтала сестре.

— Мне не хотелось бы, чтобы ты обсуждала с ней нашу личную жизнь, — нахмурился Чарлз. — Это по меньшей мере неделикатно.

Виктория кивнула. Вошедшая кухарка позвала их ужинать. За столом между супругами по-прежнему царило напряжение, и Чарлз, допив кофе, немедленно поднялся к себе в кабинет и сел за бумаги. Виктория читала в спальне журнал, и часы пробили полночь, когда Чарлз наконец вошел в комнату, совершенно измученный. Виктория, напротив, выглядела совсем свежей и очень хорошенькой. Наверное, именно поэтому он женился на ней, а временами даже испытывал нечто вроде любви. Правда, Чарлз опасался отдать ей сердце и был уверен, что первая любовь никогда не повторится, но, глядя на нее, такую соблазнительную в облаке черных волос, снова надеялся, все у них наладится.

— Ты что-то припозднилась, — улыбнулся он, отправляясь в гардеробную, и вскоре вернулся в пижаме и халате. С первой женой в этом не было надобности, но с Викторией он ложился в постель полностью одетым и старался соблюдать необходимую дистанцию. После нескольких неудачных попыток овладеть Викторией он больше к ней не прикасался. — Странно как-то сознавать, что мы одни. Без Джеффри.

Он всегда любил сознавать, что сын рядом, но сейчас мысль о том, что весь верхний этаж принадлежит им, необычайно его возбудила. Виктория молча легла рядом, по какой-то непонятной причине думая о сестре и о том, что ей не хватает Оливии. Как хорошо бы сейчас оказаться дома, навсегда забыть о Чарлзе и не волноваться за Джеффри. Все это так надоело и опостылело и оказалось куда тоскливее, чем она ожидала. Знай Виктория, что этим кончится, ни за что не согласилась бы на замужество, и пусть бы отец делал с ней что угодно, отсылал бы в монастырь!

— О чем ты думаешь? — прошептал Чарлз, переворачиваясь на бок.

— О религии, — лукаво усмехнулась Виктория, смущенная своими мятежными мыслями.

— Опять лжешь, — не поверил Чарлз. — Как не стыдно! Судя по твоему лицу, о чем-то ужасно греховном!

— Может быть, — с невинным видом промурлыкала Виктория.

Он нежно коснулся ее щеки, не зная, как подойти к жене. До сих пор каждый его страстный порыв кончался сокрушительным поражением и потом обоим становилось неловко, особенно Виктории, не знавшей, как справиться с угрызениями совести и печальным, но вполне понятным состоянием мужа после очередной неудачи.

— Ты так прекрасна, — пробормотал он, медленно подвигаясь к ней. Виктория мгновенно оцепенела. — Виктория... не нужно... пожалуйста... доверься мне...

Но перед глазами Виктории попеременно мелькали Тоби и кровавая лужа на полу ванной.

— Ты не любишь меня, — неожиданно для самой себя выпалила она и осеклась.

— Подожди... возможно, если у нас все получится... в постели мы станем ближе.

Но Виктория так не считала. Ей хотелось стать ближе к мужу до того, как они займутся любовью, чтобы не окаменеть в его объятиях. Извечная разница между мужчиной и женщиной...

— Когда-нибудь мы полюбим друг друга... доверимся...

Но Чарлз говорил неправду и сам это понимал. Стоит ли доверяться женщине, если она в любой момент способна умереть и покинуть его? Именно это терзало Чарлза в тот вечер, когда Оливия упала с лошади. Она лежала такая хрупкая, беззащитная, и если бы погибла... Нет, он не даст волю чувствам, даже к свояченице. Сьюзен ушла и взяла с собой его душу.

— Позволь мне научиться любить тебя, — прошептал он, но Виктория инстинктивно поняла, что мужу нужно лишь ее тело и жизнь... Любить, чтить и повиноваться... как сказано в Библии. Но она не покорится ни одному мужчине, даже этому.

Он овладел ею, нежно и бережно, и на этот раз все было не так плохо, как раньше. Но Виктория окончательно лишилась иллюзий относительно своих чувств к мужу. Они никогда и ничем не будут связаны, и каждая такая ночь только углубит пропасть между ними. И Чарлз, со своей стороны, понимал, что в таких отношениях нет ни страсти, ни романтической магии.

В эту ночь супруги уснули на разных краях кровати, отвернувшись друг от друга.

Время, которое дала сестре Оливия, было растрачено на лекции и библиотеки. Чарлз все дни пропадал в конторе. Следующим вечером он ужинал в клубе с Джоном Уотсоном и своими партнерами, а в последующие дни с головой ушел в подготовку к процессу. Супруги почти не виделись, а встречаясь, все больше молчали. Они не ссорились, не злились друг на друга, просто жили рядом, как соседи. Когда в воскресенье Донован привез Джеффа, Чарлз был счастлив услышать звонкий голосок сына. Хорошо, когда есть с кем поговорить!

Оливия купила мальчику новые игрушки и дала в дорогу термос с горячим шоколадом и огромную коробку с печеньем, которое они испекли вместе. У Виктории сжалось сердце при виде доказательств заботы и доброго сердца сестры. В кармане у Джеффа даже обнаружился платок, надушенный духами сестры. Какой Джефф счастливчик, что провел с Олли столько дней! Виктория поморщилась, стараясь подавить непрошеную ревность, и тут же накричала на мальчика, допытываясь, почему Оливия не приехала.

— Она хотела, — обиженно пробормотал Джефф, не понимая, отчего мачеха обвиняет его в том, в чем он не виноват. Можно подумать, это он запретил Оливии сопровождать его! — Но у дедушки опять начался кашель, и Олли побоялась его оставить. Доктор сказал, что это всего лишь бронхит, но мы все время варили дедушке бульон, а тетя Олли хотела приготовить ему... примерки, что ли?

— Припарки, — с улыбкой поправил отец, но Виктория горько вздохнула. Она так надеялась увидеть сестру, а теперь непонятно, когда Оливия приедет, тем более что отец нездоров. Последнее время он так часто болеет!

Эдвард все не выздоравливал, и Оливия так и не приезжала и строго-настрого запрещала сестре покидать Чарлза. Близнецы не увиделись до самого Дня благодарения.

К этому времени сильно похудевший и побледневший отец встал с постели и радостно приветствовал Доусонов. Виктория так и не смогла привыкнуть к тому, что ее называли миссис Доусон, и не понимала, почему женщина в браке должна брать фамилию мужа, а не наоборот.

Погода была замечательной все время их пребывания в Кротоне. Джеффри каждый день вместе с Оливией катался верхом, даже в утро праздника. Он показывал Чарлзу все приемы выездки, каким успел научиться, и твердил, что, когда станет постарше, обязательно будет играть в поло.

Все собравшиеся в прекрасном настроении уселись за праздничный стол. Все, кроме скованной и напряженной Виктории. Она все утро провела на кухне, беседуя с Берти. В старой няне было нечто уютное и утешающее, а Виктория жадно тянулась к остаткам прежней жизни. Приходилось спать с Чарлзом в комнате для гостей, а ей так хотелось забраться в кровать к Оливии. Но ее место узурпировал Джеффри. Мало того, именно он был в центре всеобщего внимания. Стоило ему пойти спать, как все: Оливия, Берти, Чарлз и даже Эдвард — рассыпались в похвалах мальчишке и растерянно взирали на взбешенную Викторию.

— О, ради всего святого, перестаньте ныть и завывать, как стая голодных котов! Ему уже одиннадцать. А в таком возрасте пора уметь себя вести, и ничего тут нет особенного!

В столовой надолго воцарилось потрясенное молчание. И даже Виктория, опомнившись, смутилась.

— Прошу прощения, — пробормотала она, выбегая из-за стола. Отец ошеломленно смотрел ей вслед, а Чарлз грустно вздохнул.

Как только позволили приличия, Оливия поспешила вслед сестре и нашла ее в своей спальне. Джефф мирно сопел на постели, вместе с обезьянкой и Чипом.

— Прости, — пробормотала Виктория, не зная, куда деваться от стыда. — Не знаю, что со мной стряслось. Просто надоело слушать, какой он замечательный.

Оливия ужаснулась, поняв, что сестра ревнует.

— Тебе следует извиниться перед Чарлзом, — мягко посоветовала она, жалея сестру и зятя. Они так страдали... даже Джефф это заметил. Он сказал, что мачеха и отец каждый день ссорились за завтраком и ужином. Он даже не удивлялся постоянным скандалам: для него это было чем-то вроде молитвы перед едой.

— Я извинюсь, — пообещала сестра, устало глядя на Оливию. — Все как обычно. Непримиримые чужаки, между которыми нет ничего общего, запертые в маленьком доме в компании надоедливого мальчишки.

Оливия невольно улыбнулась. Виктория, как всегда, преувеличивает.

— Хорошенькую картинку ты нарисовала!

— Достаточно правдивую, поверь! Не понимаю, почему мы еще не разошлись? Да и Чарлзу все это надоело.

— Может, тебе стоит задуматься, куда ты идешь? — предложила Оливия, и сестры, взявшись за руки, спустились в столовую. При виде девушек Чарлз поглядел в глаза Оливии и с сожалением улыбнулся.

— Тебе лучше? — осведомился он, подходя.

— Я... да... — пробормотала она, не зная, что сказать, и Виктория засмеялась.

— Разумеется. Та злая, противная особа, на которой ты женат, — это я. Прости меня за дурное поведение.

Обстановка немного разрядилась, и Оливия покраснела, поняв, что Чарлз снова их спутал. Они, как обычно, были одинаково одеты и причесаны, а капризная гримаска Виктории мгновенно исчезала в обществе сестры.

После этого все немного развеселились, и остаток вечера прошел более гладко. Но когда настало время возвращаться в Нью-Йорк, Виктория была мрачнее тучи. Она долго беседовала с отцом о битве при Ипре, и ей так не хотелось покидать его и Олли и снова оказываться в ненавистном доме.

Они сели в машину, и Оливия долго прощалась с родственниками, жалея, что нельзя их оставить.

— Будь хорошей девочкой, — шепнула она сестре, — иначе я приеду в город и выпорю тебя.

— Жду не дождусь, когда это случится, — улыбнулась Виктория, хотя глаза ее оставались печальными.

Чарлз смотрел на сестер и немного завидовал той неразрывной связи между ними, которой ему не добиться никогда. Жена оставалась для него тайной за семью печатями. Они же выкроены из одной материи, как два одинаковых платья. И все же в сидевшей рядом женщине не было ни капли мягкости и великодушия сестры. Она как сверкающий бриллиант с множеством острых граней, о которые можно больно порезаться. Оливия и Виктория... две стороны монеты. Орел — выигрыш, решка — проигрыш... и он понимал, что проиграл, и бесповоротно.

— Откуда я знаю, кто из близнецов сейчас едет в Нью-Йорк? — шутливо заметил он, на миг забыв о неприятностях. Оливия сделала все, чтобы праздник удался. Обед, как всегда, был превосходен, вино — выше всех похвал, постель удобная, в комнате чисто и уютно, а слуги не знают, как угодить. Оливия — идеальная хозяйка.

— Не знаешь — и не узнаешь. Оставайся в неведении, — кокетливо ответила Виктория.

Чарлз едва заметно покраснел. Он все еще переживал свою ошибку. Опять он спутал близнецов! Приходилось быть особенно осторожным каждый раз, когда они бывали в Кротоне. Он почувствует себя полнейшим идиотом, если ляпнет что-то неприлично-интимное, и к тому же ему не хотелось смущать Оливию. Но Виктории нравились розыгрыши, и она потчевала его невероятными историями из своего детства, когда сестры, не задумываясь, менялись местами.

— Не вижу, что тут смешного, — журил ее Чарлз. — По-моему, нехорошо вводить людей в заблуждение. А что, если кто-то скажет то, что тебе не нужно или не хочется слышать? — Сама мысль об этом выводила его из себя.

— Между мной и Оливией нет секретов.

Чарлз покачал головой, но тут вмешался Джефф, принявшийся расписывать свою лошадь и конноспортивные соревнования, которые состоятся следующим летом.

— Тетя Олли сказала, что я тоже могу участвовать, — поделился он своей радостью.

Оставшиеся до Рождества недели пролетали со сказочной быстротой. Нужно было подготовиться к празднику, купить подарки, нарядить елку.

Доусоны посещали приемы и вечеринки, и на рождественском балу у Асторов произошла неловкая сцена, когда среди гостей оказались Уиткомы.

Виктория спокойно курила, пуская дым, когда кто-то ее окликнул. Она обернулась, узнала Тоби и немедленно отошла, но он успел схватить ее за руку и притянул к себе. Невольная дрожь прошла по телу Виктории.

— Тоби... не надо... пожалуйста, — со слезами попросила она. Сам того не сознавая, он разрушил ее жизнь и брак.

— Я просто хотел поговорить... — Он совсем не изменился. Разве что стал еще красивее. И спиртным от него пахло больше обычного. — Почему ты вышла за него? — допытывался Тоби с оскорбленным видом, и Виктории захотелось завизжать во весь голос, наброситься на него с кулаками. Он еще смеет притворяться обиженным, хотя сам во всем виноват!

— Ты не оставил мне иного выхода, — бросила она, стараясь, чтобы голос звучал как можно холоднее, но чувства, о которых она старалась забыть, неожиданно нахлынули с прежней силой.

— Что все это значит? Ты не...

Тоби смущенно огляделся. Насчет ребенка не ходило никаких слухов, и к тому же она вышла замуж едва ли не полгода спустя... жаль, конечно, что все так вышло... он неплохо поразвлекся...

— Ты повсюду распространялся, что я соблазнила тебя, — с болью вырвалось у Виктории. Она посмотрела ему в глаза, пытаясь взглядом выразить ненависть, которой не испытывала.

— Это была всего лишь шутка.

— Не слишком удачная.

Виктория пожала плечами, отвернулась и направилась в гостиную, где уже ожидал Чарлз. Заметив Тоби, появившегося вслед за ней, он, очевидно, растерялся, но по дороге домой не задал ни одного вопроса. Не хотел знать. Да ей, собственно говоря, и сказать было нечего. Тоби и в самом деле сыграл с ней шутку, все последствия которой она должна была расхлебывать в полной мере. Теперь приходилось жить с тем, что оставил Тоби от ее души и репутации.

Но к удивлению Виктории, Тоби и не подумал успокоиться. На следующий день он прислал ей цветы. Анонимно, разумеется, но она сразу поняла, от кого они. Две дюжины красных роз на длинных стеблях. В ее жизни не было никого, кроме Тоби, кто бы мог их послать. Не обращая внимания на бешеный стук сердца, Виктория немедленно отнесла букет в мусорный ящик. После этого Тоби имел наглость написать ей записку с предложением встретиться, подписанную буквой Т. Она, разумеется, даже не позаботилась ответить. Что бы она к нему ни питала, нет смысла возобновлять прежние отношения. Все кончено, и бесповоротно.

Они с Чарлзом, как всегда, вели каждый свою жизнь, и о встрече с Тоби не было сказано ни слова. Все были безмерно рады, когда пришло время отправляться в Кротон. Машина была до отказа набита подарками и лакомствами, и Виктория, в последнюю минуту вспомнив о Джеффри, купила какую-то сложную игру, которая, по уверениям продавщицы, была мечтой каждого десятилетнего мальчика.

Почти всю дорогу супруги обсуждали войну, эта тема больше всего интересовала Викторию. Осведомленность жены произвела неизгладимое впечатление на Чарлза, хотя он не так уж внимательно следил за событиями в Европе. К этому времени бои достигли такой степени, что Западный фронт превратился в цепь окопов, тянувшуюся от Северного моря до Швейцарских Альп. По одну сторону стояли французы, англичане и бельгийцы, по другую — германцы.

— Ты, разумеется, не вникала в это, Виктория, — заметил он, — но должен сказать, что война для нас — дело чрезвычайно прибыльное.

Американцы действительно наживались, продавая оружие и пушки всем воюющим государствам, способным за них заплатить.

— А по-моему, это отвратительно! — вскинулась Виктория. — Все равно что убивать невинных. Вместо того чтобы сидеть дома и притворяться, что наши руки чисты, могли бы просто участвовать в войне.

— Иисусе, да не будь такой наивной! — возразил Чарлз. — Как, ты думаешь, сколачиваются состояния? И что производится на бывшем сталелитейном заводе твоего отца?

— Меня тошнит при мысли об этом, — процедила она, глядя в окно и думая о солдатах, вынужденных проводить Рождество в окопах. Казалось кощунственным праздновать сейчас, зная, что вытворяют германцы, но никто из родных и знакомых этого не понимал.

— Слава Богу, папа его продал, — тихо добавила Виктория, жалея, что Чарлз не разделяет ее мнения. Он куда практичнее и приземленнее, чем она, думает лишь о работе и Джеффри.

Добравшись до Кротона, Виктория узнала, что отец опять заболел и на этот раз случайно подхваченная простуда обернулась пневмонией. Эдвард совсем ослабел и спустился вниз на несколько минут лишь в утро Рождества, когда настало время развернуть подарки. Он подарил дочерям одинаковые и очень дорогие бриллиантовые колье. Обе в полном восторге немедленно их надели, чтобы, как выразился Чарлз, окончательно сбить его с толку. Он заявил, что боится перепутать подарки. Но все обошлось, и жена получила от него прелестные бриллиантовые сережки, идеально сочетавшиеся с колье. Оливии, вместе с целомудренным поцелуем в щеку, он вручил теплый шарф и книгу стихов. Виктория с недоумением заметила, что на книге стояло имя Сьюзен.

— Почему он отдал книгу именно тебе? — настойчиво допытывалась она.

— Возможно, расстраивался, когда ее замечал. Кроме того, ты ненавидишь поэзию, так что не мог же он подарить книгу тебе, верно? — смущенно улыбнулась Оливия. Но она знала и любила автора книги и была тронута подарком. Очевидно, Сьюзен тоже увлекалась литературой.

Но настоящий взрыв ликования последовал, когда Оливия подала Джеффри огромный пакет с двумя современными пушками, одной старинной и целой армией оловянных солдатиков в английских, французских, австрийских и немецких мундирах. Ей пришлось заказывать их за несколько месяцев, и мальчик был вне себя от радости, но Виктория гневно уставилась на сестру.

— Как ты могла подарить ему такое? — почти закричала она, сжав кулаки. — Отвратительно! Почему бы не залить их для правдоподобия кровью? Было бы по крайней мере куда честнее!

В глазах Виктории стояли слезы. Она искренне расстроилась, и положение отнюдь не улучшилось, когда Джеффри, развернув ее подарок, тут же отложил его в сторону, посчитав, очевидно, что игра не только сложная, но и невыносимо скучная.

— Я не предполагала, что ты станешь возражать, — сокрушенно пробормотала Оливия. — Это всего лишь игрушки, Виктория. И нравятся мальчику. Он любит играть в солдатики.

— Мне совершенно безразличны его пристрастия! По всей Европе в окопах ежедневно погибают тысячи солдат! У них тоже есть родные и близкие! А вы делаете из них игрушки! Невыносимо!

Она отвернулась, и Джеффри встревоженным шепотом спросил отца, следует ли вернуть подарок тете Олли. Чарлз ободряюще качнул головой. Позже, одевшись, он вместе с Викторией отправился навестить могилу ее матери.

— Не стоило так кричать, — мягко заметил он. — Твоя сестра всего лишь хотела порадовать Джеффри. Ей непонятна сила твоих чувств.

Да и ему тоже. Говоря по правде, он совершенно не знал женщину, с которой жил в одном доме, и оба это понимали.

— Я больше не могу, — жалобно проговорила она. — Не могу быть твоей женой. Я не предназначена для такой жизни. Все это видят, кроме тебя. Даже Джефф.

Ей все еще было не по себе. Из-за подарка Оливии и этой злополучной книги стихов. Не то чтобы она ревновала к сестре — просто постоянно сознавала, что села не в свои сани, и устала от этого.

— С моей стороны было нехорошо позволить отцу втянуть меня во все это. Пусть бы отослал меня хоть на край света и забыл навсегда.

Она зарыдала, а Чарлз растерянно смотрел на жену.

— Ты снова с ним видишься? И поэтому хочешь уйти? — вырвалось у него.

Виктория растерянно подняла глаза, гадая, откуда ему стало известно, что Тоби вновь пытается войти в ее жизнь. Все было бы проще, допусти она это, но Виктория больше не желала иметь с Уиткомом ничего общего.

— Вовсе нет, — холодно обронила она. — Так вот в чем ты меня подозреваешь? Что я тебе изменяю? Жаль, что этого не произошло, все хоть какое-то развлечение.

Она немедленно раскаялась в неосторожной реплике. И пусть она во всем виновата, больше ей не вынести.

Чарлз ничего не ответил, а Виктория продолжала плакать.

— Не знаю, что сказать, — наконец пробормотал Чарлз.

Зря он упомянул о Тоби, но, когда кухарка сказала ему о розах, валявшихся в мусоре, в душе зашевелились подозрения. Кухарка, довольно скочная особа, считала, что просто грех выбрасывать такие цветы, и поспешила ему доложить, прежде чем сообщит кто-то другой. Она также предъявила ему записку с просьбой о свидании, и Чарлз был почти уверен, что жена снова встречается с Уиткомом. Но очевидно, он ошибался. Правда, это не меняло отношений Виктории с мужем.

— Хочешь, чтобы я ушла? — в отчаянии спросила наконец Виктория, и на этот раз он обнял ее за плечи.

— Конечно, нет. Мы что-нибудь придумаем. Прошло только полгода. Все говорят, что первый год брака — самый трудный. — Однако каждый день его жизни со Сьюзен был настоящей идиллией. — Я попытаюсь быть более рассудительным, а ты наберись терпения. Что ты собираешься предпринять относительно Джеффри и его маленькой армии? Боюсь, он так просто с ней не расстанется. Но если хочешь, я с ним поговорю.

— Нет. — Виктория высморкалась и полезла в карман, но обнаружила, что папиросы остались дома. — Он еще больше возненавидит меня за это. Я купила ему такую дурацкую игру! Не знаю, что ему нравится, а продавщица утверждала, что именно это и нужно мальчику его возраста. А я даже не могу понять правил!

— Я тоже, — засмеялся Чарлз, — но попытаюсь вникнуть. И если поможешь, я горы сверну.

Но Виктория не хотела ему помогать. Единственным ее желанием было сбежать подальше. Она только об этом и думала.

Они медленно зашагали к дому; оба немного успокоились. Днем Виктория наткнулась на сестру, разбиравшую вместе с Берти белье. Последняя тут же удалилась, почувствовав, что ее воспитанницам нужно побыть наедине.

— Прости, что расстроила тебя, — извинилась Оливия, с неподдельным раскаянием глядя на сестру. Не знала, что ты так это воспримешь.

Сестры обменялись многозначительными взглядами, безмолвно радуясь, что снова вместе.

— Все в порядке. Наверное, я наделала кучу глупостей. Слишком увлеклась политикой. Но тамошние события кажутся такими реальными, и временами я забываю, что все это не имеет к нам никакого отношения. Правда, я рада, что отец продал завод, хотя, похоже, он ужасно переживает.

Они уселись рядышком, и Оливия мгновенно поняла, что сестра хочет просить о чем-то. И в самом деле, Виктория, мрачно воззрившись на нее, заговорщически прошептала:

— Ты просто обязана избавить меня от всего этого, Олли! Хотя бы на время, иначе я сойду с ума!

Оливия непонимающе уставилась на нее, боясь услышать то, что последует за таким торжественным вступлением. Боясь и не желая.

— Мне отказаться, прежде чем ты попросишь, или позволить тебе высказаться и только потом уверить, что ты несешь вздор?

Виктория еще понизила голос:

— Поменяйся со мной... ненадолго... позволь мне уехать куда-нибудь... пожалуйста... только чтобы все обдумать... не знаю, что я делаю, — умоляюще бормотала она.

Оливия видела и понимала, как плохо приходится сестре, но при этом была убеждена, что обман — отнюдь не лучший выход. Виктории придется самой решать за себя. Они заключили договор, Чарлз — прекрасный человек, и ей придется свыкнуться со своей участью. Побег ничего не решит.

Она покачала головой.

— Ты права. Сама не знаешь, что делаешь. Хочешь навлечь на всех нас очередное несчастье? А если он обнаружит подмену? Как прикажешь мне поступить? Не могу же я быть его женой по-настоящему! Он через пять минут меня разоблачит! А если и нет, все равно — то, что ты предлагаешь, плохо и постыдно. Я на такое не пойду, — категорически отказалась она.

— Я знаю, знаю, — заплакала Виктория, схватив сестру за руку. — Но помнишь, мы так делали в школе! Разве это было лучше? Тоже нехорошо! Но я выдавала себя за тебя сотни раз, как и ты! Клянусь, он не узнает... Никогда не мог нас различить.

— Рано или поздно правда обязательно выплывет наружу. А Джефф? Он-то уж обязательно все поймет с первого взгляда. Нет! Слышишь? Ни за что!

226

Она не сердилась на сестру, но хотела, чтобы та выкинула из головы опасные мысли раз и навсегда. Виктория даже не запротестовала, только взглянула на сестру с таким отчаянием, что у Оливии сжалось сердце. А потом встала и медленно отошла.

Глава 18

Больше они к этому разговору не возвращались, но в день отъезда Виктория казалась необычно присмиревшей. Оливия так волновалась за сестру, что решила через неделю-другую поехать ее навестить, но отцу опять стало хуже, а потом и сама она слегла с тяжелым гриппом. И смогла выбраться в город только в конце февраля.

У Доусонов ничего не изменилось, разве что Виктория стала еще раздражительнее и срывалась по любому поводу, а Чарлз выглядел куда хуже прежнего. На второй день после приезда у Джеффа поднялась температура.

Виктории не было дома, и через несколько часов мальчик начал бредить, так что Оливия вызвала доктора, а потом позвонила Чарлзу в контору, и он немедленно примчался.

— Где она? — спросил он с порога, и Оливии, как ни неприятно ей было, пришлось признаться, что Виктория ушла. К этому времени Джефф покрылся сыпью и поминутно кашлял. Доктор признал корь.

Виктория явилась только к семи часам, после особенно интересной лекции в британском консульстве относительно такой животрепещущей темы, как немецкие подводные лодки, взявшие Британию в кольцо блокады. Потом для гостей был устроен чай, и Виктория позволила втянуть себя в бесконечную дискуссию. Ей в голову не пришло предупредить мужа, что она задержится. Правда, она надеялась, что он тоже опоздает к ужину.

Оливия весь день хлопотала около мальчика. В доме стояла такая неестественная тишина, которая бывает, только когда в доме больной.

— Что с ним? — прошептала Виктория, останавливаясь в дверях, и Оливия на цыпочках подошла к сестре.

— Корь. Бедный ребенок, ему очень плохо. Жаль, что мы не в Кротоне. Я подумываю послать за Берти. Он пролежит не менее двух недель и будет все это время ужасно себя чувствовать. Я останусь, если хочешь.

Даже не глядя на Викторию, она уже знала ответ.

— О Боже... пожалуйста... А как Чарлз?

— По-моему, волнуется за тебя, — дипломатично заметила Оливия, хотя видела, как взбешен зять и, вероятно, подозревает жену в неблаговидных поступках.

Этой ночью в спальне разыгралась настоящая баталия.

— И куда ты изволила исчезнуть? — язвительно допрашивал муж, уже в который раз. Такого тона она еще не слышала.

— Я уже говорила. Ездила в британское консульство, на лекцию о подводных лодках.

— Превосходно! Мой сын лежит с высокой температурой, а жена бредит подводными лодками. Изумительно!

— Я не ясновидящая, Чарлз. И не знала, что он заболеет, — спокойно заметила Виктория, хотя в душе у нее все кипело. Но за последнее время они отточили искусство ведения домашних баталий и умели ранить друг друга так же сильно, как враги на полях сражений.

— Ты обязана сидеть дома! — закричал Чарлз. — И следить за ребенком! Я не должен бросать работу и бежать к больному ребенку только потому, что его мать где-то пропадает!

— Его мать мертва, Чарлз. Я всего лишь суррогат.

— И как все суррогаты, очень низкого качества! Твоя сестра уделяет ему куда больше внимания!

— В таком случае тебе следовало жениться на ней. Из нее вышла бы жена куда лучше. И хозяйка она исключительная.

— К сожалению, твой отец предложил мне в жены не Оливию, а тебя, — тяжело вздохнул Чарлз. Он испытывал отвращение к себе за те грубости, что бросал Виктории. Но его жизнь с ней превратилась в цепь разочарований, и оба не знали, как выпутаться из этой паутины. Да и есть ли выход? Им придется тянуть это существование, пока кто-нибудь не умрет. Правда, Виктория уже заговаривала о разводе, но для такого консерватора, как Чарлз, это было совершенно неприемлемо.

— Может, тебе стоит поехать к отцу и спросить, не поменяет ли он одну дочь на другую? Как обувь, которая жмет? — прорычала Виктория, задыхаясь от безнадежности.

Последняя бесплодная попытка заняться любовью произошла в январе. Оба молча поклялись никогда больше не допускать ничего подобного и сдержали слово. Слишком тяжело и мучительно давались им такие мгновения. Чарлз был исполнен решимости никогда не притрагиваться к жене, даже если придется жить в целомудрии до конца дней. Все эти жалкие потуги просто не стоят никаких усилий. Виктория чувствовала то же самое. Ее тошнило от необходимости отдаваться нелюбимому человеку.

— Не нахожу твои предложения сколько-нибудь заманчивыми, — мрачно заявил он жене. — А твое поведение ниже всякой критики. Надеюсь, отныне ты будешь проводить все дни дома, с нашим сыном... моим сыном, если предпочитаешь. Станешь делать все необходимое, чтобы он выздоровел. Ясно?

— Да, сэр, — промурлыкала она, приседая, как горничная во французском водевиле. — Кстати, не возражаете, если мне поможет сестра?

— Опять перекладываешь на нее свои обязанности! — разъяренно прошипел Чарлз, и Виктория была вынуждена признать, что в его словах есть доля правды. Она понятия не имела, как ухаживать за больными детьми. — Мне все равно, кто из двоих о нем позаботится, все равно я вас не различаю! — рявкнул Чарлз.

— Все будет в порядке, — заверила Виктория и отправилась на поиски сестры.

Жаль, что они не смогут сегодня спать вместе, но такое предложение еще больше обозлит Чарлза. Он, подобно многим другим людям, терпеть не мог, когда посторонние узнавали о подробностях его личной жизни.

— Как он? — тихо спросила Оливия, сидевшая у постели Джеффри. Мальчик тяжело дышал и метался во сне: жар еще не спал.

— Не слишком доволен, чтобы не сказать большего, — улыбнулась Виктория.

Даже в этих обстоятельствах она радовалась присутствию сестры. Какое облегчение — быть вместе, разговаривать по душам и даже исповедоваться без опаски! Правда, ей стыдно признаваться, до какой степени разрушен их брак, но Оливия и без того все понимает и, вне всякого сомнения, слышала доносившиеся из их спальни крики.

Они не разлучались почти целый месяц. Джеффри три недели провел в кровати, и Оливия ни на минуту не оставляла его. Чарлз знал это, но ошибочно считал, что ее хоть иногда сменяет Виктория. Увы, Оливия время от времени прикидывалась сестрой, чтобы зять не сердился. Это был единственный обман, который она могла себе позволить. Но по крайней мере Виктория хотя бы не возвращалась к своему безумному плану, и Оливия втайне была счастлива, что сестра наконец образумилась.

Отношения между супругами по-прежнему были напряженными, но Оливия все же считала, что время и терпение лечат все. Может, если у них появится ребенок, все будет по-другому?

Виктория не сказала сестре, что на это нет ни малейших шансов. И не упомянула, что с некоторых пор Чарлз все чаще обвиняет жену в том, что она встречается с Тоби. Он попросту не в силах был поверить, что женщина, способная настолько забыться и бросить под ноги мужчине свою честь и репутацию, может с такой же легкостью выбросить из головы бывшего любовника. Вероятно, ситуация не была бы столь запутанной, знай Чарлз, где бывает жена. Обычно похождения Виктории были вполне невинны, она всего лишь не хотела, чтобы кто-то вмешивался в ее дела. За последние дни она познакомилась с французским генералом и несколькими английскими полковниками. И все в один голос уверяли ее, что несчастная Европа нуждается в сильных, энергичных людях, готовых прийти на помощь погибающим солдатам. Их слова постоянно звенели в ушах Виктории, но она пока ничего не говорила сестре.

Оливия вернулась домой в конце марта, совершенно измученная, и не только болезнью Джеффри, но и необходимостью постоянно быть между молотом и наковальней. Какое счастье — вновь вдыхать свежий воздух, скакать верхом по полям и лугам. И хотя она горячо любила сестру, радовалась, что не придется видеться до самой Пасхи.

На Пасху Доусоны приехали в Кротон, недовольные и молчаливые. Виктория и Чарлз, очевидно, находились в состоянии войны, а Джеффри еще до конца не оправился от болезни. Ему повезло с такой сиделкой, как Оливия. Две девочки в его классе умерли от осложнений.

Оливия возблагодарила Бога за то, что уберег Джеффри, а Чарлз, со своей стороны, осыпал своячицу похвалами.

Как-то они отправились на прогулку к реке. Оба молчали, любуясь чудесным видом. Оливия не навязывалась с расспросами, чувствуя, как тяжело Чарлзу. Сам он понимал, что натворил. Предал единственную любовь, думая, что делает это ради сына, а на самом деле пытался защититься от сердечной боли.

Он долго смотрел на Оливию, прежде чем отправиться назад. Она попыталась взять Чарлза за руку, но тот мягко отстранился, не желая ничьих прикосновений, особенно куда более сострадательной и участливой, чем Виктория, своячицы. Не хотел напоминаний о том, какой крах потерпела его супружеская жизнь. И хотя Оливии на миг стало больно, она все же поняла его и не обиделась.

Она уже не надеялась, что все обойдется, но хотя бы не слышала жалоб от сестры. За день до отъезда Виктория вбежала в ее комнату.

— Мне нужно поговорить с тобой, — объявила она, и на какое-то безумное мгновение Оливии показалось, что сестра беременна. Хоть бы это так и оказалось! Ребенок обязательно соединит супругов.

Но Виктория вместо этого нанесла сестре тяжкий удар. Она подсела ближе, взглянула в глаза сестры и осторожно коснулась ее щеки.

— Я уезжаю.

— Что?

— Ты слышала меня, Оливия. Больше ни минуты не вытерплю.

— Но как ты можешь так поступить с близкими людьми? Откуда такой безмерный эгоизм?

В эту минуту Оливия думала не о себе, не о том, что будет с ней, а о Чарлзе и Джеффри.

— Я умру, если останусь, Олли, поверь мне.

Она металась по комнате, время от времени поглядывая на сестру.

— Пожалуйста, займи мое место, если так тревожишься за них.

— Но куда ты поедешь? — в ужасе пробормотала Оливия.

— В Европу. Скорее всего во Францию. Стану работать в прифронтовом госпитале или водить машину. Я неплохой водитель.

— Скажи это отцу, — сквозь слезы предложила Оливия. — А твой французский отвратителен. Вспомни, я сдавала за тебя все экзамены.

— Я научусь... Олли, пожалуйста, не плачь, только сделай это ради меня. В самый последний раз. Пойми, всю жизнь я бегала на лекции и собрания, боролась за то или иное правое дело. Дай мне три месяца. Всего три месяца. Я отплываю через три недели и вернусь к концу лета. Мне хочется хоть раз в жизни сделать что-то для людей. Ты заботишься только о близких, а мои цели куда шире.

Она была настроена так решительно, что сестра испугалась.

— Оставайся здесь, и я найду тебе занятие. Возиться в саду, складывать белье... О, Виктория, не уезжай! Что, если с тобой что-нибудь случится?

Потерять сестру... хотя бы на день и час... а вдруг навсегда? Нет, немыслимо! Достаточно тяжело было привыкнуть к тому, что Виктория больше не живет в Кротоне, но по крайней мере до Нью-Йорка всего час езды! И Оливия постоянно и с трудом удерживалась от того, чтобы не помчаться туда!

— Не волнуйся, ничего со мной не случится, — заверила Виктория.

Сестры обнялись и долго стояли прижавшись друг к другу. Как часто Оливия думала, что без Виктории комната, в которой они жили двадцать лет, кажется пустой!

— Олли, я не могу здесь больше жить. Рано или поздно нам все равно придется разлучиться. Может, если меня здесь не будет, все пойдет по-другому.

— Почему тебе прямо все не рассказать? — рассудительно заметила Оливия, поднося к носу платочек. — Объясни Чарлзу. Он человек умный и все поймет.

— Чарлз никогда меня не отпустит, — возразила Виктория с такой уверенностью, что Оливия была вынуждена с ней согласиться.

— А если я займу твое место, — задумчиво спросила Оливия, — значит, они посчитают, что я уехала?

Неужели Виктория не понимает, что подобный поступок совсем не в ее духе?

— Мы можем сказать, что ты отправилась в Калифорнию на несколько месяцев, немного отдохнуть.

— Все подумают, что только чудовищная эгоистка могла бросить отца, — покачала головой Оливия. Нет, это немыслимо!

— Отец поймет, — с надеждой выдохнула Виктория, удивляясь, что разговор зашел так далеко. И к тому же Оливия качает головой, словно думая о чем-то еще. О чем? Кажется, она знает... — Он не прикоснется к тебе. Между нами вообще ничего нет, вот уже много месяцев. Никто из нас этого не желает.

Оливия потрясенно распахнула глаза. Все это время она надеялась, что у Виктории рано или поздно появится ребенок!

— Почему?

Чарлз казался таким энергичным, живым и обаятельным — словом, настоящим мужчиной. И к тому же он еще молод. Просто невероятно! Уж не ее ли сестра во всем виновата?!

— Понятия не имею, — вздохнула Виктория, — слишком много призраков... Сьюзен... Тоби... Мы оба сознаем, что между нами что-то неладно. А самое главное — мы просто не любим друг друга.

— Не верю, — твердо заявила Оливия.

— Как угодно, но это правда, — усмехнулась Виктория, не отводя глаз. — Он мне безразличен. Всегда был, есть и будет.

— А когда ты вернешься, что-то изменится?

— Возможно, найду в себе мужество наконец уйти от него навсегда.

— Что ты будешь делать, если я откажусь занять твое место? — прошептала убитая горем Оливия.

— Все равно уеду. Только не скажу ему куда. Не желаю, чтобы он бросился за мной в погоню. Я вернусь, когда хорошенько обдумаю, как мне жить дальше. Напишу тебе на адрес нью-йоркского дома. Будешь забирать оттуда почту, и никто ничего не узнает.

По-видимому, у нее уже все решено. Оливия, шокированная до глубины души, не ведала, что предпринять. Основным препятствием был отец. Она смертельно боялась разбить его сердце, и все же любовь к сестре превозмогала все сомнения, хотя Оливия и понимала, что сумасбродство Виктории перешло всякие границы. И тут она вспомнила о Джеффри.

— Он обязательно узнает меня, Виктория. Джеффри — единственный, если не считать Берти, кого мы не сумеем одурачить.

— Нам все удастся, если ты будешь вести себя как я. Не будь с ним такой милой, — посоветовала Виктория, и Оливия строго погрозила пальцем.

— Стыд и позор! Как ты можешь так говорить?

— Потому что я ужасная, подлая, но все равно люблю тебя... Ладно, так и быть, стану сюсюкать с ним и Чарлзом оставшиеся три недели, чтобы они не заметили разницы. Перестану курить... и... Господи, что за мысль... ограничусь всего несколькими глотками хереса после ужина — и то если Чарлз предложит.

Она растянула губы в насмешливой улыбке, а Оливия, краснея, как стыдливая невеста, негодующе воззрилась на сестру.

— Какие великие жертвы! — саркастически бросила она. — Кстати, почему ты так уверена в моем согласии?

— А что ты скажешь? — робко спросила Виктория и, затаив дыхание, стала ждать ответа.

— Н-не знаю... — нерешительно протянула Оливия.

— Но ты подумаешь над моими словами?

— Возможно.

Что ни говори, а это возможность находиться рядом с дорогими ей людьми и заодно сохранить брак Виктории. Остается надеяться, что Виктория со временем придет в себя и возьмется за ум. Если Оливия откажется, сестра отрежет себе все пути назад. Наверное, удержать ее от гибельного шага куда важнее, чем ухаживать за отцом. Кроме того, Оливия будет совсем близко и, если что-нибудь случится, за ней немедленно пошлют. Разумеется, это не одно и то же, но нужно как-то устраиваться, если придется заметать следы.

— Ну же! — нетерпеливо прошипела Виктория. — С отцом ничего не произойдет, да и ты не на другом конце света.

— Нет, но папа посчитает, будто я неблагодарная тварь, которая удрала и бросила его.

— Ну и что? — зло спросила Виктория. — Он же принимает как должное, что ты должна быть прикована к нему, вместо того чтобы искать мужа!

— Спасибо огромное, но я не нуждаюсь ни в каком муже, — отрезала Оливия. — Мне и так хорошо.

Но, будь все иначе, она отдала бы все, чтобы быть рядом с Чарлзом. Правда, Оливия не позволяла себе думать об этом. Даже если она и займет место сестры, то лишь для того, чтобы помочь им всем, а отнюдь не ради собственных мелких интересов.

Оливия твердила себе это как заклинание и отчаянно пыталась верить, хотя в душе сознавалась, что сама мысль о подмене отчего-то кажется чересчур привлекательной.

— Можешь получить моего супруга! — полушутя-полусерьезно объявила Виктория. — Причем на любой срок. На три месяца или навечно.

Оливия едва не охнула. Значит, сестра не забыла, что она была увлечена Чарлзом! Правда, все это в прошлом, и Виктория знала, что Оливия никогда бы не посмела украсть у нее мужа. Оливия для этого была слишком порядочной, преданной и честной и к тому же умела держать свои чувства в узде. Она никогда больше не позволяла себе предаваться мыслям о Чарлзе и искренне желала ему счастья со своей сестрой.

— Смотри, если не вернешься к концу лета, я всем расскажу правду и сама поеду и притащу тебя за волосы, — строго велела она, и Виктория смеясь заметила:

— Нас обеих просто бросят в тюрьму за подобное преступление!

— А ты, вероятно, только этого и добиваешься, — в тон ей простонала Оливия.

— Кто знает? — снова засмеялась Виктория, обнимая сестру и молясь, чтобы та сдержала слово. Впереди свобода. Она заплатила слишком высокую цену за свои грехи, и теперь никому ничего не должна.

— Пожалуйста, соглашайся, Оливия, прошу... Я буду паинькой до конца жизни, клянусь! Стану вязать салфеточки, чистить тебе туфли и никогда не попрошу меня подменить. Умоляю, сделай это для меня в последний раз!

— Только если пообещаешь вернуться и стать образцовой женой и матерью.

Улыбка Виктории поблекла.

— Не могу, дорогая. Не знаю, что будет дальше. Может, он откажется меня принять.

— В таком случае Чарлз не должен узнать, — тихо заключила Оливия. — Когда ты отплываешь?

— Первого мая.

Еще есть время подготовить отца и сделать все возможное, чтобы никто не заметил подмены.

Женщины обменялись долгими твердыми взглядами, и Оливия медленно кивнула. Виктория испустила торжествующий вопль, и обе снова обнялись. Оливия сокрушенно осознала, что с нетерпением ждет заветного дня. Они шепотом обсудили детали, оглядываясь, как две озорницы-заговорщицы, хотя Оливия невольно задавалась вопросом, во что же она впуталась. Но несмотря на все сомнения и мучительные раздумья, она знала, что Виктория не даст ей отступить.

Они спустились вниз, где Джеффри играл с пушками, и обе сразу инстинктивно поняли, как себя вести. Виктория спрятала руку в карман, чтобы мальчик не заметил обручального кольца, и тепло улыбнулась.

— Вижу, сражение в самом разгаре, — пропела она, погладив мальчика по голове. — Как насчет лимонада с печеньем?

Джефф обожающе уставился на нее и, просияв, произвел меткий залп. Солдатики повалились на ковер, а Оливия грозно нахмурилась.

— Мне не нравятся подобные забавы! Глупо и противно! — процедила она, проходя мимо. Мальчик равнодушно оглянулся на нее и, пробормотав извинение, вновь взялся за пушку.

— Прости, Виктория, но папа разрешил...

И подмигнул женщине, которую считал Оливией. Виктория подхватила его под руку, и оба направились на кухню. Оливия потрясенно качнула головой. Им впервые удалось его обмануть!

— Все будет хорошо, — прошептала Виктория позже, хотя Оливия с беспокойством ожидала встречи с отцом Джеффри.

Глава 19

Для Оливии самой трудной частью спектакля оказалась попытка придумать, что сказать отцу. Правда, последнее время он чувствовал себя куда лучше и даже подумывал навестить Викторию, но Оливия отсоветовала. Его визит только осложнил бы все. Она напомнила, что Виктория и Джефф должны приехать в июне и провести с ними целый месяц. Лучше не трогаться с места и спокойно ждать.

Этим летом Чарлз собирался снять дом у моря и провести с семьей июль и август. Он даже пригласил Хендерсонов в гости, не зная, что Оливия и без того будет рядом. Но ко времени их возвращения настоящая Виктория, даст Бог, уже окажется дома. Оливия заранее приготовила для сестры свой паспорт.

— Как по-твоему, они ладят между собой? — к удивлению Оливии, осведомился однажды отец, как раз в тот момент, когда она обдумывала письмо, которое ему напишет, с сообщением, что уезжает в Калифорнию. Она объяснит, что следует религиозному призванию и должна побыть одна. Остается лишь молиться, чтобы отец ей поверил. — Иногда я волнуюсь за нее, — добавил отец. — Чарлз — прекрасный человек, но временами я чувствую, что она несчастлива с ним.

Оливия испуганно молчала.

— Н-не думаю, — наконец выдавила она. — Похоже, у них все хорошо. Правда, Чарлз очень любил жену, и ему трудно привыкнуть. Да и Джеффу...

Отцу не присуща была подобная проницательность. Странно...

— Надеюсь, ты права. Последнее время Виктория сама не своя. Все время нервничает и...

О Боже! Оливия поспешно отвернулась от Эдварда, стараясь скрыть слезы. Какой удар она нанесет отцу! Но он поразил ее еще больше, мягко спросив:

— А ты, дорогая? Тебе не слишком одиноко здесь, со мной?

— Иногда мне ужасно не хватает Виктории, — хрипло пробормотала она, — но я люблю тебя, папа... и всегда буду любить, где бы ни была. Знай это.

Он подметил какое-то странное выражение в ее глазах, но побоялся допытываться, в чем дело. Не стоит будить спящую собаку.

— Ты хорошая девочка, — шепнул Эдвард, погладив дочь по руке, — и я тоже люблю тебя.

Вечером она принялась писать письмо, в котором постаралась выразить свои чувства к отцу. Она заберет письмо в Нью-Йорк, а потом, под видом сестры, привезет обратно. Вероятно, она чересчур все усложняла, но ничего проще не сумела придумать. Нельзя же отдать письмо Берти и попросить вручить отцу через три дня!

Она с трудом нацарапала, что, как отец и предполагал, жизнь без Виктории невыносима и теперь ей придется найти свой собственный путь в жизни. И чтобы сделать это, необходимо уехать на несколько месяцев, навестить друзей и пожить в монастыре в горах Калифорнии.

Она сама сознавала, что все это со стороны должно казаться полнейшим безумием, но ничего более подходящего не приходило в голову. Оливия заверила отца, что все будет в порядке, пообещала писать и вернуться к концу лета. Добавила, что ее пригласила школьная подруга, хотя отец прекрасно знал, что они в двенадцать лет ушли из школы. Он, разумеется, сочтет это наглой ложью и будет прав. Но Оливия несколько раз повторила, что любит отца, что он никоим образом не виноват в ее поспешном исчезновении, что она просто желает ненадолго остаться одна и вернется окрепшей духом и еще более преданной ему, чем раньше. Говоря по правде, именно этого Оливия желала сестре. На страницу падали слезы, и строчки расплывались. Перед глазами все кружилось, и она даже не помнила, как подписалась.

Потом девушка набросала несколько строчек Джеффу и короткую записку Берти где просила позаботиться об отце.

«Я скоро приеду. Не покидай отца. Я люблю тебя. Олли».

Она, задыхаясь, положила записку в конверт и долго лежала без сна, не понимая, что нашло на них обеих и как она могла согласиться на сумасбродный план сестры. Виктория просто спятила, а она тоже сумасшедшая, если потворствует ей. Оставалось лишь надеяться, что Чарлз не обнаружит их проделки и не разведется с Викторией. На плечи Оливии ляжет вся тяжесть содеянного!

На следующее утро она проснулась, полная решимости отговорить сестру. Правда, зная Викторию, можно было без сомнения сказать, что та скорее умрет, чем согласится отступить.

Оливия поцеловала на прощание отца и долго стояла, прижавшись щекой к его щеке, желая в эту минуту лишь одного — остаться с ним навсегда. И пусть когда-то Оливия мечтала о другом, с тех пор она успела смириться с судьбой и уже заранее скучала по той жизни, которой вот-вот лишится.

— Повеселись хорошенько в Нью-Йорке и скупи там все магазины, — наказывал он, и угрызения совести вновь принялись терзать Оливию острыми когтями.

— Я люблю тебя, папочка, — прошептала она, и отец, в последний раз поцеловав ее, отправился в сад.

По дороге в город она была необычайно молчалива, и даже Донован это заметил и долго обсуждал со слугами. Но позже все стало понятным. Она, должно быть, просто чувствовала себя виноватой! Никто и представить не мог, что их скромная, милая, порядочная хозяйка открыто живет с зятем.

Оливия прибыла в дом сестры к трем часам, до того, как Джефф вернулся из школы. Виктория уже ждала, и, несмотря на то что она держалась спокойно и почти холодно, Оливия сразу заметила ее волнение. Завтра утром Виктория отплывает в Европу. Сначала Оливия собиралась приехать на несколько дней раньше, но потом сестры решили, что это будет неблагоразумно: они начнут нервничать, и Чарлз обязательно что-то заподозрит. Кроме того, Оливия хотела как можно больше времени провести с отцом.

Она отдала Виктории свой паспорт, а та вручила ей ключи, документы и список имен слуг, знакомых, секретаря Чарлза и учителя Джеффа. Вот и все. Поразительно мало деталей, никаких сложностей, нечего особенно запоминать. Все, что Оливии остается, — на следующее утро назваться именем сестры и принять ее обязанности.

Когда вернулся Джефф, Оливия все еще не пришла в себя.

— Что-то случилось, тетя Олли? — встревожился мальчик. — Дедушка заболел?

— Нет, дорогой, все в порядке. Он передает тебе привет.

Она улыбнулась, мысленно наказывая себе вести себя с Джеффом поосторожнее. Правда, Виктория, верная слову, обращается с пасынком куда мягче обычного. Значит, может, если захочет.

— Вот видишь, — заметила Оливия, когда Джефф отправился делать уроки, — ты не хуже меня ладишь с Джеффри.

— Просто притворяюсь тобой. А в обычное время даже не вспоминаю о нем.

— Еще будет время исправиться, когда вернешься, — подчеркнула Оливия, обретая неожиданную уверенность в том, что короткая разлука только скрепит брак сестры. В ее мечтах Виктория представала уставшей от своих эскапад, благодарной Чарлзу, истосковавшейся по теплу и ласке. Они заживут счастливо, а Оливия благополучно вернется в Кротон.

И все обойдется. Иначе просто быть не может. Однако ей стало немного не по себе, когда вернулся Чарлз и Виктория в последнюю минуту, когда он уже поднимался на крыльцо, попросила Оливию разыграть роль сварливой жены. Оливия была холодна с «мужем», что, впрочем, ничуть его не удивило, спросила, как прошел день, упомянула какую-то газетную статью. Через несколько минут он поднялся в свой кабинет, так и не поняв, что все это время разговаривал со свояченицей.

— Видишь, как это легко! — торжествовала Виктория. — Все прошло как по маслу!

Сестра была права, как это ни удивляло Оливию. Эту ночь она спала в комнате Джеффри, прижимая мальчика к себе и радуясь последней возможности приласкать его. Отныне ей придется быть куда сдержаннее, но возможно, через некоторое время она позволит себе стать ближе к «пасынку». Наверное, он тоже будет безутешен, узнав, что она отправилась в Калифорнию, вместо того чтобы провести с ним лето.

Утром Оливия помогала Джеффу одеться. Была суббота, и он собирался к другу. Виктория обо всем договорилась неделю назад. Оливия со слезами смотрела на Джеффа, поправляя ему галстук. Хоть бы он ничего не заметил.

— Я очень, очень тебя люблю, — шепнула она, — знай это, что бы ни случилось, даже если я ненадолго уеду. Но я вернусь. Обязательно. Ни за что тебя не покину.

— Ты куда-то собралась? — удивился Джефф и, увидев ее влажные глаза, охнул: — Тетя Олли, да ты плачешь!

— Нет, родной, всего-навсего простудилась. И все равно люблю тебя, хоть я и глупая сентиментальная старая дура.

— Угу, — ухмыльнулся мальчик и повел Чипа на прогулку.

Семья вновь собралась за столом. Оливия хотела отказаться завтракать — на случай, если Виктории придет в голову молча попрощаться с родными, но сестра вовсе не собиралась делать ничего подобного. Наоборот, Оливия еще никогда не видела сестру такой веселой. Она даже поцеловала Джеффри, когда тот уходил, хотя это было совсем на нее не похоже. Виктория действительно старалась изо всех сил и была так счастлива, что не увидит их целых три месяца!

Свободна, наконец свободна! И после трехнедельного воздержания сегодня закурит!

Чарлз, как часто бывало по субботам, уехал в контору, шутливо наказав сестрам на прощание:

— Не натворите бед, озорницы! У меня полно работы, так что приглядывать за вами некому!

Виктория рассчитывала на отсутствие мужа и сейчас облегченно вздохнула. Реши он остаться дома, и весь план бы рухнул. Пришлось бы искать другой выход, и она решилась бы на все, чтобы добиться своего.

— Желаю успеха, — чуть презрительно бросила Виктория, и Чарлз поспешил к выходу.

Когда дверь закрылась, сестры побежали наверх в спальню. Виктория отдала сестре обручальное и венчальное кольца, и Оливия медленно надела их на палец. Идеально подошли, ведь руки у них одинаковые. Виктория в последний раз оглядела комнату.

— Ну, кажется, все.

— Так просто? — пробормотала Оливия, и сестра кивнула. Ей было тяжело покидать Оливию, но как прекрасно — оставить позади прошлую жизнь и Чарлза! Жаль, что она не поняла, чем все кончится, еще до свадьбы, — она никогда и ни за что не пошла бы к алтарю, что бы ни делал отец.

— Береги себя, — сказала Виктория. — Я тебя люблю.

Она крепко обняла сестру, но тут же отстранилась.

— И ты тоже, — расстроенно пробормотала Оливия. Если с тобой что-то случится...

Она не договорила: в горле застрял комок.

— Ничего не случится. Следующие три месяца я проведу свертывая бинты и подавая кофе немытым и небритым солдатам, — вздохнула она, и Оливия состроила гримаску:

— Не могу представить тебя в этой роли.

Вместо того чтобы вести спокойную обеспеченную жизнь в доме мужа, Виктория готова рисковать собой ради непонятных идеалов.

— Кто-то должен делать это, — спокойно заметила Виктория, переодеваясь в простое черное платье. На чердаке был спрятан ее единственный чемодан. Она отнесла его вниз и надела скромную шляпу с густой черной вуалью.

— Зачем это? — удивилась Оливия, которой сестра показалась на удивление уродливой. Совершенно вдовий наряд, и сквозь вуаль только смутно просвечивают глаза.

— На корабле много фотографов. «Лузитания» — прекрасное судно. Даже лучше «Аквитании».

И на этот раз рядом не будет ненавистного мужа. Она летит вдаль, к вожделенной свободе. Она зарезервировала каюту первого класса, куда менее роскошную, чем ту, которую делила с Чарлзом. Кроме того, Виктория сняла со счета часть денег, подаренных отцом на свадьбу. Чарлз ничего не заподозрил. Теперь у нее было пятьсот фунтов наличными, но вряд ли ей понадобятся деньги на фронте. С собой она везла теплую одежду и несколько платьев понаряднее для корабля. Правда, она намеревалась просидеть большую часть плавания в каюте, так как боялась, что ее увидит кто-нибудь из знакомых и начнутся сплетни.

— Ты обо всем подумала, верно? — грустно пробормотала Оливия. У нее сердце разрывается, а сестра сияет от радости!

Они взяли такси до пристани. И всю дорогу держались за руки. На пирсе царила обычная суматоха, с палубы доносилась оглушительная музыка, люди смеялись, кричали, шампанское лилось рекой, и «вдова», поспешно опустив тяжелую вуаль, вместе с сестрой поднялась по сходням. Они без труда нашли каюту Виктории. Носильщик уже принес чемодан.

Сестры долго стояли, глядя друг на друга. Да и нужны ли слова? Виктория отправляется на войну, а Оливии придется выносить не только разлуку, но и притворяться чужой женой. Ей хотелось умолять Викторию остаться, но она понимала, что это бесполезно.

— Я буду знать все, что ты делаешь, так что не своди меня с ума своим молчанием, ясно? — предупредила она Викторию.

— Попытаюсь, — грустно засмеялась Виктория. Они всегда и все друг про друга знают! — Хорошо еще, что хоть ты будешь с Чарлзом в безопасности. Не забудь ссориться с ним днем и ночью, иначе он сразу тебя разоблачит!

Оливия снова обняла сестру.

— Поклянись, что вернешься живой и здоровой.

— Клянусь! — торжественно объявила Виктория, и тут раздался свисток: провожающих просили покинуть судно.

— Я не могу отпустить тебя! — отчаянно вскрикнула Оливия, цепляясь за сестру.

— Сможешь, — спокойно возразила Виктория, — отпустила же ты меня в свадебное путешествие.

Оливия кивнула, и Виктория проводила ее к сходням. Как же все-таки она смешно выглядит в своей дурацкой шляпке!

Оливия невольно улыбнулась.

— Я люблю тебя, дурочка ты этакая, и не знаю, почему позволила тебе эту выходку!

— Потому что понимаешь: иного выхода нет.

И это верно. Откажись Оливия заменить сестру, она все равно уехала бы. Они обнялись в последний раз, и Оливия сквозь вуаль увидела блестящие капли, катившиеся по щекам Виктории. Она сама тоже плакала.

— Я люблю тебя, — в который раз повторила Оливия, и Виктория с силой стиснула руки.

— Я тоже, и... О Господи, Олли, спасибо за то, что вернула мне жизнь.

Оливия поцеловала сестру.

— Храни тебя Бог, — прошептала она и медленно зашагала по сходням.

Глава 20

Остаток дня Оливия провела как во сне, не находя себе места. Она бесцельно бродила из комнаты в комнату, думая о сестре. «Лузитания» уже вышла в море, и хотя Оливия сильно нервничала, все же хотела, чтобы Джеффри и Чарлз поскорее пришли. Тогда ей хотя бы не будет так одиноко. Виктории, наверное, немного легче. Она уже однажды уезжала, и вот теперь все повторяется. Но Оливия чувствовала себя потерянной и несчастной без сестры.

Кроме того, когда Чарлз с сыном вернутся, ей придется безупречно сыграть свою роль. Театр одного актера... Письма для Джеффа и отца готовы. Оливия даже написала себе записку, в которой пыталась объяснить, почему уехала в Калифорнию. Она якобы села на поезд до Чикаго, не попрощавшись с сестрой.

Постепенно она немного успокоилась, и вернувшийся Чарлз остановился на пороге, с ужасом глядя на жену. Он мгновенно понял: случилось нечто ужасное, и, забыв обо всех спорах и недоразумениях, бросился к жене.

— Ты заболела?

Она была смертельно бледна и полулежала в кресле.

— Что стряслось?

— Олли... — выдавила жена.

Олли? Но это наверняка не несчастный случай, иначе Виктория была бы в больнице рядом с сестрой. Какой бы бессердечной подчас ни казалась жена, Чарлз знал, как она обожает сестру.

— Олли уехала!

— Домой? — удивился Чарлз. — И это все?

Виктория — или женщина, которую он считал женой, — выглядела так, словно кто-то умер. Значит, дело не в этом. Произошло что-то еще.

— Вы поссорились?

Последнее время Виктория набрасывалась на всех подряд, без разбора. Неужели на этот раз ее жертвой стала Олли?

Оливия покачала головой. Ей было так плохо без сестры, что она даже не притворялась.

— Отец заболел?

Вместо ответа Оливия вручила ему письмо, адресованное Виктории. Почерки у сестер были так схожи, что никто, даже Берти, не мог их различить.

В письме говорилось, что, как Оливии ни тяжело, она вынуждена уехать на несколько месяцев, так как жизнь ее стала невыносимой без Виктории. Осознав, что она слишком зависима от сестры и угнетена пустотой существования в Кротоне, Оливия решила уединиться и хорошенько все обдумать. Она даже добавила, что, возможно, уйдет в монастырь, поскольку все равно решила не выходить замуж.

— Господи, — в ужасе пробормотал Чарлз, — какой кошмар!

Он порылся в карманах и поспешно открыл бумажник.

— Денег достаточно. Я еду в Чикаго и попытаюсь ее вернуть. Она не может так поступить! Это убьет Эдварда!

Оливия тоже этого боялась. Оставалось надеяться, что Чарлз — плохой пророк.

— К тому времени когда ты попадешь в Чикаго, — заметила она, — Оливия уже будет на пути в Калифорнию. — Не хватало еще, чтобы Чарлз отправился искать ветра в поле! — Все равно ты ее не найдешь.

Чарлз почти рухнул на стул. Как могла Оливия сотворить такое! Представить невозможно!

Знай он жену лучше, мгновенно заподозрил бы нечестную игру, но все дело в том, что жену он так и не успел узнать.

— Тебе известно, куда она отправилась? И к кому? Что это за подруга? — бормотал Чарлз, очевидно, вне себя от тревоги, и Оливия почувствовала себя вдвойне негодяйкой оттого, что обманывает такого прекрасного человека. Как он переживает за свояченицу!

— Она ужасно скрытная, — всхлипнула Оливия и залилась слезами, охваченная тоской по сестре и угрызениями совести.

— О, дорогая, — посочувствовал Чарлз, обнимая ее, и это потрясло Оливию. Такого она не ожидала. — Мне очень жаль. Может, она передумает и через несколько дней вернется? Не стоит пока говорить отцу, подождем, что будет.

— Ты не представляешь, как она упряма, Чарлз! — пожаловалась Оливия. — Она совсем не такая, какой кажется.

— Очевидно, — вздохнул он, неодобрительно качая головой. — Думаешь, твой отец ее совсем измучил? Я всегда считал несправедливым, что она прикована к нему и не имеет ни собственной жизни, ни друзей, ни поклонников. Она никуда не выезжает, а ему, кажется, все равно — главное, чтобы она сидела дома и заботилась о нем. И вот к чему это привело!

— Возможно.

Оливия не думала ни о чем подобном, но Чарлз отчасти прав. Что, если отец тоже так посчитает? Вряд ли...

Но Оливия тем не менее чувствовала себя преступницей.

— Но если она написала, что пробудет там несколько месяцев, значит, так тому и быть. Она оставила отцу письмо. Я хотела отвезти его завтра.

— Не считаешь, что лучше все-таки подождать с недельку? — всполошился Чарлз.

— Ах, Чарлз, все это абсолютно бесполезно. Отец не заслужил, чтобы ему лгали.

— Я отвезу тебя, — вздохнул он, и Оливия кивнула.

— Она что-нибудь говорила вчера вечером? И даже не намекнула?

— Ничего, — сокрушенно вздохнула Оливия, и у Чарлза не хватило духу сказать, что самоубийцы тоже ведут себя подобным образом. Может, это к лучшему, что свояченица всего-навсего сбежала, а не выкинула что похуже! Но он впервые за много месяцев почувствовал к жене нечто вроде жалости. Она выглядела такой несчастной и убитой горем, что неожиданно напомнила ему Оливию.

Но настоящая трагедия разыгралась, когда вернулся Джефф. Он безудержно рыдал, узнав об исчезновении тетки, и едва не бился в истерике, прочитав письмо.

— Совсем как мама, — всхлипывал мальчик, пряча голову на плече отца, и Оливия, не выдержав, залилась слезами.

— Она никогда не вернется, я знаю!

— Вернется, — твердо пообещала Оливия. — Вспомни, что она тебе говорила... Куда бы она ни уехала, все равно будет любить тебя и обязательно приедет.

Мальчик даже не спросил, откуда ей известно, что сказала тетка, но Оливия тут же напомнила себе, что следует следить за своими словами.

— Она не лгала, Джефф, — продолжала девушка уже спокойнее, подражая сестре. — Оливия действительно любит тебя как сына, которого у нее нет и не будет. Нужно только набраться терпения и подождать.

Но Джефф отказывался ей верить, и позже Оливии пришлось объяснить, что его мать обязательно приехала бы, если бы могла.

Было уже довольно поздно, и она играла с собакой, лежа на постели Джеффа, постоянно ощущая непривычный вес колец Виктории на пальце.

— Неправда, она могла бы вернуться, но не захотела! — рассерженно выпалил Джефф. Он злился на Оливию, покинувшую его, и та не осуждала ребенка, просто удивилась неожиданному взрыву.

— О чем ты, Джефф? — недоуменно осведомилась она.

— Могла бы сесть в шлюпку рядом со мной и осталась бы жива!

— Она уступила место ребенку и спасла ему жизнь. Это очень мужественный поступок.

Мальчик нерешительно посмотрел на нее, пожал плечами, и по его щекам скатились две слезинки.

— Я все еще скучаю по ней, — прошептал он. Обычно Джефф не откровенничал с Викторией, но на этот раз так расстроился, что забыл о привычной сдержанности.

Оливия осторожно коснулась его руки.

— Знаю. И знаю, как тебе недостает Олли. Мне тоже... но может быть, теперь мы сумеем стать друзьями.

Он как-то странно уставился на нее, и Оливия поспешно отвернулась, в который раз напомнив себе, что заходит слишком далеко. Поцеловав мальчика, она вышла и направилась в спальню. Вечер выдался на редкость тяжелым, и все из-за сестры!

— Как он? — немедленно спросил Чарлз.

Он места себе не находил из-за сына, неожиданно потерявшего женщину, заменившую ему мать. Виктория почти не обращает внимания на Джеффа, хотя сегодня была чуточку внимательнее, и это радовало Чарлза. Он боялся представить, что было бы, останься она и сегодня равнодушной к пасынку. Но видимо, и в ней есть нечто, похожее на человечность.

— Он очень расстроен, — тихо заметила Оливия. — И трудно его осуждать. В толк не возьму, что это на нее нашло. Для меня это такая же тайна, как и для него.

Она устало опустилась на постель, от всей души желая Виктории свалиться с приступом морской болезни. Так ей и надо бы! Только сейчас Оливия по-настоящему осознала, в какую ужасную ловушку позволила себя поймать. А завтра предстоит еще разговор с отцом.

— Может, она тайно влюблена в кого-то?

Оливия искренне рассмеялась. Какой вздор! Ей вообще никто не нравился, кроме Чарлза, и то она всеми силами старалась скрыть это унизительное, постыдное чувство.

— Ни за что не поверю! Такие вещи просто ее не интересуют. Оливия очень застенчива, — как ни в чем не бывало заверила Оливия, и муж ответил насмешливым взглядом.

— Совсем как ты, дорогая? — саркастически хмыкнул он.

— Что ты хочешь этим сказать?! — взвилась Оливия. Именно так поступила бы сестра, поэтому долго раздумывать не приходилось.

— По-моему, тебе это известно не хуже меня. Вряд ли можно утверждать, что наша совместная жизнь полна романтики, не так ли?

— Не знала, что именно этого тебе недостает, — отпарировала Оливия, и, судя по виду, Чарлз, нашел ее сарказм совершенно естественным.

— Честно говоря, я не ожидал такого финала. Как, впрочем, и ты, — грустно вздохнул он, и Оливия сочувственно взглянула на него.

Чарлз удивленно поднял брови — такого он не ожидал — и поспешил сменить тему. Виктория достаточно натерпелась за сегодняшний день, не стоит изводить ее ненужными ссорами. Кроме того, какой смысл? Все равно их брак окончательно распался, и остается лишь поддерживать видимость.

— Когда ты собираешься к отцу?

— Дорога достаточно долгая, придется ехать с утра. Ты не против поехать со мной?

Оставалось надеяться, что он не передумал. В отличие от сестры Оливия не умела водить машину. Придется звонить Доновану и солгать, что она слишком расстроена и боится сесть за руль.

— Я с радостью тебя отвезу. Не возражаешь, если мы возьмем Джеффа?

Чарлз немного побаивался, что жена начнет возражать, поскольку мальчик неизменно ее раздражал, и уже приготовился было к отказу, но был приятно разочарован.

— Разумеется, нет, — заверила жена.

Положительно, исчезновение сестры благоприятно повлияло на нее. Она словно бы смягчилась, казалась куда беззащитнее, и в ней появилось нечто неуловимое, чему трудно было подобрать название. Виктория казалась более покорной и словно бы съежилась. Стала чуть-чуть менее вызывающей.

Надев ночную рубашку Виктории, Оливия улеглась, отодвинулась как можно дальше от мужа и почти всю ночь продрожала на краю постели. Она впервые спала рядом с мужчиной и, не будь так перепугана, наверняка нашла бы это забавным. Правда, она страшно боялась, что Чарлз каким-то образом обнаружит подмену и вышвырнет ее из дома в одной рубашке. Но конечно, ничего подобного не произошло. Он смотрел на нее в темноте, гадая, будет ли уместным обнять жену, но так и не посмел. Она повернулась к нему спиной и, похоже, плакала. Наконец Чарлз осторожно положил ей руку на плечо.

— Не спишь? — прошептал он. Оливия покачала головой, но ничего не ответила.

— У тебя все в порядке? — не отставал Чарлз, и на этот раз она улыбнулась, радуясь, что он ничего не заметил.

— Более или менее, — тихо ответила она. — Просто все время думаю о ней.

Это было чистой правдой. У нее из головы не шла Виктория.

— С ней все будет в порядке. Она умеет постоять за себя, — рассудительно заметил Чарлз. — Немного отдохнет и вернется. Не навсегда же она исчезла.

«Хорошо, что он не понимает, о ком говорит», — грустно подумала Оливия.

— А если с ней что-нибудь случится?

Жена едва ли не впервые обратилась к нему за помощью, и Чарлз осмелился подвинуться чуть ближе.

— Не думаю. Индейцы давно покорены, большинство разбрелись по циркам и всяким шоу. За девять лет там не было ни одного землетрясения. Скорее всего Оливия проведет там прекрасное лето.

— А если снова землетрясение? Или пожар? Или... или война?

— В Калифорнии?! Вряд ли мы в ближайшее время объявим Калифорнии войну.

Он повернул жену лицом к себе и в холодном лунном свете увидел, что она действительно плачет. Совсем как одинокая обиженная девочка.

— Тебе лучше уснуть и хоть на время перестать волноваться. Твой отец, возможно, немедленно наймет армию сыщиков, и через несколько дней ее привезут домой.

Но Виктория так далеко от Калифорнии! Как Оливия могла отпустить ее? Может, послать на судно телеграмму и объяснить, что она передумала и что сестра должна немедленно вернуться? Она еще успеет сделать это, прежде чем «Лузитания» бросит якорь в ливерпульской гавани.

И тут Оливия вспомнила о германских подводных лодках, взявших британские порты в кольцо. О чем она думала, когда соглашалась на эту авантюру?!

От ужаса она заплакала еще громче и, сама того не сознавая, позволила Чарлзу обнять ее и прижать к себе. От него едва уловимо, приятно пахло мылом и одеколоном. Очевидно, он побрился перед сном. Оливия на миг застыла, завороженная теплом и мужской силой, но тут же сконфуженно отстранилась. Что она делает? Такие вольности просто неуместны!

— Прости, мне так неловко, — смущенно пробормотала она.

— Ничего страшного, — с некоторым удивлением выговорил Чарлз, не сознаваясь самому себе, что ему это понравилось.

Оливия снова отодвинулась на самый край. Чарлз уснул первым. Она промучилась почти до утра.

Утром она встала раньше и успела умыться и одеться, прежде чем проснулся Чарлз. Позже она облегченно вздохнула, видя, как он вежлив и внимателен и не делает никаких попыток снова ее приласкать. Виктория права, все это не так уж сложно.

Они вместе спустились к завтраку. Джефф, естественно, был мрачнее тучи и даже отказывался ехать в Кротон, и они еле его уговорили. Все равно мальчика не с кем было оставить: горничная и кухарка по воскресеньям отдыхали. Но Джефф упрямо твердил, что не желает видеть Кротон без Олли, и даже дед его не интересовал.

Поездка была долгой и невеселой. Оливия лихорадочно размышляла, что сказать отцу и, хотя прорепетировала свою речь сотни раз, все же отшатнулась при виде искаженного скорбью лица Эдварда. Какое счастье, что Чарлз рядом! Она с таким же успехом могла выстрелить в отца!

Они помогли Эдварду сесть в кресло, и зять налил ему бренди. Отец машинально глотнул жгучей жидкости и устремил взор на дочь.

— Это я во всем виноват. Я спрашивал ее позавчера, хотел знать, из-за меня ли она так несчастна. Это не жизнь для молодой девушки. Но Оливия всегда твердила, что иного она не желает. А я молчал, потому что так было легче для меня... я безмерно тосковал бы без нее... и вот теперь она ушла...

Он тихо заплакал, и Оливия прокляла себя. Что она сделала с отцом!

Но тут Эдвард поднял голову и взглянул на Чарлза.

— Думаю, она втайне любила тебя, но боялась признаться, а потом было уже поздно.

Оливии показалось, что она сейчас лишится сознания. Ноги подкашивались, голова кружилась. Он знал!

— Отец, ты наверняка ошибаешься! Она никому не говорила... — жалобно пробормотала она, заливаясь краской. Хоть бы никто не заметил ее неуместного румянца!

— Этого и не требовалось, — перебил Эдвард, вытирая глаза и поднося к губам стакан. — Я и без того все видел. Для этого не нужно быть семи пядей во лбу. Знал, но принес ее в жертву, потому что нужно было спасать тебя.

Губы Чарлза были плотно стиснуты. Он словно окаменел, и у Оливии не хватило мужества взглянуть на своего мнимого супруга.

— Не может этого быть. Она призналась бы мне, — твердила Оливия, пытаясь спасти остатки гордости.

— Но не призналась! — прогремел старик. — В таком случае не воображай, что знаешь все на свете, Виктория Доусон!

Господи, Чарлз наверняка посчитает, что свояченица сбежала из-за него! Необходимо как можно скорее и убедительнее разуверить его!

Но Чарлз, похоже, разделял мнение жены.

252

— Невозможно понять мотивы многих поступков, Эдвард. Мозг — это невероятно сложное устройство, не говоря уже о сердце. А близнецы связаны, кроме того, еще и взаимной интуицией и необычайной близостью. Вы сами не раз наблюдали, как они чувствительны и проницательны, когда речь идет о ком-то из двоих. Возможно, Оливия с трудом перенесла замужество сестры и теперь пытается стать самостоятельной и найти себя.

— В монастыре? — возмущенно обронил Эдвард. Не такой судьбы он хотел для своей дочери. — Я угрожал этим тебе, Виктория, да и то не всерьез.

— А я посчитала, что ты не шутишь, — откровенно призналась девушка. — Да и сестра была того же мнения.

— Я не смог бы сделать такое с тобой.

Не смог? Зато вынудил Викторию выйти замуж. И та не вынесла жизни с нелюбимым. Но у Оливии не хватит духу признаться.

Как и предсказывал Чарлз, Эдвард решил нанять сыщиков и попросил Чарлза заняться этим в понедельник. Они собрали все ее письма и отдали Чарлзу, а Оливия пообещала припомнить имена девочек-одноклассниц и попытаться узнать, кто из них переехал в Калифорнию.

Берти вместе с Джеффри тихо плакали на кухне. Берти уже прочла письмо и была так расстроена, что не подумала внимательно рассмотреть воспитанницу. Наспех поцеловав ее в щеку, Оливия выбежала. Не стоит чаще, чем нужно, попадаться Берти на глаза. Она даже не поднялась в свою комнату, опасаясь чем-нибудь выдать себя.

Эдвард предложил им переночевать, но Чарлз сказал, что нужно выехать сегодня — завтра он должен быть в суде и, кроме того, собирается как можно скорее переговорить с частными детективами. «Виктория» и Джефф, разумеется, могли бы остаться, но Оливия откровенно боялась, что Берти ее разоблачит, как только придет в себя, а этого допускать нельзя. Пока все идет прекрасно, а дальше — кто знает?

Расставаясь с дочерью, отец снова заплакал, и Оливия готова была убить себя. Джефф тоже был так угнетен, что даже не покатался верхом. Берти и Эдвард помахали им на прощание, и машина укатила.

— Неужели она не понимает, какой удар нанесла отцу? — вздохнул Чарлз. Хорошо еще, что Эдвард воспринял новость куда более стойко, чем они ожидали. Что же касается утверждения тестя, что свояченица была влюблена в него... все это попросту старческие бредни!

— Думаю, что она не представляла, к чему приведет ее бегство, иначе не отважилась бы, — заметила Оливия, думая при этом о сестре. Она все больше и больше жалела, что поддалась на уговоры, и идея послать телеграмму казалась все более правильной.

Они добрались домой только в десятом часу, и, поскольку никто даже не обедал, Оливия велела Джеффри надеть пижаму и поесть супа на кухне, а сама проверила, какие припасы есть в кладовой, и десять минут спустя на плите уже разогревался куриный бульон с овощами, а на столе красовались тосты с маслом и свежеприготовленный салат.

— Когда ты успела? — удивился Чарлз. — Вижу, у тебя от меня немало секретов.

— Гораздо больше, чем ты думаешь, — улыбнулась Оливия, но Чарлз недовольно нахмурился.

Тут появился Джефф, который немного оживился только после того, как съел суп и вторую порцию салата.

— Очень вкусно, Виктория, — удивленно протянул он, застенчиво улыбаясь, но Оливия не могла позволить себе лишний раз улыбнуться мальчику, боясь, что он в два счета ее раскусит. Она поскорее отвернулась и достала блюдо с шоколадным печеньем.

— Это ты испекла? — поразился мальчик, и Оливия, смеясь, покачала головой:

— Нет, кухарка.

— У Олли лучше получается, — пролепетал мальчик с полным ртом.

Оливия убрала на кухне, а Чарлз тем временем укладывал сына. Приведя все в порядок, она поднялась наверх. Джефф уже лежал в постели, и она долго стояла в дверях, глядя на ребенка и гадая, почему сестра не ценит выпавшего ей на долю счастья. Вместо того чтобы качаться в скорлупке посреди бушующего океана, могла бы сидеть дома и радоваться на мужа и пасынка.

— Подоткнуть тебе одеяло? — небрежно спросила она, и Джефф пожал плечами. Он все еще расстраивался, хотя уже немного свыкся с утратой. И на обратном пути громко рассуждал о том, как все будет хорошо, когда Олли вернется. Он смело смотрел в будущее и в конце концов поверил, что тетка сдержит слово.

— Конечно, — выговорил он наконец, откладывая обезьянку и удерживая Чипа, чтобы тот не спрыгнул с кровати. Но щенок вильнул хвостом и лизнул руку Оливии. Уж он-то ее признал!

— Спокойной ночи, — прошептала она и вернулась к себе, устало потирая спину. День снова выдался нелегким, и усталость давала о себе знать.

— Ты будешь завтра в суде? — как бы между делом поинтересовалась она, расчесывая волосы. Чарлз удивленно поднял брови. Она едва ли не впервые заговорила о его работе.

— Да, но ничего особенно важного, — бросил он, углубившись было в бумаги, но тут же поднял голову. — Спасибо за ужин.

Оливия улыбнулась, не зная, что ответить. Для нее это было обычным делом, но Виктория, очевидно, не баловала домашних.

— Твой отец держался молодцом, учитывая все случившееся, — добавил Чарлз.

— Я тоже, — печально обронила Оливия.

— Завтра же пришлю к нему детективов. До сих пор не в силах поверить, что она отважилась на такое. Оливия так хладнокровна и рассудительна. На нее это совершенно не похоже. Должно быть, она чувствовала себя такой несчастной!

— Знаю, — кивнула Оливия.

Впервые за последние несколько недель Чарлз сумел поговорить с женой спокойно, без ссор и скандалов.

Они, как обычно, разделись в своих гардеробных и улеглись спинами друг к другу. Уже засыпая, Оливия подивилась, как можно так жить. Вроде бы они вместе и в то же время совершенно друг другу чужие!

Наутро она сама приготовила завтрак. Обычно это делала горничная, но Оливия решительно взяла на себя ее обязанности, хотя понимала, что Виктория ни за что бы так не поступила. Но это казалось такой малостью!

Тем не менее Чарлз заметил перемены в жене. Она стала заботиться о нем и сыне, и это втайне ему нравилось. Только вот Джефф как-то странно посматривал на мачеху. Оливия тоже заметила взгляд, устремленный на ее руку, но в этот момент она как раз держала полотенце, чтобы прихватить сковороду и не обжечься. Она знала, что высматривает Джефф. Ничего, родинка очень мала, и, если постоянно следить за собой, мальчик ничего не заметит.

— Учись хорошо и слушайся учителя, — машинально велела она, но намеренно не нагнулась, чтобы поцеловать Джеффа. И Чарлзу ничего не сказала на прощание. Нужно быть осторожнее. Виктория наверняка не слишком нежничала по утрам.

Чарлз не знал что и подумать, когда, вернувшись, застал жену дома. Джефф вообще ошалел, увидев, как она чинит отцовские носки.

— Что это ты делаешь? — выпалил он, и Оливия густо покраснела.

— Олли научила меня штопать.

— Но ты никогда этого не делала!

— Ну, если так и дальше будет продолжаться, твоему отцу придется ходить на работу босиком, — улыбнулась она, и Джефф, засмеявшись, принялся набивать рот печеньем с молоком, прежде чем идти делать уроки. До каникул оставался всего месяц, и ему не терпелось вырваться на свободу.

Остаток недели пролетел без особых событий. Оливия почти не разговаривала с ними и следила за каждым своим словом и поступком. Нужно получше узнать Чарлза и Джеффа. Одно дело — приезжать в гости, и совсем другое — постоянно жить в доме. Любой неверный шаг — и ее разоблачат. И в пятницу Оливия с величайшим облегчением узнала, что Джефф собирается переночевать у друга, а Чарлза пригласил на ужин иногородний клиент. Правда, он пригласил адвоката с женой, но Чарлз знал, как она ненавидит подобные сборища.

Она была безмерно рада остаться в одиночестве и порыться в вещах сестры. Понять, какие книги любит читать

Виктория, какие статьи вырезает, прочесть письма и приглашения от нью-йоркских знакомых. Кто знает, чего Виктория не успела ей сказать?

За этими мирными занятиями время прошло довольно быстро, но вскоре после девяти ей стало не по себе. Такое ощущение, что она теряет равновесие, словно ноги ее не держат. Неужели она заболела?

Вскоре у нее ужасно разболелась голова, и виски невыносимо ломило. Странно, ни жара, ни озноба, и утром она прекрасно себя чувствовала. К тому времени как вернулся Чарлз, она была в постели, и он сразу же заподозрил неладное: уж очень бледной была жена. И выглядела отвратительно.

— Может, ты съела что-то? — участливо предположил он. Чарлз тоже устал, но был доволен: переговоры прошли удачно, и он заполучил нового клиента.

— Не знаю, — выдавила Оливия, с трудом превозмогая головокружение. Комната медленно вертелась перед глазами.

— По крайней мере мы твердо знаем, что ты не беременна, — саркастически бросил он, но Оливия не потрудилась ответить — слишком плохо ей было. Ночью она долго не могла уснуть, а когда наконец забылась, увидела во сне, что тонет. Девушка проснулась, чувствуя, что задыхается. Она безуспешно втягивала воздух и, поняв, что сейчас умрет, вскочила. Чарлз сонно пошевелился и сел в постели.

— Что с тобой? — промямлил он, и Оливии удалось качнуть головой. Он быстро вскочил и принес ей стакан воды. Оливия сделала глоток, закашлялась, и Чарлз торопливо помог ей сесть.

— Не знаю, что случилось... я видела сон...

Она не успела рассказать, в чем дело, как внезапная волна паники нахлынула на нее и подхватила. И тут Оливия поняла. Что-то случилось с сестрой. Она подняла голову, и Чарлз по глазам понял, о чем думает жена.

— Ты просто переутомилась, — уверил он, в который раз пораженный телепатической связью между близнецами. Похоже, им вообще не следует разлучаться — слишком тяжелое это испытание для обеих.

— Уверен, она сейчас в безопасности, где бы ни была, — спокойно заметил он.

Но Оливия с силой вцепилась в руку Чарлза.

— Нет, я знаю, что это не так!

— Ничего подобного, — утешал Чарлз и попытался уложить ее в постель, но она принялась сопротивляться.

— Я не могу дышать, — испуганно охнула она. Невозможно представить, чтобы такой большой корабль... но... что, если Виктория больна? Или... или... Что-то, несомненно, произошло, и Чарлз видит, как ей тяжело сейчас.

Оливия безудержно разрыдалась. Чарлз испуганно уставился на жену.

— Может, позвать доктора, Виктория? — спросил он, и Оливия едва не подскочила при упоминании имени сестры.

— Не знаю, — пролепетала она, снова начиная плакать. — О, Чарлз... я так боюсь...

Он подошел к жене, опустился на колени. Чарлз никогда не видел ее в таком состоянии и не представлял, что делать. Наконец он сел рядом, взял ее руку и все-таки сумел отнести ее в постель и сам лег рядом. Но не успела она закрыть глаза, как снова закричала, что тонет.

— Прости, — всхлипнула она, — но что бы ты ни говорил, а Оливия в опасности.

— Тебе кажется, — твердил он, пытаясь утешить ее. Какой прелестной и беспомощной она казалась!

Оливия так и не заснула, но к утру немного успокоилась. Она лежала абсолютно неподвижно, словно в трансе, но чуть встрепенулась, когда Чарлз заговорил с ней.

— Хочешь чаю, Виктория? — спросил он.

Ему казалось, что жена по-прежнему выглядит больной. Наверное, все-таки придется послать за доктором. За одиннадцать месяцев совместной жизни она впервые была нездорова, и это отчего-то удивило Чарлза. Обычно к Виктории не приставала никакая хворь. Возможно, это последствия шока, пережитого после побега сестры.

Он спустился вниз, заварил чай, но, прежде чем успел принести жене, та спустилась вниз босиком, уселась и развернула газету, надеясь, что чтение отвлечет ее от мыслей о сестре. Но, бросив взгляд на заголовки, ахнула и схватилась за сердце. Буквы раскаленным клеймом отпечатались в душе. «Лузитания» была торпедирована в тринадцати милях от побережья Ирландии и всего через восемнадцать минут затонула. Пока о трагедии было известно лишь со слов очевидцев, наблюдавших крушение с берега, но репортеры опасались огромных людских потерь, поскольку до сих пор не было спасено ни одного человека, зато волны выбрасывали на берег множество трупов.

— О Боже... О Господи... Чарлз... — едва выговорила Оливия.

Он поднял удивленные глаза, вскочил и еле успел поймать жену, лишившуюся чувств. В кухню как раз вошла горничная, и он приказал ей немедленно позвонить доктору и попросить прийти как можно скорее. Миссис Доусон тяжело больна и лежит без сознания.

Чарлз отнес жену наверх, положил на постель и поднес к ее носу флакончик с нюхательной солью, оставшийся еще с тех времен, когда Сьюзен ходила беременной. Оливия медленно выплыла из тумана.

— Я... что случилось... кажется... Чарлз...

«Лузитания» пошла ко дну, а вместе с ней и сестра. Жива она или нет? Мало того, что у Оливии нет никаких возможностей узнать наверняка, она даже не имеет права поделиться своим горем.

Она беспомощно рыдала, и Чарлз, смертельно напуганный, пытался успокоить жену.

— Не разговаривай, Виктория, и закрой глаза.

Но жена была так возбуждена, так металась по кровати, что Чарлз едва дождался появления врача. Хорошо, что Джеффри дома не было, не хватало еще, чтобы мальчик видел мачеху в таком состоянии!

— Что произошло? — профессионально-жизнерадостно осведомился доктор, хотя сразу увидел, что дело неладно.

— Простите, доктор, — извинилась Оливия, но тут же снова зарыдала. Чарлз тяжело вздохнул. Все это казалось ему очень странным. Вообще Виктория превратилась в совершенно другого человека со времени побега Оливии. Должно быть, у нее нервный срыв.

Оливия пыталась объяснить доктору, что чувствует, но все симптомы, о которых она говорила, казались глупыми и ничтожными. Одна она знала, в чем дело. Ей стало плохо именно в тот момент, когда судно затонуло. Она крайне нуждалась в хорошем совете, ободрении и уверенности, что Виктория спаслась, но никто ей не мог этого дать.

Доктор поговорил с Чарлзом с глазу на глаз и согласился с его мнением. Миссис Доусон сильно перенервничала из-за сестры. Так бывает, когда насильно разлучают близнецов. Удивительно, что подобного не произошло во время свадебного путешествия. Доктор припомнил случаи, когда после смерти одного близнеца другой терял рассудок и назывался его именем.

Чарлз сразу понял причину перемен в жене. Она словно бы вообразила себя Оливией. Доктор рекомендовал побольше отдыхать и надеялся на скорое выздоровление. Ну а пока ничто не должно ее расстраивать. Никаких тревожных известий, ничего неприятного. Чарлз объяснил, что жена упала в обморок, узнав о гибели «Лузитании».

— Ужасно, не правда ли? Проклятая немчура!

Но, вспомнив, что жена Чарлза погибла на «Титанике», поспешно переменил тему и предложил не пускать к ней пасынка денек-другой. Кроме того, доктор осторожно осведомился, уж не беременна ли миссис Доусон. Чарлз сначала решительно отрицал такую возможность, но потом осекся. Кто знает?

— Я поговорю с ней. Может оказаться, что вы правы, — бесстрастно пробормотал он.

Доктор пообещал приехать в понедельник и прописал снотворное, но пациентка решительно отказалась его принимать.

— Обойдусь, — простонала она, смущенная до глубины души всей суматохой. Ей хотелось поскорее остаться одной, но прежде узнать новости о «Лузитании». Она едва дождалась ухода врача, однако ей не понравилось выражение лица Чарлза: оскорбленное, мрачное, словно она чем-то его обидела.

— Что-то случилось? — мягко поинтересовалась она, думая, уж не догадался ли он обо всем. А что, если тело сестры нашли и кто-то успел позвонить? Сердце Оливии тревожно забилось.

— Не совсем, — пробормотал он, — во всяком случае, надеюсь, что нет. Врач задал мне вопрос, на который я не смог ответить.

— Какой именно?

Неужели доктор что-то заподозрил? Господи, у нее сейчас начнется истерика! Оливия едва сдерживалась, чтобы не закричать.

— Он спросил меня, не беременна ли ты.

Оливия в ужасе уставилась на него. Виктория заверила, что между ней и мужем уже давно нет никаких физических отношений. Что Чарлз вообще имеет в виду?!

— Разумеется, нет, — едва слышно выдохнула она.

— Я точно знаю, что от меня ты никак не могла забеременеть, разве что это второй случай непорочного зачатия, что весьма сомнительно. Но я хотел бы точно знать, видишься ли ты с Уиткомом. Сначала он послал тебе цветы, потом записку, так что все может быть. Но я все-таки твой муж, хотя ты, возможно, по-прежнему придерживаешься мнения, что подобные вещи меня не касаются.

Виктория действительно пропадала где-то целыми днями и никому не говорила, куда уходит, но Оливия от неожиданности потеряла дар речи.

— Как ты можешь! — взорвалась она наконец. Он не смеет ее оскорблять! Правда, Оливия была крайне шокирована, услышав, что Тоби имел наглость послать сестре цветы и осаждать просьбами о свидании. — Как смеешь обвинять меня в подобных вещах! Я слышать о нем ничего не желаю!

Оливия от всей души надеялась, что говорит правду, поскольку не могла представить, что сестра оказалась настолько глупа, чтобы вновь попасться в ту же ловушку.

— Нет, Чарлз, — возмущенно заверила она, — я не встречаюсь с Тоби и уж тем более не беременна.

Она была уверена, что не обманывает Чарлза. Слишком тяжело ранена сестра, слишком зла на мужчин, слишком жаждет свободы. Оливия чувствовала, что Виктория скорее умрет, чем вернется к Тоби после такого предательства.

— Прости, если оскорбил тебя, но ты должна признать, что такое вполне вероятно. Однажды ты попала в его лапы и по наивности можешь совершить ту же ошибку, — с некоторым облегчением заметил Чарлз, по какой-то причине сразу же поверивший жене.

— Возможно, я и наивна, — холодно ответила Оливия, представив себе, что именно ответила бы сестра, — но не глупа.

— Рад это слышать, — обронил Чарлз и поспешно вышел, надеясь, что не слишком расстроил жену. Правда, она выглядит немного лучше.

Но когда он позже решил ее проведать, она вновь рыдала, вне себя от тревоги. Едва Чарлз уехал в контору, Оливия прокралась вниз и прочла все, что было напечатано о злополучном корабле. Она даже послала горничную за вечерней газетой, но не узнала почти ничего нового, если не считать, что сотни несчастных утонули недалеко от побережья Квинстауна. Тела то и дело вымывало на берег, и Оливия снова едва не потеряла сознание, читая про все ужасы. Оставалось ждать до понедельника, а потом надеяться, что газеты опубликуют список спасшихся. И что среди них окажется ее имя. Ну а пока самое главное — держать Чарлза на расстоянии и молиться, чтобы он не посчитал жену сумасшедшей.

Глава 21

Оливия в отличие от сестры редко читала газеты и не могла знать, что незадолго до отплытия «Лузитании» немецкое посольство опубликовало в Нью-Йорке и Вашингтоне извещение о том, что пассажиры, отправляющиеся в путешествие через Атлантику, должны помнить: Германия находится в состоянии войны с Британией и ее союзниками. Зона военных действий включает воды в районе Британских островов, и всякие суда, плавающие под флагом Великобритании и ее союзников, подвергаются опасности уничтожения, а пассажиры рискуют жизнью. Извещение было датировано двадцать пятым апреля.

Но международное право запрещало топить мирные суда, не обеспечив сначала безопасность всех гражданских лиц. Поэтому пассажиры «Лузитании» не особенно беспокоились. Виктория могла бы отплыть на американском судне «Нью-Йорк», но оно было пониже классом и гораздо менее быстроходным. Кроме того, «Лузитания», совершавшая одно плавание в месяц из Ливерпуля в Нью-Йорк и обратно, обычно не поднимала вообще никакого флага, чтобы не привлекать внимания немцев. Даже название корабля и порт приписки были старательно закрашены. Люки обычно задраивали, и, едва корабль входил в Ирландское море, все спасательные шлюпки готовились к экстренному спуску, а количество впередсмотрящих удваивалось. Кроме того, судно было поистине гигантским, четырехтрубным, десятипалубным, из которых семь находились выше и три — ниже ватерлинии. Корабль в двести второй раз пересекал Атлантику. Капитан дал приказ соблюдать полное затемнение, и на всех иллюминаторах висели плотные занавески, а джентльменов и леди просили не курить на палубах.

В первый же вечер Виктория полностью освоилась и с радостным волнением узнала леди Макуорт, урожденную Маргарет Томас, бывшую не только активным членом Общественного и политического союза женщин, но и близким другом семьи Панкхерст. Сама Маргарет подожгла почтовое отделение и была приговорена к тюремному заключению, к величайшему ужасу своего отца, респектабельного члена парламента от партии лейбористов. Но на саму леди тяжелое испытание, очевидно, нисколько не повлияло, и Виктория, увидев ее на палубе, немедленно подошла и представилась.

— Вы очень храбры, если решились плыть в Европу в такое время, — заметила леди Макуорт, когда Виктория объяснила, что после смерти мужа собирается ехать во Францию, чтобы работать в госпитале. В Красном Кресте ей подсказали, к кому обратиться.

— Вы нужны и в Англии, — заверила леди Макуорт, восхищенная мужеством молодой вдовы. Они поговорили немного, и потом Маргарет ушла ужинать вместе с отцом, а

Виктория предпочла уединиться в каюте. Но Макуорты взяли с нее обещание присоединиться к ним на следующий день. Столовая первого класса была поистине роскошна: высотой в двухэтажный дом, повсюду колонны, позолота, купол, украшенный лепниной. К ней примыкали библиотека, курительные и огромная детская с бесчисленными играми и развлечениями. Виктория, к своему величайшему удивлению, обнаружила, что, несмотря на войну, все пассажиры пребывают в прекрасном настроении и предпочитают вообще не говорить об ужасах и трагедиях раздираемой распрями Европы.

Мужчины, разумеется, обсуждали последние новости, особенно за вином и сигарами, но скорее по обычаю, чем с особым увлечением, и, уж разумеется, совершенно забыли о подводных лодках.

Виктория узнала среди пассажиров Алфреда Вандербильда, но старалась его избегать, поскольку тот хорошо знал ее мужа. Он был приблизительно одних лет с Чарлзом, и время от времени они вместе обедали. Не хватало еще, чтобы он сообщил ее родным, что «Оливия» плывет в Европу. Хотя она плыла под именем сестры, всегда существовала возможность, что ее разоблачат, и скандал будет невероятным, тем более что на судне могут оказаться знакомые сестры, которых она не знает. Поэтому она вела себя крайне осторожно, почти ни с кем не общалась и проводила почти все время в библиотеке или каюте.

На корабле был также Чарлз Фромен, известный театральный меценат, вместе с компанией друзей. Они направлялись в Лондон на премьеру новой пьесы Джеймса Берри «Похищение Розы», которую Фромен хотел поставить на Бродвее. Среди его приятелей был и драматург Чарлз Клейн, но хотя Виктория с удовольствием побеседовала бы с ним, она старалась держаться в одиночестве и даже отклонила приглашение капитана поужинать за его столом.

Но если не считать некоторых ограничений, она наслаждалась полной свободой. Какое счастье — освободиться от ненавистного брака! Она безумно тосковала только по сестре, постоянно думала об Оливии и молилась, чтобы та не выдала ее секрета.

Погода держалась на редкость хорошая, но все с нетерпением ждали конца путешествия. В пятницу Виктория собрала вещи и снова встретилась с леди Макуорт на палубе. Новая знакомая дала ей свой адрес и телефон в Ньюпорте и просила звонить. Из Ливерпуля Виктория должна была направиться сначала в Дувр, а оттуда паромом в Кале, где намеревалась связаться с нужными людьми и ехать на фронт.

Она пообедала в одиночестве. День выдался чересчур жарким, и стюарды открыли все иллюминаторы в столовой и каютах первого класса. Вскоре вдали показалась земля. Они находились всего в двенадцати милях от побережья Ирландии, к югу от маяка в Олд-Кинсейл. На корабле царила праздничная, возбужденная атмосфера. Они почти на месте!

После обеда Виктория вышла на палубу и стояла у поручня, глядя на море. На ней было красное платье, давнымдавно купленное Оливией. Шляпу она оставила внизу и нежилась под теплым солнышком. Снизу доносились зажигательные звуки «Голубого Дуная». В этот момент по воде протянулась пенная дорожка, и Виктория подумала, что это, должно быть, след большой рыбы. Но тут корабль вздрогнул, и Викторию бросило на поручень. Высокий водяной столб взметнулся до самого мостика, и нос «Лузитании» поднялся высоко вверх. Виктория вцепилась в поручень, боясь, что ее смоет за борт. Нос корабля снова погрузился в воду, и огромное облако пара заволокло все вокруг.

На палубе поднялась суматоха, судно снова накренилось. Каюта Виктории была на средней палубе, и она попыталась пробиться сквозь толпу за спасательным жилетом и деньгами. Но как только она начала спускаться вниз, судно наклонилось еще сильнее. Теперь идти было почти невозможно.

— Торпеда! — закричал кто-то.

Послышался оглушительный вой сирены, перекрывший звуки музыки, и Виктория вдруг вспомнила о Сьюзен.

— Только не я! — вскрикнула она, стиснув зубы, и поспешила вниз, изо всех сил стараясь удержать равновесие и непрерывно ударяясь о переборки.

Вбежав в комнату, Виктория с трудом натянула жилет, схватила бумажник и паспорт и помчалась наверх. Вокруг раздавались дикие крики, люди метались в панике. У подножия лестницы она столкнулась с Алфредом Вандербильдом, державшим шкатулку с драгоценностями.

— С вами все в порядке? — спокойно осведомился он. Она не была уверена, узнал ли он ее. Ведет себя как обычно, улыбается, безупречно вежлив, совершенно хладнокровен. Рядом стоит слуга.

— Кажется, да, — пробормотала Виктория. — Что происходит?

У нее даже не было времени паниковать. Все происходило слишком быстро.

Он не успел ответить. Где-то внизу грохнул второй взрыв.

— Торпеды, — учтиво пояснил Алфред. — Вам лучше поскорее выбраться на палубу.

Он проводил ее наверх и тут же затерялся в толпе. Матросы попытались спустить шлюпки, но поскольку корабль кренился на правый борт, шлюпки с левого борта беспорядочно мотались наверху, совершенно бесполезные. «Лузитания» напоминала детскую игрушку, которую шаловливый ребенок топит в ванне. Виктория взглядом смерила расстояние до берега, прикидывая, сможет ли доплыть. Она уже различала стоявших на пристани людей, а те в ужасе наблюдали, как нос судна уходит под воду, а корма поднимается в воздух. Вода хлынула в открытые иллюминаторы, дым и сажа постепенно окутывали верхнюю палубу. Виктория поспешно скинула туфли на высоких каблуках, оставшись в чулках, и внезапно стала задыхаться, сама не зная, от дыма или страха. Она с большим трудом держалась на ногах. Люди бросались в воду, особенно после того, как радиоантенна упала, едва не убив нескольких человек. Дети плакали, матери лихорадочно пытались затолкать их в шлюпки. И тут она снова увидела Алфреда, помогавшего размещать малышей. Он снял жилет, надел его на маленькую девочку, и Виктория, едва не прослезившись, поспешно сунула бумажник в карман платья, надежно придавленного спасательным жилетом.

Первые две шлюпки, которые удалось спустить, мгновенно перевернулись; одна из гигантских труб упала и накрыла женщину. Перед ней словно разворачивалась сцена из ада. Какая-то белокурая малышка пролетела мимо и упала в море. Виктория попыталась схватить ее, но опоздала, и девочка утонула у нее на глазах.

— О Боже... Боже, — повторяла она, отворачиваясь. Кто-то приказал ей сесть в шлюпку. Как ни странно, голос звучал совсем как у сестры, но Виктория так и не узнала, кто это. В ушах стоял непрерывный рев. Прошло всего пять минут с первого взрыва, но корабль быстро тонул. Осталось только две шлюпки, и вокруг них толпились дети.

— Берите их! — крикнула она молодому офицеру.

— Вы умеете плавать? — окликнул тот и, когда она кивнула, приказал: — Хватайте стул с палубы, мы сейчас пойдем ко дну!

Шлюпка отчалила, а Виктория, последовав его совету, вцепилась в стул и соскользнула в воду. Вокруг плавали матрасы, куски дерева, шезлонги и тела погибших. Глухие взрывы следовали один за другим, и Виктория завизжала, отталкивая от себя трупы. В воздухе звенели пронзительные вопли умирающих, мертвые дети смотрели в небо широко открытыми глазами, какая-то женщина пошла ко дну, прижимая к себе бездыханного ребенка. Виктория несколько раз едва не утонула, но упорно выныривала на поверхность, время от времени выхватывая глазами очередную кошмарную сцену. Мимо медленно проплыл еще один стул, с лежавшим на нем малышом в голубом бархатном костюмчике. Он казался настоящим маленьким спящим принцем, если не считать того, что был мертв. Ничего хуже и страшнее она в жизни не видела. Виктория прикрыла глаза, молясь, чтобы кошмар закончился, но ее молитвы не были услышаны. Она не поверила глазам, когда увидела капитана Тернера, вцепившегося в стул, и леди Макуорт, не отпускавшую другой. Чуть подальше плыли старший помощник и старуха, восседавшая на рояле.

Но вокруг люди продолжали тонуть. Постепенно у Виктории занемели от холода ноги. Она едва дышала, но держалась за стул до тех пор, пока сознание ее не покинуло.

Глава 22

Она услышала странные скребущие звуки, людские голоса и птичьи крики и поняла, что попала в ад. Кто-то тащил ее за ноги, и голова больно ударялась о что-то твердое. Ей хотелось взмолиться, завопить, но она словно онемела. Должно быть, мертва. Но тогда почему так мучительно ноет все тело?

Виктория с трудом подняла веки, чтобы посмотреть, кто ее тянет, и уперлась взглядом в лицо человека, уже собиравшегося положить ее в гроб.

— Господи, Шон, она жива... шевелится!

Виктория безудержно раскашлялась, извергая фонтаны воды. Волосы прилипли к черепу, губы потрескались. Глаза горели, а легкие, кажется, вот-вот разорвутся. Она медленно повернула голову. Солнце уже зашло, а кругом громоздились гробы. В ноздри била вонь смерти и гниющих водорослей.

Виктория попыталась сесть, но не смогла, и незнакомцу пришлось ей помочь.

— Мы посчитали вас мертвой, — извиняющимся тоном пробормотал он. — Слава Богу, ошиблись.

— А мне так и кажется, что я мертва, — выдавила Виктория, снова зайдясь в приступе рвоты, гадая, что случилось с остальными. Но стоило ли спрашивать? Повсюду лежали тела, в основном детские, и сердце Виктории перевернулось от жалости. Они выглядели такими милыми, прекрасными даже в смерти, у некоторых даже глаза открыты! Рыдания матерей рвали душу.

— Немцы потопили ваш корабль, — пояснил Шон. — Торпедами. «Лузитания» пошла ко дну за восемнадцать минут. С тех пор прошло пять часов. Мы с братом подобрали вас на берегу, когда пытались спасти тех, кто выплыл. Но таких чертовски мало.

Он говорил со странным ирландским акцентом, и в другое время это немало позабавило бы Викторию.

— Эти проклятые подводные лодки вот уже несколько недель здесь рыщут. Чертовы ублюдки!

Виктория сразу же задалась вопросом, знал ли об этом капитан Тернер.

— Пойдемте, — велел Шон, — я помогу вам. Повезло, что остались живы.

Он поднял ее на ноги. Шелковые чулки куда-то исчезли вместе с обрывками платья. На ней остались только трусики и комбинация, а подол платья исчез. Правда, карман вместе с бумажником были еще на месте. Виктория даже не смутилась, когда молодой матрос почти притащил ее в пивную, где принимали выживших. Кроме того, городские власти открыли церковь, отель, муниципалитет, больницу и военноморской госпиталь. На вокзале работал пункт, где раздавали чай. Жители делали для несчастных все что могли, а корабельная компания Кунарда, которой принадлежал корабль, доставила две тысячи гробов.

Войдя в пивную, Виктория сразу же увидела знакомые лица и среди них капитана. Его и Маргарет Макуорт подобрал маленький пароходик «Блубелл».

— Милое платьице, — сухо сказала какая-то женщина, оглядев Викторию. Сама она была одной из немногих счастливиц, которой удалось спасти обоих детей, но все трое были совсем голыми. В углу комнаты другая незнакомка оплакивала мужа и малышей. Таких было куда больше. Бедняги гибли на глазах близких: тонули, падали под ударами тяжелых предметов, многим не удалось доплыть до берега. Кошмар наяву все продолжался. Виктория почти обезумела. Только бы удалось послать сестре телеграмму! Разумеется, она подвергает опасности себя и Оливию, но выхода просто нет! Необходимо дать ей знать, что она цела и невредима.

В полночь американский консул Уэсли Фрост принялся обходить места сбора уцелевших пассажиров и предлагать помощь. Виктория дала ему адрес Оливии и приписала несколько коротких строк. Сестра непременно поймет их смысл. Консул обещал сделать все возможное и поспешно удалился, отговорившись делами. На борту находилось сто восемьдесят девять американцев, но пока невозможно было сказать, сколько из них выжило. Приходилось иметь дело с истерически рыдающими людьми всех национальностей, измученными, серьезно раненными, стремившимися как можно скорее разыскать и известить родных.

— Я позабочусь обо всем как можно скорее, мисс Хендерсон, — пообещал он, вручая ей одно из одеял, пожертвованных добросердечными женщинами. Многие из спасенных были в лохмотьях или совсем голые, но никто не обращал на это внимания.

— Спасибо, я очень ценю ваше участие, — пробормотала Виктория, дрожа так сильно, что стучали зубы. Она все еще дышала с трудом: слишком наглоталась воды. Наконец ноги ее подкосились, и она опустилась на пол, прислонившись спиной к стойке бара. Удалось ли выплыть Алфреду Вандербильду? Она так его и не увидела...

И Виктория вдруг вспомнила о Джеффри, который чудом спасся в кораблекрушении. Ей отчего-то захотелось обнять его и Оливию, сказать, что теперь представляет, каково ему пришлось...

Она закрыла глаза, чтобы отсечь страшные картины, ужасные образы, забыть о женщине, корчившейся в родовых схватках как раз в тот момент, когда корабль тонул...

Неожиданно она увидела Оливию, сидевшую на кровати, и всеми силами души попыталась сосредоточиться и мысленно передать, что она жива и относительно здорова. Хоть бы Оливия услышала ее!

Глава 23

В понедельник утром Оливия едва дождалась, пока Чарлз и Джеффри позавтракают. Она сгорала от нетерпения остаться одной. Чувствовала она себя ужасно и к тому же до сих пор не пришла в себя после бурной ссоры с Чарлзом. Тот строго запретил ей читать газеты.

— Доктор велел тебе не расстраиваться, — твердил он, вырывая у нее газету.

— Немедленно отдай, Чарлз! — завопила Оливия, сама не узнавая собственный голос, и ошеломленный Чарлз молча выпустил газету из рук. — Прости, — тут же извинилась девушка. — Не понимаю, что на меня нашло. Просто хотела почитать что-то и отвлечься от мыслей об Оливии.

— Понимаю, — коротко бросил он и вскоре наконец отбыл в контору.

Даже Джефф сегодня, казалось, нарочно испытывал ее терпение, и, едва за ним закрылась дверь, Оливия схватила шляпку, ридикюль, выбежала на улицу и, поймав такси, велела ехать в контору пароходства Кунарда на Стейт-стрит. И оказалась совершенно не готовой к тому, с чем пришлось столкнуться. Толпы взбешенных, рыдающих, вопящих людей осаждали здание, кричали, бросались камнями, ругались, выли, умоляя дать сведения, а когда получали отказ, словно лишались рассудка. Управляющий и клерки делали все что могли и с помощью полиции пытались отогнать нападавших. Оливии кое-как удалось узнать, что никакой новой информации у них нет, если не считать весьма приблизительной цифры общего количества погибших — около тысячи человек, а возможно, и больше. Найдено тело утонувшего Фромана, но конкретно ничего не известно. Среди окружающих распространялись самые невероятные слухи, один ужаснее другого. Говорили также, что в Германии празднуют очередной триумф подводных лодок, что еще больше взбесило толпу.

Простояв у конторы семь часов, Оливия так и не добилась того, за чем пришла: список уцелевших обещали прислать только к завтрашнему дню. Правда, назывались имена погибших, даже ходили какие-то списки. Какой-то молодой человек утверждал, что пароходство наняло фотографов с заданием делать снимки трупов, чтобы прислать в Америку на опознание.

С тяжелым сердцем возвращалась Оливия домой. Но в какие-то мгновения, когда ей удавалось отрешиться от всего, она словно слышала, как Виктория что-то ей говорит. И дурнота прошла. Она просто не чувствовала, что сестра мертва, хотя кто знает? Но если Виктория утонула, значит, и ей не суждено жить.

Она сама не заметила, как прошла пешком весь путь до Ист-Ривер, едва передвигая онемевшие ноги. И уже поднималась по ступенькам крыльца, когда из-за угла показался мальчик в униформе телеграфной компании. Оливия мельком взглянула на него и схватилась за горло, боясь, что сейчас упадет. Не успел он подойти, как она вцепилась ему в руку. Должно быть, у нее в эту минуту был совершенно безумный вид, потому что мальчик боязливо попятился.

— У тебя телеграмма? Для Виктории Доусон?

Если сестра отважится послать ей телеграмму... Разумеется, ведь она не настолько жестока, чтобы держать ее в неизвестности!

Парнишка робко кивнул.

— Д-да... вот, — пробормотал он и, сунув ей листок бумаги, пустился наутек.

Оливия дрожащими пальцами разорвала склейку. Руки так тряслись, что буквы запрыгали перед глазами. Задыхаясь от напряжения, девушка наконец прочитала:

«Путешествие началось с фейерверка. Спасибо Господу за мистера Бриджмена. В Квинстауне все в порядке. С вечной любовью».

Виктория спятила. Просто спятила! Хорошо еще, что жива! Мистер Бриджмен — их старый учитель плавания в Кротоне.

Оливия смеялась и плакала одновременно, не заботясь о том, что ее могут услышать. Она даже не знала, как связаться с сестрой, но самое главное — Виктория не утонула! Остальное не важно.

Смяв в кулачке телеграмму, она поспешила в дом и поскорее сожгла бумагу. Как ей ни хотелось сохранить весточку от сестры, опасность была слишком велика.

Последние три дня были самыми тяжелыми в жизни Оливии, и она от всей души надеялась, что больше ей ничего подобного не придется испытать. Она была так измучена, что решила принять ванну, и поскорее включила горячую воду. Ей хотелось петь, танцевать, кружиться, но тут она вспомнила о Джеффри, ворвалась в его комнату и крепко обняла мальчика. Тот не знал что и думать. Наверное, Виктория в самом деле тронулась. Отец что-то толковал насчет ее нервов, значит, все так и есть. Она сходит с ума. Но Джеффри никогда не видел мачеху в таком хорошем настроении.

— Что это с тобой? — подозрительно осведомился он, когда она сделала изящный пируэт и радостно заулыбалась.

«Я нашла сестру! — хотелось ей кричать. — Она жива! Не утонула!»

— Ты кажешься такой счастливой!

— Я счастлива, — заверила девушка, лучась восторгом. — А ты? Как дела в школе? Хорошо провел день?

— Нет, — буркнул он, — ужасная скучища! А где папа?

— Еще не вернулся.

Она чмокнула Джеффри и пошла принимать ванну. А потом спустилась к ужину в новом платье, сияющая и прекрасная. Совершенно другой человек!

Чарлз порядком устал и был не в духе, однако послушно вымыл руки и сел за стол.

— Что за веселье? — пробормотал он и взглянул на сына, словно ожидая объяснений.

— Чувствую себя гораздо лучше. Вот и все.

— Интуиция успокоилась? Инстинкты молчат?

— Возможно, — кивнула она, краснея при воспоминании о том, в какой кошмар превратила последний уик-энд. — Просто мне стало легче.

Чарлз нахмурился. Неужели все эти приступы и истерики вызваны ссорой с любовником, а теперь они успели помириться?

Но жена была на редкость мила и добра с Джеффри, и это его немного умиротворило.

— Сегодня я был в сыскном бюро, — поделился он с ней, когда Джефф отправился делать уроки. — На следующей неделе детектив выезжает в Калифорнию.

Оливия искренне поблагодарила его, но не смогла удержаться от широкой улыбки.

— Да что это сегодня с тобой, Виктория? Боюсь, у меня возникли новые подозрения, — проворчал он, но жена показалась ему такой юной и хорошенькой, что Чарлз невольно смягчился. У него не хватило духу сердиться на нее.

— Я уже сказала, что прекрасно себя чувствую, — терпеливо повторила Оливия. — Похоже, с Оливией все в порядке, и теперь я точно это знаю, хотя объяснить не могу.

— Возможно, ты и права, — спокойно откликнулся Чарлз. — Надеюсь на это от всей души.

Он в самом деле питал глубочайшее почтение к поистине телепатической связи между сестрами и очень беспокоился за жену, боясь, что она совсем разболеется.

— Прости, что причинила столько треволнений.

— Ничего страшного, но я очень испугался за тебя, — смущенно буркнул Чарлз, искоса поглядывая на жену. Она и ведет себя как-то по-иному — куда более доверчива и открыта, чем прежде. Неужели внезапная разлука с сестрой так ее изменила? Она все больше становится похожей на Оливию. И теперь с исчезновением сестры, кажется, целиком зависит от него и готова пойти на примирение. В пятницу вечером жена льнула к нему, уверяя, что ужасно боится. И хотя Чарлз не слишком оптимистично смотрел в будущее, все же впервые осмелился надеяться, что все еще будет хорошо. Они женаты почти одиннадцать месяцев, и к этому времени он уже почти уверился, что брак не удался.

— Постараюсь больше не причинять тебе неприятностей, — тихо пообещала она и поднялась наверх, решив написать несколько писем. Жаль только, что нельзя послать весточку Виктории! Но возможно, сестра сама решит дать знать о себе. Нужно будет недели через две заглянуть в отцовский дом на Пятой авеню. Оливии хотелось знать, что же все-таки происходило на «Лузитании».

Прежде чем лечь спать, Чарлз немного почитал. Они поцеловали Джеффа на ночь и вернулись к себе.

— Какое ужасное преступление совершили немцы, — заметил Чарлз. — Жертв куда больше, чем на «Титанике»! Мерзавцы! Но я не хочу, чтобы это обсуждалось при Джеффе. Он сразу вспомнит о матери.

Оливия подняла голову и согласно кивнула.

— А ты, Чарлз? — тихо спросила она. — Ты... тебе тоже это напомнило о Сьюзен?

Ее неподдельное участие поразило Чарлза. Горло у него перехватило, и на какой-то момент слова не шли с языка. Как странно видеть ее доброй и нежной! Ни ехидного словечка, ни колкого замечания.

— Да, — наконец выдавил он. — Мне нелегко пришлось эти два дня.

Господи, он тоже страдал, а она ничего не заметила!

— Мне очень жаль, — вымолвила Оливия, и Чарлз поспешно отвернулся. Некоторое время оба молчали, лежа как можно дальше друг от друга, по обоим краям широкой кровати.

— С твоей стороны так мило, — неожиданно заговорил он, испугав Оливию, — спросить, что я чувствую... то есть о Сьюзен... Это было так ужасно... особенно ожидание. Я едва

274

не свел с ума клерков пароходства, а они ничего не знали... И потом долго стоял под проливным дождем, пока не показалась «Карпатия». И никому ничего не было известно. Все выяснилось только с приходом корабля. Я думал, что они погибли, и, когда увидел, как матрос несет Джеффа... я все заглядывал ему за спину, воображая, что сейчас увижу Сьюзен. Но ее не было. И я все понял. Взял мальчика и поехал домой. Из Джеффа было невозможно вытянуть ни слова. Он упорно молчал. И только через несколько месяцев рассказал о случившемся. Такое не забывается.

— Ужасно, что вам обоим пришлось пройти через это, — искренне вздохнула Оливия и осторожно коснулась его плеча. — Какая несправедливость! Вы этого не заслужили.

У нее разрывалось сердце от жалости и любви, и Чарлз, вглядевшись в лицо женщины, которую считал женой, увидел при неярком лунном свете то, что так испугало бы его раньше. Но теперь он, как ни странно, не боялся.

— Возможно, все в жизни имеет свои причины и следствия. Если бы не гибель Сьюзен, тебя бы здесь не было, — мягко возразил Чарлз, но девушка печально улыбнулась.

— И ты был бы куда счастливее.

Оливия все еще злилась на сестру за нежелание понять мужа, за стремление поскорее разорвать семейные узы. А теперь она чуть не погибла! Какой ужас! Подвергнуть себя такой опасности! И она еще имеет дерзость шутить!

— Не говори так, — великодушно запротестовал Чарлз. — Я часто гадал, почему Господь решил забрать Сьюзен к себе. Неисповедимы пути Его.

— Мне так повезло, что узнала тебя, — горячо выдохнула Оливия, совершенно забыв, как равнодушна к мужу Виктория. Чарлз онемел от изумления.

— Ты очень добра, — откликнулся он наконец, удивляясь все больше. Да знает ли он ее вообще? Она меняется с каждой минутой прямо на глазах.

И, не дав ей опомниться, подвинулся ближе и поцеловал. Сжал ладонями лицо и осыпал нежными поцелуями, боясь напугать. Не хотел, чтобы все обиды и недоразумения вернулись. Просто пытался без слов объяснить, как благодарен за сострадание. Но неожиданно в потаенном уголке души что-то шевельнулось. Он никогда не позволял себе чувствовать нечто подобное раньше и сейчас упорно пытался взять себя в руки.

— Наверное, нам не стоит делать это, — хрипло пробормотал он, и Оливия согласно кивнула. Кивнула, но не отстранилась. И вскоре оба забыли обо всем. Руки Оливии словно по собственной воле поднялись и обхватили его за шею, стройное тело прильнуло к нему, и плоть Чарлза мгновенно восстала.

— Виктория, я не сделаю ничего против твоей воли, — предупредил он. Все как прежде. И всегда после он горько жалел, что поддался животному инстинкту, а Виктория с омерзением отворачивалась.

— Чарлз, я не знаю. Я...

Ей хотелось просить его остановиться, объяснить, что это нехорошо, неправильно, ведь он муж ее сестры и Виктория вернулась из мертвых, хотя и предпочла идти другой дорогой, но она так далеко, а Оливия здесь, в постели с человеком, которого любит. И возврата нет.

— Я люблю тебя, — прошептала она, и Чарлз уставился на нее, боясь, что ослышался.

— О, милая, — выдохнул он, отдав ей в это мгновение свое сердце. Теперь он понял, почему оба были так несчастны все это время. Во всем виноват он. Потому что не смел любить ее, открыто и безбоязненно.

— Как я люблю тебя, — вырвалось у Чарлза. Он овладел ею, так и не поняв в порыве страсти, что для Оливии это было впервые. Но несмотря на боль, она отдавалась ему беззаветно, раскованно и самозабвенно, и Чарлз почувствовал, что старые раны зажили и он словно заново родился на свет. Для них обоих эта ночь стала началом новой жизни, медового месяца, о котором они так мечтали.

Они долго лежали, не разжимая объятий, лаская друг друга, и Чарлз будто впервые открыл для себя эту женщину. Потом он заснул, а Оливия по-прежнему прижимала его к себе, мучаясь мыслями о том, что станется с ними после приезда Виктории. Чарлз стал для нее величайшей радостью и счастьем в жизни — и одновременно свиде-

276

тельством ее предательства. Что она скажет сестре, когда та вернется?

Но как бы ни терзалась Оливия, в сердце своем твердо знала: покинуть Чарлза она не сумеет. Не хватит воли.

Глава 24

Едва Уэсли Фрост, американский консул в Квинстауне, принес одежду, Виктория немедленно выехала поездом в Дублин, где ее встретил представитель пароходной компании, а оттуда направилась в Ливерпуль. Ее попутчиками были товарищи по несчастью, и на вокзале уже поджидали репортеры. Вэнс Питни, журналист «Нью-Йорк трибюн», уже успел побывать в Квинстауне и накропал несколько статей. Как же упустить величайшую сенсацию со времен гибели «Титаника»! Здесь жертв гораздо больше, да к тому же судно уничтожено германцами! Это не только трагедия, но и военная хроника!

Но Виктория постаралась ускользнуть от назойливых представителей прессы и поехала прямо в отель «Адельфи», где и попыталась решить, что делать дальше. Она еще не совсем пришла в себя, а доставшееся ей платье выглядело и сидело ужасно.

Войдя в номер, Виктория закурила, села и осмотрелась. И неожиданно заплакала, всеми силами души желая очутиться дома, в Кротоне. Там война казалась чем-то далеким и нестрашным!

Администрация отеля, зная, что пришлось пережить девушке, позаботилась прислать ей поднос с ужином в номер. Виктория объяснила ситуацию портье. Все бывшие с ней деньги и чеки промокли, и поменять их в банке можно только в понедельник. Сейчас был вечер воскресенья.

Но как ни пыталась Виктория забыть о пережитом, перед глазами стояли ужасные картины тонущего корабля и лица погибающих, а в ушах звенели дикие крики. И еще она вспоминала молодого моряка, велевшего цепляться за палубный стул. Она ни за что не смогла бы сесть в шлюпку, и его совет спас ее.

Виктория всю ночь не спала и на следующее утро была сама на себя не похожа. Но после завтрака и большой чашки кофе почувствовала себя лучше. Потом она отправилась в банк, обменяла деньги и скоро оказалась в ближайшем магазине, где купила несколько платьев, свитеров, ночных рубашек, туалетные принадлежности.

— Вы сбежали из дому? — полюбопытствовала продавщица со смешком, но Виктория даже не улыбнулась.

— Нет, — коротко обронила она. — Едва не утонула вместе с «Лузитанией».

Женщина громко ахнула.

— Вам повезло остаться в живых, дорогая, — прошептала она и перекрестила ее.

Виктория с грустной улыбкой взяла пакеты и вернулась в отель. Неужели ей суждено всю жизнь мысленно видеть горы трупов и несчастное судно? А дети? Бедные неподвижные детские трупики с незрячими глазами... И тот малыш в синем бархатном костюмчике, лежавший на стуле... Одного этого достаточно, чтобы навсегда возненавидеть немцев!

Но уже к вечеру Виктории стало чуть легче. Она даже начала обдумывать, как попасть во Францию. Портье объяснил, как добраться до Дувра и что делать после этого. Нужно сесть на маленький паром, идущий до Кале, что было крайне рискованно: в Ла-Манше денно и нощно дежурили германские подводные лодки, и при мысли об этом ее трясло.

— Может, стоит приобрести купальный костюм. Это избавило бы меня от кучи ненужных хлопот, — заметила Виктория с нервной усмешкой, и портье понимающе улыбнулся.

— Вы молодец, мисс, — одобрительно хмыкнул он. — На вашем месте я бы ни за что не решился второй раз пойти на такое. Нужно иметь чертовское мужество!

— У меня нет особого выбора, если я хочу оказаться во Франции, не так ли? — задумчиво протянула она. Ничего не поделаешь, ведь она именно поэтому приехала сюда и заранее знала, что будет нелегко.

Вопрос был в том, как найти людей, которые могли бы ей помочь попасть на фронт. Те военные, которых она знала, находились в Реймсе, и, только добравшись до Кале, она попробует с ними связаться, да и то если телефонная связь еще работает.

Ей оставалось только надеяться на то, что она не зря предприняла свое паломничество. До сих пор обстоятельства ей не благоприятствовали.

Виктория оставила Ливерпуль во вторник утром, предварительно поблагодарив служащих отеля. Все это время люди приносили ей маленькие сувениры, пирожные, фрукты, статуэтки святых, улыбались, когда она проходила мимо.

Она добралась до вокзала на такси, а оттуда уехала поездом в Дувр и села на паром. Солнце ярко светило, и все вокруг казалось мирным и спокойным, но Виктория поминутно вздрагивала и оглядывалась, боясь очередного нападения. Пассажиров было совсем немного, и Виктория всю дорогу простояла, вцепившись в поручень и ежеминутно ожидая смерти.

— Вы боитесь, мадемуазель? — обратился к ней капитан. Редко ему приходилось видеть такую прелестную и испуганную девушку. В ответ она только кивнула и обронила единственное слово, но тут же отвернулась и принялась выглядывать роковую пенную полоску.

— «Лузитания», — шепнула она, зная, что он поймет. Весь мир уже слышал о трагедии, и каждый раз, читая очередную статью, девушка сжималась при мысли о сестре.

Капитан крошечного парома тяжело вздохнул. Он больше не заговаривал с ней, но, когда суденышко причалило, вынес на берег ее вещи и нашел машину, водитель которой отвез ее в ближайший отель и отказался взять деньги. После недолгих переговоров ей дали уютный маленький номер с видом на пролив.

Она немедленно позвонила по одному из телефонов, который получила во французском консульстве. Он принадлежал женщине, занимавшейся устройством добровольцев, которая могла сказать Виктории, куда ехать и где всего нужнее люди. Но к несчастью, ее не оказалось дома, и Виктории посоветовали позвонить завтра.

Всю ночь она просидела, куря одну папиросу за другой. Что теперь? Она обманула мужа, бросила сестру и отца, пережила кораблекрушение, и теперь только Господь знает, что ждет ее впереди. Откуда в ней такая решимость? Ничто не могло остановить ее, даже крайне неприятная особа, до которой она дозвонилась на следующий день и которая заявила, что слишком занята, и пообещала побеседовать с ней в ближайшие дни.

— Нет! — завопила Виктория, боясь, что собеседница бросит трубку. — Нет! Мне нужно немедленно поговорить с кем-нибудь... пожалуйста...

И тут она, словно по наитию, бросила волшебное слово, только чтобы посмотреть, что произойдет:

— Я спаслась с «Лузитании».

Последовала короткая пауза, после чего на другом конце линии послышались приглушенные голоса, и через минуту трубку взял мужчина и спросил, как ее зовут.

— Оливия Хендерсон. Я получила этот номер у французского консула в Нью-Йорке. И приехала сюда, чтобы пойти добровольцем на фронт. Я американка и сейчас нахожусь в Кале.

— И вы были на «Лузитании»? — почти с благоговением спросил незнакомец.

— Да.

— Бог мой... вы можете завтра к пяти приехать в Реймс?

— Не знаю. Наверное. А где это?

— Примерно в ста пятидесяти милях к юго-востоку отсюда. Если сумеете уговорить кого-нибудь довезти вас, это будет замечательно. Здесь идут бои, правда, не такие жестокие, как в соседнем Суассоне, но нужно быть поосторожнее.

Мужчина невольно улыбнулся, гадая, что заставило эту женщину проделать такой путь, чтобы сражаться в войне, которую Америка словно бы не замечала. Президент Вильсон был готов любой ценой удержать страну от участия в мировой бойне. Число жертв было невероятным и доходило уже до пяти миллионов. Семь миллионов раненых страдали в госпиталях.

— Найдите сговорчивого водителя, — наставлял он, — и приезжайте как можно скорее. Завтра мы отправляем очередную группу добровольцев. Вы медсестра, надеюсь?

— Нет, — пробормотала она, боясь, что от ее услуг откажутся.

— Водите машину?

— Да.

— Прекрасно. Сядете за руль санитарной машины или грузовика, как захотите. Жду вас завтра, — сказал он и уже хотел отключиться, но Виктория его остановила.

— Как вас зовут? — спросила она, и мужчина снова улыбнулся такой наивности. Она, очевидно, совсем невежественна, и он снова задался вопросом, почему она оказалась здесь и рискует жизнью в распре чужих стран и народов. Остальные добровольцы были куда старше и опытнее, а эта, судя по ее расспросам, совсем ребенок.

Он ответил, что это не важно и что его все равно завтра здесь не будет.

— Кого же мне спросить, если я сразу поеду в Шалон-на-Марне? — допытывалась Виктория.

— Первого же раненого, который попадется на пути, — раздраженно посоветовал незнакомец. — Правда, таких окажется немало. Доберетесь и сразу найдете себе занятие. Разыщите тамошнего коменданта. Он направит вас в госпиталь или отделение Красного Креста, если таковое там найдется. Не волнуйтесь, мимо не проедете. Не заметить окопов невозможно.

Он бросил трубку, и Виктория, поблагодарив портье, вернулась в свою комнату.

Вечером она плотно поужинала и попросила владельца гостиницы поторговаться с водителем. Последний оказался совсем молодым парнишкой, хозяином древнего «рено», и пообещал окольными дорогами доставить ее куда требуется. Он заверил также, что поездка займет весь день, да и то если отправиться рано утром. Приглядевшись, Виктория решила, что он немного моложе ее. Водителя звали Ив, и она, по его просьбе, заплатила вперед. Он велел ей одеться потеплее и натянуть ботинки на толстой подошве. По утрам здесь всегда холодно, и, если машина сломается, он не желает тащить ее на руках до самого Реймса, на случай если она вздумает напялить туфли на высоких каблуках.

Виктория нервно скривила губы, но Ив беспечно рассмеялся, и она прямо спросила, часто ли случаются поломки.

— Не чаще, чем у всех. Вы водите машину?

Виктория кивнула, и парень жизнерадостно распрощался.

Этой ночью она от волнения так и не смогла уснуть. Но наутро возбуждение несколько улеглось. Было не только холодно, но ужасно сыро, а бессонная ночь не прибавила бодрости. Она с радостью обнаружила, что горничная положила в машину сверток с завтраком, а мать дала Иву термос с кофе.

— Почему вы приехали сюда? — спросил он, когда она наливала первую чашку. Первая остановка предстояла в Дулленсе. Путь был неблизкий.

— Мне казалось, что я здесь нужна, — коротко ответила Виктория, не зная, стоит ли все объяснять подробно. Она и сама не совсем понимала мотивы своих действий, что уж говорить о мальчике из Кале, едва говорившем на ее языке. — Чувствовала себя совершенно бесполезной, ничего не умела делать, жила пустой жизнью. Показалось, что всего важнее бороться за свободу.

Ив кивнул, ощутив, казалось, все благородство поставленной ею цели.

— Должно быть, у вас нет семьи, — решил он.

Виктория, разумеется, не призналась, что покинула мужа, пасынка и сестру с отцом. Он наверняка сочтет ее безумной или развратницей.

— У меня есть сестра. Близнец, — перевела она разговор на гораздо более интересную тему. Во всяком случае, посторонних обычно разбирало любопытство получше узнать о таком феномене.

— Похожа на вас? — оживился Ив.

— Точная копия.

— Весьма забавно. Она не захотела приехать с вами?

— Нет! — твердо объявила Виктория. — Она замужем.

Ив понимающе кивнул, хотя, разумеется, понятия не имел, что на деле все было куда сложнее.

Потом оба надолго замолчали. Виктория глядела на пролетающие мимо фермы, церкви и пустые, не засеянные в этом году поля. Ив знаками объяснил, что работать некому — молодые мужчины воюют. Виктория, сочувственно покачав головой, закурила и налила себе еще кофе.

— Вы курите?

Очевидно, на него это произвело немалое впечатление. Француженки ее круга на такое не отваживались.

— Очень современно, — кивнула Виктория.

Мальчик рассмеялся, хотя она говорила чистую правду, позабыв только упомянуть, что даже для Нью-Йорка это было чересчур «современно».

Они проехали через Мондидье, потом через Санли и прибыли в Реймс уже после полуночи. Кофе и еда давно закончились, вдалеке раздавалась пушечная канонада, звучавшая все громче по мере их приближения. Иногда в симфонию боя вступал отчетливый треск пулеметных очередей.

— Не стоит долго здесь задерживаться, — нервно пробормотал Ив, озираясь, но они были уже почти в Шалоне-на-Марне и через несколько минут показался военный госпиталь. Виктория велела парнишке остановиться. Вокруг царила суматоха: санитары вносили и выносили носилки, то там, то здесь стояли группы людей в окровавленных фартуках. Медсестры спешили помочь раненым или умирающим. Иву явно было не по себе, а Виктория беспомощно взирала на происходящее, чувствуя, что вся ее жизнь отныне перевернулась. В душе ее нарастало возбуждение.

Она принялась спрашивать у попадавшихся навстречу людей, есть ли здесь кто из Красного Креста, но все, улыбаясь, проходили мимо, хотя девушка была уверена, что они знают английский. Ив сказал, что должен ехать, и Виктория смирилась. В конце концов она не нанимала его в проводники. Он махнул рукой на прощание, и Виктория едва успела поблагодарить его, как машина отъехала: очевидно, парнишка желал как можно скорее убраться отсюда. Стоило ли винить его?

И что делать ей?

Деловито копошившиеся люди напоминали ей муравьев. Кое-кто посматривал на нее с недоумением. Виктория выглядела такой чистенькой и холеной, словно явилась из другого мира. Наконец, не выдержав неизвестности, она спросила санитара, где найти сестер милосердия.

— Там, — коротко бросил он, показывая куда-то за плечо, и снова взялся за огромный мешок с мусором. Виктория вздрогнула при мысли о том, что может оказаться в этом мешке.

Сестрам было не до нее: поступили новые раненые, и никто не хотел тратить время на новенькую.

— Возьмите, — неожиданно велел санитар, бросая ей передник. — Вы мне нужны. Идите следом.

Он ловко маневрировал между лежавшими на полу носилками, расстояние между которыми не составляло и полуметра, и Виктории приходилось ступать как можно осторожнее, чтобы никого не задеть. Они подошли к палатке поменьше, служившей операционной. Перед ней лежали на земле десятки несчастных. Кто-то корчился от боли, кто-то тихо стонал, самые везучие были без сознания и ничего не ощущали.

— Я не знаю, что делать, — встревожилась Виктория.

Она надеялась, что кто-то встретит ее, объяснит обязанности, доверит водить санитарную машину или выполнять работу, о которой она имела представление. Но никто и не собирался ничего ей объяснять. Перед ней лежали люди, невероятно изуродованные осколками и шрапнелью. Были и обожженные, отравленные фосгеном и хлором. Немцы действовали с крайней жестокостью, уничтожая противников, у которых не было подобного оружия. В расчет не принималось даже то, что во время газовой атаки ветер переменился и погнал газ на германские окопы.

Санитар остановился. Виктория мельком услышала, как кто-то называл его Дидье. К счастью, он знал английский, но она едва не упала в обморок, когда он велел ей помочь ухаживать за людьми, только что доставленными из окопов. Все они стали жертвами газовой атаки; многие временно лишились рассудка.

— Постарайтесь сделать для них что можете, — тихо сказал он, и Виктория внезапно вспомнила о трупах, плававших вокруг нее после крушения «Лузитании». Но это... это куда хуже, хотя бедняги все еще живы.

— Они не протянут и ночи. Наглотались газа. Тут уж ничего не попишешь.

Мужчина, лежавший у ее ног, изрыгал зеленую слизь, и Виктория вцепилась в руку Дидье.

— Я не сестра, — пробормотала она, подавляя приступ тошноты. Это уж слишком. Она не выдержит. Не стоило приезжать сюда. — Не могу...

— Я тоже не медик, — резко бросил Дидье, — я музыкант... Вы остаетесь или нет?

Это ее испытание. Испытание огнем. Она кичилась тем, что сама этого хочет, что не похожа на других.

— Если нет, убирайтесь, у меня нет на вас времени.

Он презрительно смотрел на нее, как на ничтожество, на дилетантку, явившуюся сюда, чтобы потом хвастаться светским приятелям своей отвагой. Санитар словно бросал ей вызов, и Виктория кивнула.

— Остаюсь, — хрипло выдавила она и медленно опустилась на колени рядом с ближайшим раненым. Половина его лица представляла кровавую массу, и, хотя кто-то забинтовал раны, доктора, очевидно, сочли его безнадежным. Возможно, в настоящем госпитале ему оказали бы надлежащую помощь, но полевой просто не был для этого приспособлен.

— Как... как вас зовут? — пробормотал раненый в полубеспамятстве. — Я Марк.

Судя по выговору, он, должно быть, англичанин.

— А я Оливия, — постаралась улыбнуться девушка и взяла его за руку, пытаясь понять, каким он был до того, как его так зверски изуродовали.

— Вы американка, — догадался Марк. — Я был там однажды.

— Из Нью-Йорка, — подтвердила Виктория. Словно это имело значение...

— Когда вы приехали? — допытывался он, продолжая цепляться за жизнь, будто сознавал, что, пока говорит с красивой незнакомкой, смерть за ним не придет.

— Только сейчас, — пояснила она, снова чувствуя, как подступает к горлу желчь. В этот момент еще один раненый дернул ее за передник.

— Из Америки... вы давно оттуда? — пробормотал Марк.

— На прошлой неделе... спаслась с «Лузитании»... — едва выговорила она. Господи, как их много... и воздух содрогается от их рыданий и воплей.

— Проклятые фрицы... женщин и детей... звери... — охнул Марк, но Виктория уже склонилась над вторым. Он звал мать и просил воды. Мальчику из Гэмпшира было всего семнадцать, и через несколько минут он умер у нее на руках. В эту ночь она утешала бесчисленное множество раненых и проводила их в последний путь. Ничего особенного от Виктории не требовалось: она держала их за руки, зажигала папиросы, подносила воду даже тем, кто уже не мог пить. У некоторых были разворочены животы, сожжены лица, наполнены газом легкие. Невероятные, немыслимые, вызывающие безумный ужас сцены...

Только утром она вернулась в палатку сестер, перепачканная кровью, гноем и рвотой. И не знала, куда идти и где ее вещи. Во всем этом кошмаре она совершенно забыла о чемодане. Она всю ночь помогала Дидье выносить мертвых и складывать их на землю. Сколько их, юных и пылких, нашли свой последний приют в глинистых холмах Франции!

— Вон в той палатке столовая, — показал Дидье, и Виктории на миг показалось, что у нее просто нет сил туда добраться. Она не спала ночь, все тело ныло, как от побоев, но Дидье, казалось, был неутомим. — Уже жалеете, что приехали, Оливия? — осведомился он, и девушка едва не поправила его, назвавшись настоящим именем, но вовремя осеклась.

— Нет, — солгала она с вымученной улыбкой.

Но Дидье сразу распознал ложь. Да, она достойно повела себя, и, если останется, на такую можно положиться. Большинство добровольцев — просто хлюпики. С трудом выдерживали несколько дней и давали деру, потрясенные увиденными ужасами. Стойких и отважных было слишком мало, фактически единицы, но они выносили на своих плечах все тяготы войны и были здесь с самого начала, вот уже почти год. Но эта... эта... вряд ли. Слишком молода и красива. Заявилась сюда по глупости и тщеславию и теперь не знает, как выбраться.

— Вы привыкнете. Подождите до зимы и увидите, вам **понравится**, — пообещал он. Прошлой зимой войска тонули в грязи, а сверху лились потоки воды. Но это все же лучше, чем, подобно русским, замерзать в Галиции.

Но Виктория вдруг сообразила, что зимой уже будет дома, с Чарлзом и Джеффри. Какими они кажутся сейчас далекими и нереальными! Только Оливия по-прежнему живет в ее душе, и Виктория почти слышала, как сестра разговаривает с ней по ночам.

Она отошла от Дидье и поковыляла к палатке, где раздавали еду, жадно втягивая носом ароматы кофе и какие-то незнакомые запахи. Странно, несмотря на всю бойню, кровь и мерзость, она зверски голодна!

Виктория положила себе яичницу из порошка, рагу, состоявшее в основном из хрящей, и толстый ломоть хлеба, зачерствевший до твердости дерева, но она все равно съела его, макая в подливу. И запила все двумя огромными кружками крепкого черного кофе. С ней здоровались, но и сестры, и санитары были слишком измучены, чтобы поговорить. Здесь раскинулся настоящий военный городок. Палатки служили казармами, госпиталем, столовой и складами, в маленьком замке стояли постоем старшие офицеры во главе с генералом, а на ферме жили младшие. Остальные разместились в казармах. Виктория все еще не знала, где будет жить.

— Вы от Красного Креста? — спросила ее миловидная полная девушка в форме сестры милосердия. Она с аппетитом уминала завтрак, не обращая внимания на измазанный кровью передник. Двенадцать часов назад Виктория была бы шокирована, но сейчас даже глазом не моргнула.

— Должна была к ним присоединиться, но не успела, — пояснила Виктория. Девушку звали Рози, и, как многие здесь, она оказалась англичанкой. — Они уехали без меня. Не знаю, что с ними случилось.

Рози как-то странно поглядела на нее.

— Зато я знаю. Их машину накрыло снарядом в Меце. Никто не спасся. Все трое убиты.

Подумать только, если бы она сидела в той машине, сегодня ее уже похоронили бы... если бы было что хоронить.

— Что собираетесь делать? — тихо спросила Рози, и Виктория надолго задумалась. Она отнюдь не была уверена, что хочет остаться. Здесь куда опаснее и тяжелее, чем она представляла. Одно дело — находиться в Нью-Йорке и слушать лекции. Издали все казалось таким простым и определенным, проблемы — ясными, идеи — благородными. Она собиралась водить машину. И возить... кого? Умирающих? Трупы? Какой же она была наивной дурочкой! Но если она решит остаться, значит, должна приносить пользу.

— Сама не знаю, — нерешительно протянула она. — Я не сестра милосердия и ничего не умею. Вряд ли от меня будет толк.

Сгорая от непривычного для себя смущения, она робко поглядела на Рози:

— С кем мне поговорить?

— С сержантом Моррисон, — улыбнулась Рози. — Она главная над добровольцами. Не обманывай себя, крошка. Нам необходима любая помощь, даже если ты ничему не училась. Вопрос в том, сумеешь ли ты это вынести.

— Как мне ее найти? — вместо ответа осведомилась Виктория.

Рози рассмеялась и налила себе кофе.

— Подожди минут десять, она сама тебя отыщет. Сержант Моррисон знает все, что здесь творится. Смотри не говори потом, что тебя не предупредили.

Она оказалась права. Не прошло и обещанных десяти минут, как в палатку деловито вошла великанша в мундире и смерила Викторию оценивающим взглядом. Она уже услышала от Дидье о новенькой. Сержант Моррисон, блондинка с голубыми глазами, под два метра ростом, прибыла из Мельбурна. Она сражалась во Франции с самого начала войны и даже не была ранена. При этом она обращалась с волонтерами как с собственными рабами и, если верить Рози, правила железной рукой.

— Говорят, вы проработали всю ночь, — вежливо начала она, и девушка, изумленно взирая на нее, вздрогнула от непонятного страха.

— Да, — пробормотала она, вытягиваясь как старательный рядовой. Странно после всего хаоса наконец отыскать оазис порядка и спокойствия. Здесь каждый знал свои обязанности.

— И как вам понравилось? — без обиняков допрашивала сержант.

— Вряд ли «понравилось» — подходящее слово, — уклончиво заметила Виктория.

Рози, попрощавшись, направилась к операционной: ей предстояла еще одна двенадцатичасовая смена. Они работали сутки или пока не валились с ног. Рози однажды выдержала тридцать.

— Большинство из тех, за кем я ухаживала, умерли еще до рассвета, — выдохнула Виктория, и Пенни Моррисон молча кивнула, хотя в глазах промелькнуло нечто вроде жалости.

— Такое случается здесь каждый день. И что вы при этом чувствуете, мисс Хендерсон?

Она помнила ее имя, знала, кто она, и без ведома Виктории успела отослать ее чемодан в казарму и отвести койку в женском отделении.

— Лишняя пара рук нам очень пригодится, — честно призналась Пенни. — Не знаю и не хочу знать, по каким мотивам вы сюда приехали, но неплохо бы, если бы у вас хватило мужества все это вынести. Здесь идут жестокие бои.

Виктория уже стала свидетельницей этому прошлой ночью. Ей даже выдали респиратор — на случай, если немцы прорвут линию обороны и снова применят газ.

— Мне бы хотелось остаться, — выпалила она, к собственному удивлению. Она сама не поняла, что заставило ее сказать это, словно какой-то внутренний голос ответил за нее.

— Прекрасно.

Сержант встала и посмотрела на часы. У нее было полно дел. Чуть позже назначено совещание командиров, и она, как старшая над добровольцами, должна там присутствовать. И разумеется, будет единственной женщиной.

— Кстати, — бросила она через плечо, — вас поселили в женских казармах. Я отослала туда ваш чемодан. Кто-нибудь покажет вам, где это. Через десять минут вы обязаны доложить, что прибыли на смену.

— Сейчас? — ошеломленно пробормотала Виктория. Она не спала всю ночь и валилась с ног. Но сержант, похоже, не посчитала это уважительной причиной.

— Вы освободитесь в восемь вечера, — улыбнулась она. — Я уже сказала, Хендерсон: нам необходима ваша помощь. Позже успеете выспаться. И кстати, — строго велела она, хотя глаза лучились теплом, — свяжите волосы на затылке.

И с этими словами она исчезла. Позже Виктория узнала, что эта женщина в самом деле была настоящим тираном, но обычно щадила сестер и предпочитала нещадно гонять добровольцев.

Виктория тяжело вздохнула, выпила еще чашку кофе и представила двенадцать бесконечных часов. Сумеет ли она выдержать? Но так или иначе выхода все равно нет.

— Так быстро вернулась? Должно быть, наткнулась на сержанта Моррисон, — поддел Дидье, увидев девушку. Он тоже еще не успел смениться, и Виктория поспешно натянула чистый передник, скрутила волосы в узел и отыскала когда-то чистую шапочку. Союзники снабжали их чем могли, но нехватка в войсках ощущалась постоянно.

Девушка снова приступила к своим обязанностям, ничем не отличавшимся от вчерашних: умирающие мальчишки, кричащие мужчины, оторванные конечности, пустые глазницы, легкие, сожженные ядовитым газом. К восьми часам Виторию уже шатало и едва не рвало от усталости. Она с трудом добрела до женской палатки и даже не справилась, где ее чемодан. Рухнула на ближайшую койку и мгновенно отключилась. Она в жизни так не уставала и на этот раз даже не вспомнила о сестре.

Проснулась Виктория только к полудню, приняла душ в специально приспособленной для этого палатке, вымыла голову и отправилась в столовую. Стоял прекрасный майский день. Виктория наконец почувствовала себя человеком и даже немного поела, с жадностью выпив кофе, который здесь поглощали буквально ведрами.

Кстати, когда ей снова приступать к работе? Никто не сказал ей, когда начинается смена.

Приканчивая тарелку все того же рагу, она увидела Дидье и спросила, когда выходить на смену. Сам он только возвращался с тридцатишестичасового дежурства и выглядел хуже некуда.

— Вряд ли тебя ожидают до полуночи. Должно быть, Моррисон поняла, что тебе надо поспать. Но тебе должны были прислать расписание.

— Да и тебе тоже, — сочувственно заметила Виктория, ощущая себя винтиком огромной машины. Как прекрасно находиться в гуще событий! — Спасибо, Дидье. Увидимся.

Дидье лихо отсалютовал ей и удалился, унося оловянную кружку с кофе. Теперь даже бомбы, даже канонада ему нипочем. Он не просто устал, а окончательно вымотан.

Но все же Дидье улыбался. Ему нравилась новенькая. Не понятно только, почему она сюда явилась. Правда, у всех здешних были свои причины идти на фронт, и они редко откровенничали, разве что в разговорах с близкими друзьями. Многие были недовольны прежней жизнью или исповедовали высокие идеи. Но что бы ни привело их во Францию, удерживало их здесь нечто совершенно другое.

Расписание действительно лежало на ее походной койке. Через два часа ей снова заступать.

Виктория еще немного отдохнула, а потом прошлась по лагерю. Она подумывала было написать Оливии, но решила, что времени не хватит.

Вышло так, что она явилась на дежурство даже немного раньше и не увидела ни одного знакомого лица, если не считать сержанта Моррисон, которая чуть позже пришла проверить ее работу. Она удовлетворенно кивнула при виде строгой прически Виктории и дала ей комплект формы, состоявшей из длинной юбки, чего-то вроде гимнастерки, белого передника и маленькой шапочки с красным крестом. На случай холодов полагалась красная шапочка.

— Как идут дела? — осведомилась Моррисон.

— Неплохо, — осторожно откликнулась Виктория, возмещавшая старанием недостаток опыта.

— Рада это слышать. Заберете удостоверение личности в штабной палатке. На вчерашнем совещании вам разрешили остаться. Думаю, у вас все будет хорошо, — деловито объявила Пенни и ушла, провожаемая удивленным взглядом Виктории. Но времени на размышления не оставалось. Этой ночью произошло сражение при Берри-о-Бак, и поток раненых не иссякал.

Она проработала четырнадцать часов без отдыха и, слишком измученная, чтобы поесть, зашагала в казарму. Невозможно забыть о погибших мальчиках, о детях, утонувших после взрыва «Лузитании». Сколько бессмысленных смертей! И это сейчас, когда светит солнце, поют птицы, распускаются цветы!

Виктория миновала казарму, отыскала маленькую полянку, уселась на землю, прислонившись спиной к дереву, и закурила. Ей необходимо хотя бы недолго побыть одной. Слишком много людей, слишком много страданий. Ее все время дергали, что-то требовали, добивались. До сих пор она не понимала, как это опустошает.

Виктория медленно прикрыла глаза. Жаркие лучи приветливо пригревали, но ей казалось, что она состарилась за один день.

— Не боитесь загореть? — раздался чей-то голос. — В таком случае я знаю чудесные местечки для отдыха.

Незнакомец говорил по-английски с легким французским акцентом. Виктория лениво подняла веки, и снизу мужчина показался ей едва ли не выше дерева. Светлые седеющие волосы, прекрасная осанка... в другое время и в другом месте он показался бы ей настоящим красавцем.

— Откуда вы узнали, что я не француженка? — с любопытством, но без улыбки поинтересовалась она.

— Вчера я подписывал разрешение на ваше пребывание здесь, — суховато объяснил он. Оба тайком приглядывались друг к другу. — Узнал вас по описанию.

Пенни Моррисон рассказала о приезде ослепительно красивой американки, спасшейся после крушения «Лузитании», и предположила, что девушка пробудет на фронте не более десяти минут. Об этом он не стал говорить Виктории.

— Мне нужно встать по стойке «смирно» и отдать честь? — спросила она. Виктория не знала устава, но сейчас они были просто мужчиной и женщиной, а не командиром и подчиненной.

На этот раз он улыбнулся.

— Нет, если вы не служите в армии. Поступайте как считаете нужным. Но ведь вы даже не сестра милосердия, так что, откровенно говоря, на вашем месте я не стал бы волноваться.

Виктория не знала, что он учился в Оксфорде и Гарварде и там выучил язык. Незнакомец выглядел старше Чарлза, но она так и не смогла определить его возраст. С виду настоящий аристократ и очень привлекателен.

— Я капитан Эдуар де Бонвиль, — представился он, и глаза Виктории просияли — впервые с того дня, как она покинула Нью-Йорк. Она так давно ни с кем не говорила, если не считать леди Макуорт. Все остальные беседы были чисто деловыми. Но тут... тут что-то иное.

— Вы здесь главный? Наверное, все-таки следует встать, хотя не уверена, что удержусь на ногах.

— Вот и еще одно преимущество штатских. Ни к чему все эти церемонии. От души советую вам не вступать в армию, — пошутил он и уселся на потемневшее от времени бревно. — Кроме того, я вовсе не командующий. Довольно мелкая шишка. Третий или четвертый по рангу.

— Поскольку именно вы подписывали мои бумаги, позвольте вам не поверить.

— Ну... скажем, я не очень отошел от истины.

На самом деле все было не так. Он окончил Сомюр, знаменитую военную академию для дворян и аристократов, и стал кадровым военным. И если и дальше будет продвигаться по службе такими темпами, скоро станет генералом. Но сейчас Эдуара куда больше интересовала не собственная биография, а прелестная незнакомка. Последние два дня мужчины ни о ком другом не говорили, и даже Пенни Моррисон терялась в догадках. Что нужно здесь юной красавице, явно из хорошей семьи? Такой, как она, куда пристойнее проводить лето на балах и вечеринках, в обществе себе подобных.

— Я слышал, вы плыли на «Лузитании», — заметил он, глядя ей в глаза. Да... она не лжет... пережитые скорбь и боль ничем не подделать. — Боюсь, ваша одиссея неудачно началась. Хотя это еще не конец. Все впереди. Позвольте спросить: вы заблудились по дороге в какой-то земной Эдем или настолько ненавидите себя, что стремились именно сюда?

Виктория засмеялась. Ей отчего-то нравился этот совсем незнакомый человек. Было в нем нечто чистосердечное и открытое.

— Скорее второе. Я хотела попасть на фронт и была бы безутешна, если бы мне это не удалось.

Взгляды их снова встретились. Оказалось, что глаза у них совершенно одного цвета, несмотря на то что она была брюнеткой, а он — блондином. Всякий посчитал бы их неотразимо привлекательной парой, хотя капитан был намного старше. Ему уже исполнилось тридцать девять, и Виктория почти годилась ему в дочери.

— После Сорбонны я год проучился в Оксфорде, ну а потом, чтобы отшлифовать американский акцент, провел еще год в Гарварде. — Он подмигнул и прекрасно сымитировал бостонский тягучий выговор. — Ну а потом окончил Сомюр — это такая дурацкая военная академия, с кучей лошадей.

Виктория с уважением покачала головой. Даже она слышала о знаменитой кавалерийской школе, равной по славе и репутации американскому Уэст-Пойнту, разве что в последнем не было никаких лошадей.

— И вот я здесь, но откровенно говоря... — Он закурил, и Виктория достала из пачки вторую папиросу. — Откровенно говоря, хотел бы оказаться за тысячу миль отсюда.

Виктория горько усмехнулась. Вероятно, каждый на его месте желал бы того же. Поразительно, что она так стремилась попасть сюда.

— И если в вас осталась хоть капля здравого смысла, вы немедленно вернетесь в Англию, сядете на корабль, только на этот раз американский, поскольку ваш президент достаточно разумен, чтобы не ввязываться во все это, и отправитесь домой. Кстати, откуда вы?

— Нью-Йорк, — сдержанно объяснила девушка.

— Сбежали от тиранов-родителей?

По паспорту ей было двадцать два. Должно быть, рвалась на волю из родительского гнезда. Возможно, ее привело сюда разбитое сердце. Правдоподобно, хотя донельзя глупо.

— Нет. У меня добрый, любящий отец.

Эдуар удивленно поднял брови.

— И он позволил вам отправиться сюда? Странно!

Виктория сама не знала, почему откровенничает с ним. Но он ей действительно нравился. Особенно голос, выговаривающий слова с чужеземным прононсом.

— Знаете, я ни за что не позволил бы своей дочери пуститься в такую авантюру! Слава Богу, что у меня нет детей!

Она невольно взглянула на его левую руку. Обручального кольца нет, но это ничего не значит. У нее тоже нет кольца, хотя она замужняя женщина.

— Он не знает, что я здесь, — откровенно призналась Виктория. — Думает, что я в Калифорнии.

— Вы некрасиво поступили, — неодобрительно хмыкнул Эдуар. Что, если с ней случится что-то? Она уже пережила кораблекрушение! Весьма отважна для столь юной девушки. Дерзка и глупа. — И никто не знает, где вы?

— Кроме сестры, — ответила Виктория, снова прислонившись к дереву. Приятно было поговорить с ним, но она ужасно устала. Правда, что-то толкало ее на откровенность. Хотя стоит ли признаваться ему во всем? Но теперь он не отошлет ее обратно: бумаги подписаны, и, кроме того, она совершеннолетняя. Кто может ей помешать?

— Мы близнецы, — тихо пояснила она.

— Двойняшки? — полюбопытствовал он, сразу оживляясь.

Виктория кивнула.

— Совсем одинаковые?

— Абсолютно. Как две капли воды. Так называемые зеркальные близнецы. Все приметы, что у меня слева, — у нее справа, как эта родинка. Видите?

Она показала крошечное пятнышко на ладони, почти между пальцами. Эдуар вежливо улыбнулся, не слишком интересуясь подробностями. Хорошо, что второй сестры нет рядом, иначе началась бы бог весть какая путаница.

— Никто не может различить нас, если не считать старой няни, — лукаво усмехнулась девушка. — Даже отец.

Эдуар на секунду представил, что способны натворить такие вот озорные девчонки, и даже зажмурился.

— Должно быть, окружающим от вас досталось, — заметил он, — особенно мужчинам. Вы, разумеется, дурачили всех знакомых?

Виктория с таинственным видом поднесла палец к губам. Эдуар прикрыл глаза, словно ослепленный ее красотой. Восторженные отклики, которые он о ней слышал, не могли передать всей ее прелести. Эта девушка великолепна. Такую можно встретить только раз в жизни.

— Не всех. Разве что некоторых, — с невинным видом заверила она, чему де Бонвиль ни на секунду не поверил.

— Бедняги. Как нехорошо с вашей стороны! Я рад, что не попался в ваши сети, хотя неплохо бы увидеть вас вдвоем. Кстати, как зовут вашу сестру?

— Виктория, — едва заметно поколебавшись, обронила она.

— Оливия и Виктория. Звучит как нежная мелодия. Итак, Оливия, лишь ваша сестра знает, где вы. И сколько времени вы намерены пробыть с нами? До конца войны?

Весьма сомнительно. Что ей здесь? Она, очевидно, богата, образованна, прекрасно воспитана, умна и ослепительно прекрасна. И разумеется, в любую минуту может вернуться домой, едва устанет от трудностей, грязи, вони, крови, непрерывной канонады. Дня два-три — и ее здесь не будет.

— Не знаю, — честно ответила девушка, и глаза ее досказали все, чего до сих пор не понимал де Бонвиль. Кажется... кажется, она бежит от чего-то. Или кого-то?

— Останусь, сколько смогу. Это зависит от сестры.

— От сестры? — удивленно переспросил он, поднимая брови. — Но почему?

Его как магнитом тянет к ней. Много бы он отдал, чтобы провести день с этим необыкновенным созданием.

— Она держит оборону в Нью-Йорке.

— Слишком сложно для моего понимания, — пожал плечами Эдуар.

— И вообще слишком сложно.

— Надеюсь, что когда-нибудь вы мне об этом поведаете.

Теперь он не выпустит ее из виду. И постарается как можно чаще попадаться на ее пути.

Девушка неохотно поднялась и, морщась от боли в каждой косточке, направилась в женскую казарму. Ей не хотелось покидать его, но она свалится, если немного не поспит. К удивлению Виктории, Эдуар и не думал прощаться и проводил ее до самого входа. Непонятно, неужели ему хочется, чтобы его видели с ничтожной санитаркой? Однако он казался совершенно невозмутимым.

Всю следующую неделю они постоянно встречались: то в госпитале, где она поддерживала голову исходившего рвотой раненого, то в столовой, где им удавалось выпить кофе. Они говорили обо всем, перекрикивая постоянный грохот и взрывы: о зеленовато-желтых облаках газа, о десятках тысяч искалеченных, изуродованных и убитых и, как ни странно, о самых обыденных вещах: о теннисе, яхтах, любви Эдуара к лошадям, приведшей его в Сомюр, и его учебе в Гарварде. Оказалось, что у них даже есть общие знакомые в Ньюпорте. Но такие минуты выдавались редко. Чаще они толковали о том, что происходило у них на глазах.

Иногда он даже заходил в казарму. Прошел месяц, прежде чем де Бонвиль пригласил ее в замок на ужин, который устраивал генерал для старших офицеров.

— Прямо в замке? — охнула девушка. Ей совершенно нечего надеть! Все вещи погибли на «Лузитании», а в ливерпульском магазине нашлись только повседневные свитера и юбки. Здесь она носила исключительно форму сестры с крахмальными передниками.

— Боюсь, парижский «Максим» чересчур далеко, — поддразнил Эдуар. Настоящая женщина! Такая мгновенно способна позабыть о том, что ежедневно меняла окровавленную одежду и садилась за руль санитарной машины, чтобы отвезти трупы в импровизированный морг.

— У меня ничего нет, кроме формы, — посетовала она, польщенная вниманием Эдуара.

Они быстро стали друзьями, но ей и в голову не приходило, что с его стороны может быть нечто большее. Он старше, намного выше рангом, и фронт — малоподходящее место для романов, хотя Виктория знала, сколько любовных историй случается именно здесь. Смерть и страдания часто сближают людей, хотя некоторые, наоборот, считают разумным не преступать невидимую границу. До сих пор она считала, что Эдуар следует второму принципу.

— У меня тоже ничего нет, кроме мундира, Оливия, — заверил он.

Виктория всегда улыбалась, слыша имя сестры. И хотя уже привыкла к нему, в устах Эдуара оно звучало чем-то чужеродным, напоминая Виктории о затеянной интриге. Несколько раз она подумывала во всем признаться, но боялась попасть в беду. Она приехала сюда с чужим паспортом, а в этой стране действуют законы военного времени.

— Никто не обратит внимания. Я зайду за вами в семь, когда кончится смена.

Виктории пришлось получить специальное разрешение, чтобы освободиться пораньше. К счастью, Дидье согласился ее заменить. Пришлось рассказать ему о приглашении.

— Я все гадал, когда это случится, — одобрительно заметил он. Виктория нашла в нем искреннего друга. Она ему действительно нравилась: усердно трудилась, не лгала, не флиртовала, работала сверхурочно, без жалоб и нытья.

— Мы всего лишь приятели, — возмутилась Виктория.

— Можете так думать, но поверьте мне, вы не знаете французов.

— Глупости! — фыркнула девушка и помчалась к палатке, чтобы переодеться в чистую униформу. Единственной данью женственности в этот вечер были распущенные по плечам волосы. Даже подкрасить губы было нечем — она не позаботилась купить помаду. Тогда это казалось несущественным, теперь — стало жизненно важным!

Эдуар заехал за ней на грузовике. Только несколько любопытных взглядов было брошено в их сторону: в этот час остальные либо ужинали, либо работали.

— Вы прекрасно выглядите, — восхищенно прошептал он.

— Вам нравится мой наряд? — кокетливо осведомилась она, делая изящный пируэт. — Только сейчас прибыл из Парижа. А моя прическа? Целый час возилась.

— Вы просто чудовище. Неудивительно, что семья решила от вас отделаться.

— Как вы догадались? — печально вздохнула она, вспомнив о муже и пасынке. Но правду говоря, Виктория ничуть по ним не скучала. Ни разу не затосковала, с тех пор как попала сюда.

— Сестра вам пишет?

— Да, я получила два письма и успела ответить. Только вряд ли она поймет меня. Нужно своими глазами увидеть, что здесь творится, иначе все слова покажутся напыщенными и высокопарными.

— Тут вы, пожалуй, правы, — согласился Эдуар.

Они остановились во дворе замка, и Виктория, нервно пригладив волосы, шагнула на крыльцо.

Кроме нее, за столом были всего две женщины: хозяйка замка, живущая в маленьком коттедже садовника, немолодая графиня, годившаяся ей в матери, очень милая и вежливая, и жена одного из полковников. Тот вот уже много месяцев не мог вырваться в Лондон и позволил ей навестить его.

Ужин был неофициальным и проходил в узком кругу, разговоры в основном велись о войне и галицийской кампании, печально известной своими жертвами и жестокостью. Более миллиона поляков полегло в борьбе с немцами, и это показалось Виктории невероятным, хотя она тут же сообразила, что за это время, возможно, видела более тысячи трупов. Мужчины были чрезвычайно учтивы с ней, все превосходно говорили по-английски, хотя за последнее время и ее французский намного улучшился. Часов в десять они встали из-за стола, и Эдуар повез Викторию обратно. Он был в восторге от проведенного вечера и искренне горд своей спутницей. Та, сама не подозревая, произвела огромное впечатление на графиню и генерала и сейчас весело болтала с Эдуаром, несмотря на то что где-то вдалеке опять шел бой. Она успела привыкнуть и к взрывам, и к пушечной канонаде. Оставалось только молиться о том, чтобы раненых и убитых было поменьше.

— Чем все это кончится? — тихо спросила она, когда Эдуар подъехал к казарме. Он не дал ей выйти из машины. Здесь даже негде было поговорить: в столовой и на улице, как всегда, толпился народ. Но именно сейчас как никогда он жаждал быть с ней наедине. Сказать то, о чем молчал все это время.

— Миром... когда-нибудь, — философски заверил он. — Но войны отнюдь не улучшают наше бытие. Вспомните историю, начиная с Пунических войн. В конце концов все остаются в проигрыше.

— Почему бы нам не побежать туда и не объяснить это немцам? — улыбнулась она, показывая в сторону невидимой линии фронта. — Избавили бы себя и остальных от кучи неприятностей.

— Не забывайте, они стреляют в парламентеров, — напомнил Эдуар. — Кстати, сегодня я чудесно провел время.

Он не мог отвести от нее глаз. Трудно поверить, что за ней не тянется шлейф разбитых сердец, хотя, насколько он знал, здесь она держалась строго и не заводила мимолетных романов.

— Мне так хорошо с вами, Оливия. Я хотел бы как-нибудь повторить этот вечер.

Жаль, что они не могут поехать в Париж. Там кипит совсем другая жизнь. Он мог бы повезти ее в свой замок в Шиньоне, на охоту, познакомить со своими друзьями, а здесь... как можно здесь ухаживать за прелестной дамой?

— Я тоже немного отвлеклась, — беспечно обронила она, закуривая крепкую французскую папиросу «Житан». Ей и в самом деле нравилось его общество. — А генерал просто душка.

Вместо ответа Эдуар поцеловал ей руку и нерешительно посмотрел на девушку, словно опасаясь, что его не так поймут.

— Оливия, мне нужно кое-что вам сказать. Не хочу, чтобы между нами были какие-то недомолвки.

Виктория мгновенно насторожилась, чувствуя знакомую боль в сердце, будто старая рана вновь открылась. И вместо того чтобы ждать, пока он нанесет удар, предпочла внести ясность сама. Она больше не позволит ни одному мужчине играть на ее чувствах. Она надежно защищена невидимым барьером.

— Вы женаты, — бесстрастно бросила она, чуть усмехаясь.

— Откуда вы знаете? — растерялся Эдуар. Она мудрее, чем он предполагал! Что же ей пришлось пережить? Почему в глазах плещется бездонная тоска?

— Знаю, вот и все. Догадалась сейчас, когда вы решили со мной потолковать по душам. Какой же еще секрет вам скрывать?

300

— Много... очень много... душа человека темнее ада. Но это, собственно говоря, весьма мало напоминает настоящий брак.

— Нет, разумеется, нет, вы женились не по любви и обязательно разведетесь после войны, а может, и нет...

Девушка поспешно отвернулась к окну, чтобы он не видел, как ей плохо.

— Все не совсем так. Жена оставила меня пять лет назад. Но вы правы: мы с самого начала ничего друг к другу не питали. Я даже не знаю точно, где она сейчас. Возможно, в Швейцарии. Она сбежала с моим лучшим другом. Но честно говоря, для меня это стало огромным облегчением. Мы прожили вместе три года во взаимной ненависти. Но я не могу развестись: Франция — страна католическая. Просто хотел, чтобы вы это знали. Понимаю, что слишком тороплюсь, но ждать больше нет сил. В глазах церкви и закона я женатый человек, хотя будущее представляется довольно смутным.

Виктория обернулась, удивленно глядя на Эдуара. Она ожидала несколько другой сказки. Правда, это, вероятно, всего лишь французский вариант. Она не знала, верить ли ему, и он все прочел на ее лице, как в открытой книге.

— Она вас бросила? — тихо переспросила девушка.

В эту минуту она казалась такой юной и наивной, что он невольно улыбнулся и кивнул. Его подобные вещи больше не трогали. Все это случилось давным-давно, с той поры у него было две любовницы, к которым он не питал особо серьезных чувств, но вот уже год как он жил один.

— Почти шесть лет назад. Следовало бы живописать, как она разбила мне сердце, чтобы возбудить в вас сочувствие, но не могу. Не представляете, как я радовался, когда она исчезла. Я обязан Жоржу жизнью. Когда-нибудь обязательно поблагодарю его как следует. Бедняга, должно быть, терзается угрызениями совести.

У него был такой комически-серьезный вид, что Виктория расхохоталась.

— Почему вы так ее ненавидите?

— Она избалованная, упрямая, дерзкая, злобная и подлая. И при этом самая большая эгоистка из всех, кого я знаю, с которой невозможно ужиться.

— Зачем же вы женились? Она хорошенькая? — спросила Виктория, сгорая от любопытства, хотя понимала необходимость держаться начеку. Но он каким-то образом сумел затронуть ее душу.

— Очень, — чистосердечно сообщил Эдуар. — Но дело не в этом. Она была помолвлена с моим братом, а тот погиб на охоте за несколько недель до свадьбы. Оказалось, что он к тому же имел глупость наградить ее ребенком. Простите, я слишком долго был на фронте и позабыл, как следует вести себя с дамами.

Но Виктория безразлично махнула рукой и снова закурила. Весьма похоже на ее собственную историю!

— Так или иначе я совершил то, что считал благородным поступком, — заменил погибшего брата у алтаря. Три недели спустя у нее произошел выкидыш, по крайней мере она так уверяла. Но я до сих пор сомневаюсь, что мадам вообще была беременна. Скорее всего просто нашла способ поймать на удочку моего несчастного братца. Думаю, что если бы он на ней и женился, наверняка бы прикончил, рано или поздно. Он был далеко не так терпелив, как я. Через два года она спуталась с Жоржем, уверяя себя и его, что я слеп и глуп и ничего не знаю. До него были еще двое-трое любовников. Но теперь все кончилось и моя жизнь стала на редкость мирной. Однако если Жорж внезапно не разбогатеет, что весьма сомнительно, поскольку умом бедняга не отличается, или она не встретит кого-то более привлекательного, она не пожелает со мной развестись. Я мог бы откупиться и много раз пытался, но она предпочитает иметь титул.

— Титул? — переспросила Виктория, и Эдуар провел рукой по лицу, как бы стирая паутину.

— К несчастью, пока что она остается баронессой. Правда, была бы никем, став женой брата. Он был младшим сыном. К сожалению, Элоиза обожает титулы. Нам нужно найти ей жениха познатнее, маркиза или виконта, — пошутил Эдуар, но, внезапно став серьезным, вгляделся в Викторию. — Ну а теперь расскажите о мужчине, который причинил вам такую боль. Похоже, я попал в самую точку, когда упомянул о браке без любви. Может, поведаете, что произошло? — мягко спросил он, взяв ее за руку. Он был рад, что признался во всем. Не хотел, чтобы она питала ложные надежды. Он свободен, но не пойдет к алтарю. И пока не встретил ее, это обстоятельство не играло особой роли. Жаль только, что у него нет и не будет детей, но при одной мысли о них у Элоизы начинались кошмары.

— Тут нечего рассказывать, — вежливо солгала Виктория. — Все это совсем неинтересно.

— Но не зря же вы сюда приехали, — возразил Эдуар. — Значит, было что-то еще?

— Многое, — откровенно призналась она, чувствуя себя обязанной ответить искренностью на искренность.

— Да, у меня был роман, — выдавила она. — Я была очень молодой и наивной. Невероятно наивной.

Она смущенно потупилась, но Эдуар ободряюще улыбнулся.

— Знаете, все это кажется теперь таким незначительным. Все происходило два года назад. Я влюбилась с первого взгляда, и он воспользовался этим. Я совершенно потеряла голову. Он был старше меня, обаятелен, красив... и женат... отец троих детей. Но уверял, что ненавидит жену, собирается разводиться и женится на мне. Я была готова терпеливо ждать, пока он получит свободу, и, разумеется, все это было ложью...

Слова застревали у нее в горле, но она вынуждала себя говорить.

— Однако я... я всему поверила, пожертвовала честным именем и репутацией, но кто-то донес отцу. Отец послал к нему своего адвоката, но он... он поклялся, что это я его соблазнила.

Глаза девушки словно затянулись льдом.

— Он предал меня, отрицал, что обещал жениться, и имел наглость заявить, что никогда не собирался оставлять жену и что та беременна четвертым ребенком.

Если Эдуар в ужасе отшатнется от нее, так тому и быть. Чем раньше, тем лучше. Ей нечего терять, но, если он кому-нибудь расскажет, тем больше поводов его возненавидеть. Однако что-то в душе подсказывало, что она может ему доверять.

— Но и я ждала дитя, — продолжала она. — Мы вернулись домой, в Кротон, я упала с лошади, и... чуть позже случился выкидыш. Я потеряла много крови и едва не умерла. Отец был вне себя от ярости. Твердил, что по Нью-Йорку поползли неприятные слухи. Их распространял мужчина, в которого я была влюблена. Хвастался своей победой. Вероятно, считал все это очень забавным. Отец настаивал, что я должна спасти фамильную честь. Говорил, что ему стыдно показаться в обществе.

Виктория вздохнула, припомнив тоску одиночества и безмерное отчаяние тех ужасных дней.

— Поэтому и вынудил меня выйти замуж за одного из своих поверенных. Сказал, что выбора у меня нет и что я обязана покориться. А я... я всего лишь хотела быть суфражисткой, бегать на собрания и демонстрации, участвовать в голодовках.

Глаза Виктории зажглись энтузиазмом, и Эдуар с неподдельным интересом воззрился на нее.

— Это, разумеется, неплохая перспектива, хотя не из тех, что я рекомендовал бы, — возразил он, целуя ее пальцы. — Вряд ли два года назад вы были послушнее, чем сейчас.

Виктория с улыбкой кивнула.

— Наверное, так и есть. Но как бы то ни было, я пошла к алтарю. Он вдовец, растит сына. Жена погибла на «Титанике». Он искал мать для мальчика.

— И вы стали этой матерью? — поинтересовался Эдуар.

— Нет, к сожалению. Я не гожусь для этой роли. Не стала ни женой Чарлзу, ни матерью Джеффу. Мальчик меня ненавидел, да и его отец не имел оснований питать нежные чувства. Он все время сравнивал меня с первой женой, а я... просто его не любила. И не могла быть той, кем он хотел меня видеть. Билась, как птица в клетке... меня просто тошнило от всего... и он это знал.

— Значит, он плохой человек?

— Нет, — покачала головой Виктория и смахнула слезу. — Вовсе нет. Я была к нему равнодушна, вот и все.

Эдуар понял, что именно это обстоятельство и было основным для девушки. Значит, не он один связан по рукам и ногам.

— Где ваш муж сейчас? — тихо спросил он.

— В Нью-Йорке.

— И вы не развелись с ним? — разочарованно буркнул Эдуар. Такого он не ожидал.

— Нет, — печально выдохнула Виктория.

— Значит, вы ошибаетесь относительно его чувств к вам. Он любит вас больше, чем вы думаете, если отпустил сюда.

Должно быть, ее муж поистине благороден и достоин восхищения. Своей жене он не дал бы шагу сделать из дома, какой бы упрямой или независимой она ни была. Но Виктория поразила его еще больше.

— Он не знает, что я здесь, — выпалила она. Настал момент истины, и, каковы бы ни были последствия, она больше не станет утаивать правду. Впервые за два года она поверила мужчине, отчего-то сознавая, что он не причинит ей зла.

— Как же это? — вскрикнул Эдуар, но Виктория неожиданно усмехнулась. Несмотря на ужас ситуации, ей вдруг стало смешно. Так смешно, что она не знала, с чего начать.

— Он считает, что я нахожусь дома, с ним.

— О чем это вы? — ошеломленно пробормотал Эдуар и неожиданно открыл рот от изумления. Он понял.

— О Господи... ваша сестра... верно? Он думает...

— Надеюсь.

— Вы поменялись местами с сестрой? — возмутился Эдуар, и Виктория вдруг испугалась, что он ее разоблачит. В паспорте указан ее адрес. Что, если он напишет им и все расскажет?

— Не могу поверить, что вы отважились на такое... но как же... муж и жена... супружеские отношения...

— О, с этим мы почти сразу же покончили. Это было ужасно, все, что мы возненавидели друг в друге, стало между нами непреодолимым препятствием. Он хотел видеть во мне экономку, мать своего сына, и ничего больше.

— Вы уверены?

Он все еще не мог оправиться от изумления, потрясенный дерзостью того, на что она отважилась.

— Абсолютно, иначе никогда бы не попросила ее заменить меня. Она очень милая, добрая и хорошая — словом, все то, чем мне никогда не быть. И мальчик ее обожает.

— Он догадается?

— Не думаю. Вряд ли, если она будет осторожна.

Эдуар откинулся на спинку сиденья, пытаясь осмыслить услышанное.

— Вы и вправду ухитрились натворить дел, не так ли, Оливия?

— Виктория, — прошептала она.

— Виктория? Но ваш паспорт...

— Сестра отдала мне свои документы.

— Ах ты, дьявол... Разумеется, вам пришлось поменяться даже именами... бедняга... как же мне его жаль... что же он испытает, когда вы признаетесь... или даже этого ему не видать?

Возможно, она не собирается исповедоваться мужу и как ни в чем не бывало вернется назад после своих приключений? Эдуар хотел знать все. И надеялся, что имеет на это право.

— Наверное, придется все ему рассказать, когда вернусь. Я подумывала написать Чарлзу письмо, но в этом случае пострадает Оливия. С самого отъезда мне было не по себе. Я все думала, думала... и наконец решила не возвращаться к нему. Не могу, Эдуар. Я не люблю его. Не стоило вообще соглашаться на этот брак. Зря я позволила отцу уговорить меня. Нужно было с самого начала отказаться от этой затеи, но я считала, что он лучше знает, как поступить, и заботится обо мне. Вероятно, многие на моем месте смирились бы, но я не такова. Вернусь, и мы с сестрой станем жить вместе. Или останусь здесь, еще не знаю. Но обязательно попрошу Чарлза дать согласие на развод.

— А если он откажется? — с любопытством спросил Эдуар.

— Значит, мы разъедемся, хотя официально я по-прежнему буду носить его имя, — невозмутимо пояснила девушка. — Собственно говоря, мне совершенно все равно, главное, не находиться с ним в одном доме. Он прекрасный семьянин и заслуживает лучшей жены, чем я. Ему следовало жениться на Оливии, она идеально подошла бы ему.

— Будем надеяться, что он влюбится в нее в ваше отсутствие, — усмехнулся Эдуар, искренне забавляясь. И было чему: все это сильно напоминало мольеровскую комедию. Удивительная девушка! На редкость храбра и изобретательна!

— Вряд ли. Оливия чересчур чопорна и вечно заботится о приличиях. Правда, она настоящий ангел, если согласилась обременить себя такой обузой! Я пригрозила, что умру, если она не согласится сыграть мою роль. В детстве мы часто проделывали это. И Оливия всегда выручала меня из беды.

Виктория мечтательно улыбнулась.

— А вы, — подчеркнул Эдуар, — отнюдь не ангел, скорее настоящая дьяволица, мисс Виктория Хендерсон. Какой гнусный обман!

Но глаза его при этом смеялись. Таких женщин ему еще не доводилось встречать!

И тут он вспомнил то, о чем совсем забыл спросить:

— Какой срок она дала вам?

Виктория немного замялась, словно не решаясь признаться.

— Три месяца, — негромко обронила она наконец.

— А вы здесь уже месяц?

— Пять недель.

— Значит, времени у нас не слишком много?

Но оба понимали, что все может оборваться в любую минуту, что на войне люди живут одним днем, если не мгновением.

— Ваши принципы позволяют вам проводить время с женатым мужчиной? — напрямик спросил Эдуар.

Виктория невесело усмехнулась:

— А ваши? Позволяют встречаться с замужней женщиной?

— Я сказал бы, что мы два сапога пара, дорогая, и стоим друг друга...

В этот момент они еще не знали, что повстречались со своей судьбой, каждый обрел суженого, отныне и вовеки.

И вместо уверений в своих чувствах Эдуар притянул Викторию к себе и поцеловал.

Глава 25

Хотя Оливия пообещала провести с отцом весь июнь, когда настало время ехать, поняла, что не может заставить себя покинуть Чарлза и Джеффри. За последние несколько недель в их существовании произошли разительные перемены. С той самой ночи, которую они впервые провели в объятиях друг друга, Чарлз не мог от нее оторваться, и вот уже несколько недель в доме продолжался нескончаемый медовый месяц, а Джефф за это время стал ей по-настоящему родным. Сбылось все, о чем мечтала Оливия, и лишь одна ужасная мысль омрачала сказку: она воспользовалась, как воровка, тем, что принадлежит сестре, украла ее мужа, пасынка и даже обручальное кольцо.

Единственным оправданием Оливии служило благоговение, с которым она относилась к своим новым обязанностям. Она обожала своих мужчин и обрушивала на них все накопившиеся запасы невостребованной любви, но при этом повторяла себе, что когда-нибудь они за все воздадут должное именно Виктории, так что она приносит сестре неоценимый дар.

Но временами она отчетливо сознавала, как дурно поступает, и сгорала от стыда. Правда, все забывалось, стоило Чарлзу обнять ее или просто дотронуться до руки. Их страсть достигла высот, о которых он и не мечтал и даже не подозревал, что Виктория способна на такое. Сначала он посчитал ее чувственные порывы буйными и неукротимыми, но потом понял, что ошибся. Просто она оказалась способной на глубокое чувство и не боялась открыть перед ним душу. Совсем как Оливия когда-то пыталась... но теперь он даже радовался, что ее нет рядом. Чувства Чарлза к Оливии были слишком сложными, чтобы попробовать их понять. Но с ее отъездом в его отношениях с женой многое прояснилось, и теперь он никогда не спешил на работу.

Обычно они, смеясь как дети, возились и барахтались по утрам в постели, а вечером торопились поскорее лечь. С каждым днем они все раньше запирались в спальне и с трудом дожидались, пока уснет Джефф.

— Мы просто бесстыдники, — беспомощно хихикнула Оливия как-то на рассвете, когда Чарлз бесцеремонно последовал за ней в ванную. — Это непристойно!

Но она не слишком протестовала, когда он медленно взял ее под потоками теплой воды. Оливия тихо стонала, наслаждаясь его ласками, и еще час спустя, готовя завтрак, ничего вокруг не видела: глаза словно заволокло блаженной дымкой. Уходя, Чарлз игриво потрепал ее по попке. Но когда в доме вновь стало тихо, Оливия бессильно опустилась на стул, спрашивая себя, как может лишиться всего этого. Через два месяца Виктория появится и предъявит права на мужа. Ужаснее всего было сознание, что сестра не любила и не полюбит Чарлза. Судя по его собственным репликам, рассказам Джеффа, Виктория с самого начала не обманывала ее — брак их существовал только на бумаге. Но теперь... теперь стал явью и связал Чарлза и Оливию неразрывными узами. А бедняга и в самом деле ничего не подозревал. Страшно подумать, что произойдет, когда Виктория решительно отвернется от мужа и пасынка. И Оливия понятия не имела, как разрешить эту проблему. Все, на что она оказалась способна, — осыпать ласками и похвалами, нежить и баловать как Чарлза, так и Джеффа.

А Чарлзу казалось, что он умер и попал в рай. Даже со Сьюзен он не испытывал ничего подобного, хотя опасался признаться себе в этом. Каждую ночь он отдавался экстазу и рождался вновь.

— Нам хватило всего года, чтобы привыкнуть друг к другу, — как-то заметил он, когда они отдыхали после бурных любовных игр. — Не слишком долго, верно?

— А по-моему, чересчур долго, — возразила Оливия, и Чарлз, откатившись, воззрился на нее.

— Что, по-твоему, было причиной таких разительных перемен?

Он взглянул в глаза жены и испуганно вжался в подушку: слишком непривычно было видеть то, что всегда страшило его. Она словно открыла врата своего сердца перед человеком, который боялся и не хотел этого. Чарлз поспешно отвел глаза и уставился в потолок.

— Думаю, я должен быть благодарен судьбе и не задавать слишком много вопросов.

Но Оливию на миг пронзило странное ощущение, что в глубине души он уже все знает, пусть и не желая этого.

Позже Чарлз действительно ни о чем не спрашивал и даже не удивлялся тому, что она вечно забывает, куда подевала счета или всякие домашние мелочи. Даже Джефф иногда терял терпение в подобных случаях, но жена неизменно находилась в прекрасном настроении и Чарлз не хотел его омрачать ненужными расспросами.

Оливия едва сдерживала слезы, когда все-таки пришлось уехать. У Джеффа кончились занятия, и они отправились в Кротон. Чарлз обещал приезжать по выходным и сдержал слово. Годовщина их свадьбы пришлась на воскресенье, и он решил остаться и на понедельник, чтобы как следует отпраздновать знаменательное событие. Отец искренне радовался, видя, как они счастливы. И даже Берти, подозрительно поглядывавшая на воспитанницу, немного смягчилась.

— Ты должна потребовать у мужа роскошный подарок, вроде большого нового дома, — шутливо советовала она, хотя обе знали, что Виктория должна унаследовать нью-йоркский особняк. Оливии достанется Хендерсон-Мэнор, хотя она слышать об этом не хотела.

Последний год отец постоянно болел, а исчезновение дочери буквально его подкосило. Но в последние дни ему стало значительно лучше: кашель прошел, настроение поднялось, и он даже велел открыть бутылку шампанского в честь годовщины свадьбы, а потом, как всегда, лег пораньше.

Джеффри спал в старой комнате Оливии, и ей было невероятно тяжело туда заходить. Видеть кровать, которую она столько лет делила с сестрой, было невыносимо. Она получила уже два письма от Виктории, отправленные на Пятую авеню, и знала, что та работает в полевом госпитале и ухаживает за умирающими. Должно быть, ей нелегко. Видимо, со стороны все кажется намного проще; только тот, кто побывал на войне и стал свидетелем суровой действительности, способен оценить труд сестры милосердия. Но, судя по письмам, Виктория была в своей стихии. И как бы Оливия ни скучала по ней, все же втайне сознавала, что рада отсутствию сестры, пусть и недолгому. Это давало возможность побыть еще немного с Чарлзом, и в эту ночь их ласки были особенно бурными.

Потом он заговорил об их печальном путешествии на «Аквитании», о своем тоскливом одиночестве и горьком разочаровании, и сердце Оливии сжалось от жалости и сочувствия.

Пришлось сделать вид, что она все помнит. Только сейчас девушка в полной мере поняла, как были несчастны оба.

Он снова сжал ее в объятиях, но на этот раз все было по-другому. Сердца и души словно бы слились, они как бы стали единым целым, и после, лежа рядом со спящим Чарлзом, Оливия впервые ощутила себя замужней женщиной.

Он, кажется, тоже почувствовал перемены, потому что даже говорил с ней иначе. Их союз наконец-то стал не только физическим, но и духовным, и во вторник Чарлз с трудом оторвался от жены. Он не мог на нее наглядеться и, добравшись до Ньюберга, едва не повернул обратно. Вечером он написал ей письмо, в котором говорилось, как много она значит для него и как сильно он ее любит. Оливия долго плакала, читая драгоценные строчки. Жизнь никогда еще не была так прекрасна!

Они с Джеффри почти каждый день ездили кататься. Он неплохо держался в седле, и Оливия учила его прыгать через препятствия, хотя Чарлз постоянно тревожился, что мальчик упадет. Он не переставал удивляться, что Виктория уделяет столько внимания пасынку, хотя не так любит лошадей, как сестра, но она стала совсем другой за последние два месяца и, наверное, хочет подружиться с Джеффом. Она все больше напоминала ему Оливию — всем своим поведением и манерами.

Оливия, со своей стороны, старалась почаще «срывать злость» на муже и пасынке, подражая Виктории, но в отличие от сестры потом долго терзалась угрызениями совести и целый день старалась загладить свою вину добрыми словами и самоотверженными поступками. Говоря по правде, Джеффу мачеха нравилась. И хотя он по-прежнему тосковал по Оливии, все же старался проводить больше времени с той, кого считал Викторией. Он то и дело вспоминал о тете Олли, и было очевидно, что рана все еще свежа. Оливия мучилась сознанием того, что причиняет ребенку боль и ничего не может с этим поделать.

Чарлз должен был провести с ними последнюю неделю июня. За день до его приезда Оливия и Джефф, как всегда, отправились на прогулку. Они уже возвращались, когда она перепрыгнула через ручей и лошадь оступилась. Оливия едва не соскользнула на землю, но удержалась. Правда, кобылка немного захромала, и наездница спешилась, решив вести ее в поводу. Добравшись до конюшни, девушка осмотрела ногу лошади, и оказалось, что в подкове застрял камешек. Оливия схватила заостренную железную палочку, но животное, испугавшись резкого движения, заржало и метнулось в сторону, а палочка вонзилась в правую руку Оливии, как раз между пальцами. Из ранки брызнула кровь, и помощник конюха помчался за полотенцем, а Роберт, старший конюх, увел лошадь и сам занялся камешком. Джефф едва не плакал, пока Оливия держала ладонь под проточной водой.

— Наверное, нужна пара швов, мисс Виктория, — сочувственно заметил один из слуг, но девушка храбро отказалась и, немного ослабев от боли и вида крови, села на ящик, услужливо поднесенный Джеффом.

— Тебе плохо, Виктория? — испуганно спросил мальчик. Его чуть подташнивало, и он старался не смотреть на ее рану.

— Все в порядке, — заверила она, опуская голову пониже, чтобы прийти в себя. Конюх продолжал качать насос, и когда Оливия посчитала, что рана очистилась, протянула руку Джеффу, державшему полотенце, и позволила мальчику поиграть в доктора. Но он отчего-то уставился на ее ладонь и громко охнул. И весь его мир внезапно перевернулся. Она не вспомнила о родинке! И теперь он точно знает, кто перед ним!

— Тетя Олли, — прошептал мальчик, не в силах поверить увиденному. Мачеха и вправду изменилась, но он в жизни не предполагал, что они посмеют так надолго поменяться местами! — Где... — начал он, но тут к ним подошел Роберт.

— Ну как? — взволнованно осведомился он. — Позвать старого дока?

— Нет, все хорошо, — отказалась Оливия, боясь, что доктор тоже заметит родинку. Может, и ему известно, в чем дело, не говоря уже о Берти. Нет, она не посмеет никому показать рану.

— Ничего страшного, Роберт. Я просто испугалась.

— Хорошо еще, что палка не прошла насквозь, мисс Виктория, — заметил Роберт, качая головой — Перевяжите хорошенько, не то занесете заразу.

Джеффри последовал его совету, постаравшись скрыть примету от посторонних глаз, но, как только они остались наедине, широко заулыбался. Он не потерял свою Олли!

Оливия крепко прижала к себе мальчика. Она в жизни не видела, чтобы ребенок был так счастлив!

— Я же говорила, что никогда тебя не покину, — прошептала она.

— А папа знает? — смущенно спросил Джефф.

— Никто не знает, кроме тебя, милый. Только не говори никому. Поклянись, что сохранишь тайну.

— Обещаю, — серьезно ответил мальчик, и Оливия поняла, что он сдержит слово, хотя бы потому, что со всей страстью не желал возвращения мачехи. Не то чтобы она была злой и жестокой, просто равнодушной. И он платил ей тем же.

— Папа очень рассердится, когда узнает? — встревожился Джефф.

— Наверное, — вздохнула Оливия. Зачем лгать, она и без того обманула мальчика.

— И прогонит тебя?

— Вот этого не знаю. Нужно быть начеку и не выдать себя. Пока мы вместе и будем этому радоваться. Джефф, я не шучу: ни одна живая душа не должна об этом проведать.

Она умоляюще посмотрела на мальчика.

— Я не болтун, — с оскорбленным видом заверил Джеффри и, обняв тетку за талию, повел к дому.

Глава 26

Последнюю неделю июня Чарлз провел в Кротоне, с женой и Джеффом. Рана Оливии уже успела зажить, и Джефф крепко держал слово. Он ни словом не обмолвился о своем открытии и вел себя как обычно, ничем не давая знать, что владеет секретом. Несколько дней Оливия волновалась, что ее разоблачат, но постепенно успокоилась и все потекло по-прежнему. Отец прекрасно выглядел, Берти расстраивалась из-за скорой разлуки, а Доусонам не терпелось поскорее отправиться на побережье. Чарлз снял для них особнячок в Ньюпорте.

Как обычно, здесь отдыхали Гоулеты, Вандербильды в роскошных домах, скромно называемых «коттеджами», ежевечерне устраивались вечеринки, балы и концерты. К тому же и погода была чудесная. Джефф обожал плавать вместе с мачехой, и Чарлз был на седьмом небе от счастья.

Четвертого июля, в День независимости, они, стоя на причале, смотрели фейерверк. Дом, арендованный Чарлзом, оказался очень уютным, и, проведя с семьей весь июль, Доусон первого августа вернулся к работе. Правда, он неизменно приезжал по выходным, и Оливия уже с пятницы начинала сгорать от нетерпения. Она и Джефф прекрасно уживались вдвоем, и мальчик никогда, даже наедине, не проговорился и не назвал ее настоящим именем. В одиннадцать лет он уже был достаточно умен, чтобы понять: о некоторых вещах лучше вообще не упоминать.

Они подолгу гуляли по берегу, пили чай с друзьями, бывали в яхт-клубе, собирали раковины, делали коллажи для Чарлза и даже как-то смастерили матросский амулет, усаженный крохотными ракушками. Оливия щедро делилась с Джеффом своей любовью, нежностью и талантами. И Чарлз, приезжая в Ньюпорт, неизменно понимал, что стоило отправиться в такую длинную поездку, чтобы увидеть их счастливые, довольные лица.

— Не знаю, как мне удается выжить без вас целую неделю, — сказал он как-то после ужина. Дни и в самом деле казались ему бесцветными и пустыми, а дом — одиноким и заброшенным. Он оживал только рядом с женой.

— Как я жил до нашей встречи? — вздохнул Чарлз, целуя ее. Они стояли на балконе спальни, залитые лунным светом. Ночь выдалась изумительной, тихой, теплой и звездной, и он хотел жену с новой силой, хотя они только что сплетались в страстных объятиях. Чарлзу нравилось прижимать жену к себе, тихо говорить о пустяках и просто быть рядом. Но едва они вернулись в спальню, как он не смог устоять перед ее чарами. Весь первый год она держала его на расстоянии и вздрагивала при одном прикосновении. Но сейчас она воспламенялась от одного взгляда. И всегда была бесконечно чувственной, просто он не сразу сумел ее разбудить.

Все переменилось с той минуты, как Чарлз признался себе, что любит ее.

Этой ночью, когда они лежали, тесно прижавшись друг к другу, Чарлз бережно гладил ее щеку кончиками пальцев. Теперь он желал от жены лишь одного, но боялся попросить: слишком хорошо знал ее отношение к этому предмету. Но, возможно, когда-нибудь Виктория отречется и от своих вольных идей. Она уже давно не упоминала о суфражистских собраниях, хотя по-прежнему жадно читала в газетах все статьи военных корреспондентов. Кроме того, она сдержала слово и бросила курить, и Чарлз прекрасно понимал, какого невероятного усилия это потребовало. Он заметил также, что Виктория и спит по-другому — свернувшись клубочком и прижавшись к нему. Раньше она отодвигалась как можно дальше, а теперь лишь довольно мурлыкала рядом, и это безумно ему нравилось.

Назавтра после его приезда они, как обычно, отправились на берег и устроили пикник на песке, а по пути домой зашли за покупками. Оливия потребовала зонтик от солнца, утверждая, что от жары у нее кружится голова. Джеффу нужны были новые туфли: он так вырос за лето, что едва влезал в старые. Семейство оживленно переговаривалось, но тут Оливия случайно увидела, как маленькая девочка выбежала на дорогу за мячом и оказалась между двумя экипажами. Одна из лошадей испугалась и встала на дыбы. Мать малышки истерически взвизгнула, но никто не бросился на помощь. Чарлз не успел сделать и шага, как Оливия метнулась вперед, схватила ребенка и кинулась обратно. Девочке было не больше двух-трех лет, и Оливия сумела прикрыть ее собой. В это время лошадь снова опустилась на все четыре ноги и слегка задела Оливию копытом. Однако она все-таки успела перебежать на обочину, не выпуская ребенка. Волнение и чересчур яркое солнце сыграли свою роль: перед глазами девушки все плыло, а от воплей разболелась голова. Лошадей придержали, мать ребенка рыдала, няня кричала на нее, малышка тоже плакала, а Чарлз, не обращая ни на кого внимания, ринулся к жене. Джефф не отставал от отца.

— Боже, ты что, решила покончить с собой? — обрушился Чарлз на нее, еще не успев опомниться. Неужели Виктория не понимает, как была близка к гибели?!

— Но, Чарлз... ребенок... крошечная девочка...

Жена смотрела на него широко раскрытыми глазами и, казалось, была в это мгновение так далеко, на другом краю света. С лица ее медленно сбегала краска. Она слышала все, что он говорил, но внезапно что-то случилось. И хотя Чарлз продолжал шевелить губами, с языка не слетало ни звука. Он вдруг посерел и стал уменьшаться в размерах. Оливия недоуменно уставилась на Чарлза, и он с ужасом увидел, как она пошатнулась и, подобно растаявшему мороженому, «стекла» на землю. Он едва успел подхватить жену, прежде чем ее голова ударилась о мощеный тротуар. Чарлз, перепугавшись, позвал на помощь. Он думал, что копыта почти ее не задели, но, возможно, дело куда хуже!

— Доктора! Пошлите за доктором!

— Что случилось? Что произошло? — спросила женщина.

— Не знаю, — досадливо бросил Чарлз.

Оглянувшись, он увидел полные слез глаза сына. Чарлз волновался за жену и не знал, что сердце Джеффа разрывается из-за Оливии. Он не мог второй раз терять маму!

— Все будет хорошо, сынок, — попытался успокоить Чарлз, осторожно опуская Оливию на землю и подкладывая ей под голову пакет с туфлями Джеффа. Она была в глубоком обмороке.

— Нет, папа, она умерла, — заплакал мальчик.

Вокруг плотной стеной стояли люди, и Чарлз, опустившись перед женой на колени, напрасно просил их расступиться, уверяя, что ей нечем дышать. Наконец появился доктор. Он велел перенести больную в ближайший ресторан и положить на банкетку.

Осмотр ничего не дал. Ни единого синячка, ни шишки; судя по всему, у нее не было сотрясения мозга, но в сознание женщина не приходила. Доктор растер ей запястья, обложил льдом затылок и виски. Наконец она медленно открыла глаза и, увидев обезумевшего Чарлза, спросила, что произошло.

— Ты спасла девочку, дура несчастная, и едва не погибла под копытами лошади, — прошипел он, обуреваемый яростью, ужасом и едва не падая от облегчения. — Неплохо бы, если бы ты проявляла свой героизм где-нибудь в другом месте, любимая, — выдохнул он, целуя ее руку.

Джефф поспешно вытер глаза, стыдясь своих слез.

— Прости, — едва слышно пролепетала она, скосив глаза на доктора. Тот послушал ее сердце и удовлетворенно кивнул. Ничего страшного, хотя...

Он спросил женщину, не хочет ли она лечь в больницу. Оливия наотрез отказалась, но едва встала, как снова едва не потеряла сознание, и призналась Чарлзу, что ужасно себя чувствует. Он, вне себя от тревоги, снова уложил ее на банкетку.

— Думаю, вашей жене нужно немного полежать и она придет в себя. Возможно, это тепловой удар и перенесенное волнение. Если понадобится, можете позвонить мне вечером, — дружелюбно сообщил доктор и вручил Чарлзу свою карточку. Чарлз оставил жену с сыном и пошел за машиной. Мальчик со страхом смотрел на тетку.

— Олли, как ты? — прошептал он.

— Джефф, нет, — взмолилась она, хотя рядом никого не было. — Помни, что я тебе говорила.

— Знаю... просто я ужасно испугался... мне показалось, что ты мертвая.

Он шмыгнул носом, и Оливия взяла его за руку.

— Я живая и задам тебе хорошую трепку, если снова назовешь меня Оливией.

Она сделала зверскую физиономию, и оба рассмеялись. Но тут вернулся Чарлз и настоял на том, чтобы донести ее до машины. Оливия ужасно смущалась, уверяя, что все прошло, но в лице ее не было ни кровинки. Вечером ее ужасно тошнило, и она решила, что обойдется без ужина.

— Я вызываю доктора, — твердо объявил Чарлз, когда пришел проверить, все ли в порядке. — Мне не нравится, как ты выглядишь.

— Какой ты противный, Чарлз, — жеманно промурлыкала она, и Чарлз широко улыбнулся. Слава Богу, кажется, ничто не сломит ее неукротимый дух. Правда, ее страсть к приключениям со временем немного унялась, но чувство юмора оставалось неистребимым.

— Ты знаешь, что я имею в виду, — вздохнул он, садясь. — Я думал, что умру, когда эта чертова лошадь едва не растоптала тебя. Господи помилуй, что за безумие!

— Но малышка могла погибнуть, — просто сказала Оливия, — и к тому же никто не пострадал.

— Кроме тебя.

— Я почти здорова, — заверила она, нежно целуя его в губы.

Она должна кое в чем признаться Чарлзу, но не знала, как начать. На такое она не рассчитывала. Конечно, это все усложнит. Но она так отчаянно хотела этого, что готова была на все, лишь бы ее заветное желание сбылось.

— Поверь, со мной ничего страшного, — повторила Оливия, и Чарлз недоуменно поднял брови. Иногда ее новая, непривычная манера говорить сбивала его с толку.

— Что ты хочешь мне сказать?

— Пока не решила, — пробормотала девушка. Она в самом деле понятия не имела, как отреагирует Чарлз на новость, тем более что ее сестра не желала никаких детей. Возможно, и он разделяет мнение Виктории.

— Что-то неладно? — встревожился он, но жена покачала головой и украдкой вытерла глаза.

— О, Виктория, — прошептал он, лишний раз напоминая, что Оливия захватила чужого мужа и не имеет права на счастье, хотя так горячо любит Чарлза. — Скажи, что тебя беспокоит... — умолял Чарлз, видя, что Виктории явно не по себе, и пытаясь ее ободрить.

— Я... я... Чарлз, — запинаясь выговорила она, и Чарлз, сопоставив ее недомогание и странное волнение, неожиданно понял.

— Ты ждешь ребенка, Виктория? — ошеломленно ахнул он, и жена кивнула. Последние два месяца он не предпринимал никаких предосторожностей и вел себя до невероятия беззаботно, но жена, казалось, не обращала на это ни малейшего внимания, и все шло своим чередом. Зная ее отношение к детям, Чарлз на мгновение испугался, что она придет в бешенство и былые обиды и непонимание вспыхнут с новой силой. Но она, похоже, ничуть не сердилась, только тихо плакала.

— Я беременна, — прошептала она. По расчетам Оливии, это случилось в годовщину свадьбы. Она уже побывала у доктора, и тот сказал, что ребенок родится в конце марта. — Ты очень сердишься?

— Сержусь? — повторил он, удивляясь, как она умудрилась забыть о своем упорном нежелании иметь детей. — За что, родная? Это ты не хотела ребенка. И должна злиться на меня.

— Я никогда еще не была так счастлива, — шепнула Оливия, опуская ресницы, и Чарлз поцеловал ее, страшась спугнуть невероятную удачу, так внезапно посетившую его. Господи, как дорога ему эта женщина!

— Поверить не могу... Когда?

— В марте, — едва слышно призналась Оливия, со страхом подумав, что же будет, когда вернется Виктория и вспомнит о том, что она замужняя женщина.

А дитя? Что будет с ним? И как отнесется к этому сестра? Разразится ужасный, невероятный скандал, но в эту минуту она могла лишь беспомощно льнуть к любимому и молиться, чтобы страшная минута никогда не настала. Будущее неумолимо, и она потеряет все, особенно если для сохранения тайны и соблюдения приличий Чарлз потребует отдать младенца, обвинив ее во всех прегрешениях.

Оливия воображала самые убийственные последствия своего поступка. Но кара ждет впереди, а пока она старалась заставить себя думать только о Чарлзе и драгоценном ростке, который она носит в себе.

Перед тем как вернуться домой, они все рассказали Джеффу. Он немного растерялся, но ни о чем не спросил. Отец и сын обращались с Оливией как с античной вазой, и, хотя она подсмеивалась над ними, ей это нравилось. Сначала Чарлз по ночам отодвигался от жены как можно дальше, но, к собственному стыду, обнаружил, что не может сдержать себя, и любил ее с прежним пылом. Доктор в Ньюпорте заверил ее, что это не вредно младенцу. Она молода и здорова, и с ребенком ничего не случится, если, разумеется, не слишком увлекаться.

Как только они вернулись в Нью-Йорк, Оливия немедленно помчалась на Пятую авеню, где уже два месяца скапливалась почта. Она не посмела попросить кого-нибудь переслать все в Ньюпорт.

Усевшись на крыльцо, она дрожащими руками разорвала первый конверт. Виктория по-прежнему была во Франции, работала в госпитале. Прочитав последнее письмо, Оливия долго, невидяще смотрела вдаль. Милостивое провидение позаботилось о ней. И хотя сердце рвалось от тоски по сестре, судьба сжалилась над ней и младенцем. Виктория писала, что случившееся трудно объяснить, но она безумно счастлива и нужна людям и поэтому не вернется домой в конце лета, как собиралась. Там ее дом и жизнь, и она умоляет сестру простить ее.

Оливия с гулко бьющимся сердцем перечитала размашистые строчки. Значит, так распорядился Всевышний. Она будет просить Бога о здоровье и благополучии сестры. Остается от души надеяться, что и Виктория, со своей стороны, не станет держать зла на Оливию.

Глава 27

Лето в Шалоне-на-Марне выдалось на редкость тяжелым. Направление главного удара немцев переместилось в Шампань. Французскими войсками командовал генерал Петен, и, поскольку плоский рельеф и отсутствие лесов не обеспечивали природных укрытий, солдатам пришлось снова рыть окопы. Кровавая бойня продолжалась. Целью операции в Шампани было прорвать линию обороны германцев, но, из-за того что войска противника располагались на высокой местности, союзная армия стала легкой мишенью.

Артиллерийский обстрел продолжался круглые сутки, всякое наступление пехоты захлебывалось, и люди валились наземь, как игрушечные солдатики. Уцелевших доставляли в госпитали, где день и ночь работали врачи и сестры милосердия.

К концу сентября зарядили непрерывные дожди, и вся округа превратилась в непролазное болото. Несчастные тонули в грязи, раненые и умирающие валялись на земле, и кровавые струйки сочились в мутные лужи. Неслыханные потери и гибель тысяч людей продолжались и в октябре. Эдуар буквально валился с ног, но все же выкраивал время, чтобы побыть с Викторией. Ему выделили две комнатушки в фермерском доме рядом с замком, одна из которых служила спальней, а вторая кабинетом. Виктория теперь все чаще ночевала у него, хотя окружающие делали вид, что не замечают этого, а некоторые ее вещи до сих пор хранились в казарме.

— Не очень это веселая штука — война, верно, любимая? — спросил Эдуар, наклоняясь и целуя ее. Он насквозь промок и только сейчас пешком, под проливным дождем, вернулся из госпиталя. Но Виктория почти привыкла к этому. За месяц ни на ком не осталось сухой нитки: одежда, палатки, белье были постоянно влажны и пахли гнилью. — Ты, наверное, чертовски устала от всего и хочешь домой?

Частью своей души он жаждал поскорее вернуть ее в привычное окружение, где она будет в безопасности, но расстаться с ней не было сил. Он нашел свою вторую половину, женщину, равную ему умом и отвагой, столь же сильную и при этом утонченно-красивую. Они должны быть вместе.

— Теперь уже не знаю, где мой дом, — вымученно улыбнулась Виктория, ложась рядом. Она отстояла шестнадцатичасовую смену и едва держалась на ногах. — Я думала, мой дом там, где ты, — тихо призналась она, и он снова ответил поцелуем.

— Ты права, дорогая, — согласился он и с интересом спросил: — Ты уже рассказала своей сестре о нас?

Они постоянно обсуждали, стоит ли признаваться, но Виктория опасалась шокировать сестру. Что ни говори, а они оба не свободны...

— Нет, но обязательно напишу. Да она и так знает. Она всегда и все знает обо мне.

— Какая странная духовная связь! Мы с братом были очень близки, но каждый жил своей жизнью.

Он любил беседовать с ней обо всем: о войне, политике, искусстве, — и зачастую их мнения совпадали, поскольку

Эдуар был по своим убеждениям почти так же либерален, как Виктория. Почти, но не совсем. Он считал, что суфражистки чересчур далеко заходят и вообще слишком разнузданны и бесцеремонны, и часто повторял, что, если она объявит голодовку или примется бегать по митингам, не миновать ей трепки.

— Мы с Оливией тоже разные, — вздохнула Виктория, закуривая «Житан». Последнее время стало все труднее доставать папиросы, и теперь приходилось делить одну на двоих. — Как две стороны одной монеты. Иногда ощущаешь нечто вроде раздвоения личности.

— Возможно, так и есть, — поддразнил он, придавливая ее к кровати своим телом и затягиваясь папиросой. — Когда я получу вторую половину?

— Никогда, — заверила Виктория с озорной усмешкой, — придется довольствоваться тем, что имеешь. Мы уже взрослые, больше никаких подмен и подлогов.

Эдуар, снова засмеявшись, откатился от нее.

— Уверен, что твой муж будет счастлив это слышать, бедняга, — лукаво заверил он. — Когда здешняя заваруха закончится, тебе придется вернуться домой и все объяснить, хотя бы ради них, — посоветовал он, и Виктория кивнула.

— Может, Оливия к тому времени решит, что лучше оставить все как есть.

— Пожалуй. Все это с каждым месяцем становится все сложнее распутать. Хорошо еще, что между ними нет никаких физических отношений, если верить твоим словам. Но если она — точная твоя копия, позволь мне усомниться. Вряд ли найдется мужчина, который смог бы устоять перед вами. Богу известно, я сдался через неделю.

— А ты пытался сопротивляться? — промурлыкала она с самым коварным видом, и Эдуар развел руками. Виктория ухитрялась выглядеть соблазнительно даже в уродливой помятой униформе.

— Ни минуты, — честно признался он. — Одной твоей улыбки достаточно, чтобы я растаял, любимая.

И несколько минут спустя он доказал правоту своих слов.

Позже Эдуар рассказал, что через несколько дней должен ехать в Артуа, где уже началось англо-французское наступление. Правда, пока что особых успехов не наблюдалось, да и французы ненавидели британского командующего, сэра Джона Френча, и требовали заменить его своим соотечественником. Англичане, со своей стороны, желали видеть на этом месте сэра Дугласа Хейга, но серьезных попыток ни с той, ни с другой стороны не предпринималось, и Эдуар пообещал отправиться в Артуа, чтобы поднять боевой дух и участвовать в военном совете.

— Береги себя, дорогой, — сонно пробормотала Виктория. Она хотела открыть ему тайну, но так устала, что даже не помнила, в чем эта тайна заключалась, а утром его уже не было и ей пришлось возвращаться на смену. Теперь она выдерживала без сна и отдыха по пятнадцать — восемнадцать часов.

Жизнь в Нью-Йорке была куда спокойнее и приятнее, чем на линии фронта, и октябрь выдался ясным и солнечным. Стояла необычайно теплая погода, и Оливия с Чарлзом окунулись в светскую жизнь: несколько раз ездили к Ван Кортлендам, ужинали с клиентами в «Дельмонико», а в конце месяца собирались на бал к Асторам. Оливия была уже на четвертом месяце, и, хотя на взгляд постороннего ничуть не изменилась, талия уже начала округляться, а под широкими юбками прятался твердый налитой животик, который Чарлз любил гладить и целовать. Он еще больше влюбился в жену и сейчас испытывал те же чувства, как во время беременности Сьюзен. Виктория выглядела такой прелестной и милой, что он глаз с нее не сводил. Став старше и дорого заплатив за счастье, Чарлз научился еще больше ценить то, что дала ему судьба. Он страстно хотел девочку, а Оливии было все равно, лишь бы дитя родилось здоровым.

Чарлз заставлял ее регулярно посещать доктора. И както даже смущенно спросил, не стоит ли рассказать ему о выкидыше.

— Ему совершенно ни к чему это знать, — пробормотала Оливия, заливаясь краской. Не могла же она объяснить Чарлзу, что никакого выкидыша не было!

— Ошибаешься! В прошлый раз ты едва не истекла кровью! А если все повторится? Или, чего доброго, ты снова потеряешь ребенка?

Оба смертельно этого боялись, и, если Оливия уставала, немедленно ложилась отдохнуть, но чаще она пребывала в добром здравии и прекрасном настроении. К тому же пока, несмотря на ужасы войны и жестокие потери в Шампани и Артуа, Виктория оставалась живой и невредимой. Читая ее письма, Оливия постоянно ощущала некое странное спокойствие, словно Виктория наконец нашла то, что так долго искала. Она не упоминала про Эдуара, и все же Оливия отчего-то сознавала, что сестра не одинока. Закрывая глаза и думая о Виктории, она как бы переполнялась безбрежным умиротворением, ощущаемым сестрой, таким же, в котором сама пребывала постоянно, ожидая ребенка от Чарлза.

В ночь бала у Асторов она надела сиреневое шелковое платье и горностаевое манто, подаренное отцом, узнавшим о том, что он скоро станет дедом. Эдвард был на седьмом небе от радости, что дочь остепенилась и образумилась. Всем и каждому видно, как они счастливы! Единственным горем Эдварда оставалось таинственное исчезновение «Оливии», так и не вернувшейся к концу лета. «Виктория», правда, уверяла, что получила от сестры весточку, в которой та сообщала, что пребывает в одном из монастырей в Сан-Франциско и рано или поздно воссоединится с семьей. Адрес свой она по-прежнему скрывала. И до сих пор все поиски ни к чему не привели. В конце августа частные детективы признались в полной неудаче и опустили руки. Но «Виктория» снова и снова заверяла отца, что сестра жива и невредима, и не стоит волноваться. Она хочет остаться в неизвестности. И следует уважать ее желание.

Эдвард по-прежнему упрекал себя за побег дочери и втайне твердил «Виктории», что Оливия любила Чарлза и поэтому предпочла уйти. Оливия, разумеется, яростно это отрицала.

Но в остальном все шло как нельзя лучше, и в ночь бала у Асторов Оливия выглядела неотразимо прекрасной. Чарлз не отходил от нее и, только встретив старого друга, разговорился с ним и на минуту задержался, оставив жену в компании приятельницы. Та ни на мгновение не сомневалась, что разговаривает с Викторией, и Оливия умело избегала подводных камней. Правда, она немного удивилась, когда дама недвусмысленно намекнула на возврат карточного долга, но пообещала вернуть деньги немедленно после бала. Ах уж эта Виктория! И еще клялась, что не играет в бридж!

Оливия вышла в сад, чтобы хоть ненадолго избавиться от шума и громкой музыки, и долго стояла, любуясь кустами роз. Из задумчивости ее вывел мужской голос.

— Папиросу? — предложил незнакомец.

Оливия обернулась, чтобы отказаться, и узнала Тоби.

— Нет, благодарю вас, — холодно обронила она. Он был по-прежнему красив, но распутная жизнь уже оставила на лице первые следы.

— Как поживаете? — не отставал он, шагнув ближе, и Оливия ощутила запах спиртного.

— Спасибо, прекрасно.

Она попыталась отодвинуться, но Тоби схватил ее за руку и притянул к себе.

— Не уходи от меня, Виктория. Тебе нечего бояться, — дерзко бросил он.

— Я не боюсь вас, Тоби, — спокойно и громко ответила Оливия, к удивлению Уиткома и человека, стоявшего в тени, в нескольких шагах от них. — Просто вы мне не нравитесь.

— Помню, когда-то ты пела по-другому, — прошипел он, в эти минуты как никогда похожий на красивую ядовитую змею, и Оливия гневно блеснула глазами.

— И что же именно вы помните, мистер Уитком? Как обманывали меня или жену и прилюдно этим хвастались? Как соблазнили неопытную девушку и лгали ее отцу? Люди, подобные вам, должны сидеть в тюрьме, а не веселиться на балах, Тоби Уитком. И не трудитесь больше посылать мне цветы или любовные записки, не тратьте время зря. Меня не интересует подобный вздор. Я люблю мужа, и муж любит меня. И если еще раз посмеете меня беспокоить, я не только ему, но и всему городу расскажу, что вы меня изнасиловали.

— Не было никакого изнасилования, это... — попытался оправдаться Тоби, но прежде, чем успел закончить, вперед выступил Чарлз и улыбнулся жене с самым довольным видом. Он отправился искать Викторию и случайно увидел, как Уитком последовал за ней. И не устоял перед искушением подслушать, о чем они говорят. Он не ожидал такого резкого отпора и теперь был искренне счастлив. Старые призраки наконец улеглись в могилы и оставили их в покое. Теперь между ними стояла лишь прежняя любовь к Сьюзен, но и от нее осталась лишь память. Он не забыл первую жену, просто скорбь улеглась. Он не знал того, чего боялась и знала Оливия. Сестра вот-вот вернется, и тогда конец всему.

— Пойдем, дорогая? — осведомился Чарлз, взяв ее под руку, и, гордо улыбаясь, повел жену в гостиную. — Ты прекрасно держалась. Напомни мне никогда не вступать с тобой в словесный поединок. Я и забыл, какая ты отважная воительница. Каждое слово вонзается, как клинок.

— Ты подслушивал?! — сгорая от стыда и потрясения, пролепетала Оливия.

— Не хотел, но, когда увидел, что он крадется за тобой, вышел, чтобы защитить тебя, если понадобится.

— Уверен, что попросту не ревновал? — поддела Оливия, и Чарлз, слегка покраснев, ничего не ответил. — Не стоит. Он мерзкий слизняк, и давно было пора кому-то сказать ему об этом.

— По-моему, у тебя неплохо получилось, — улыбнулся Чарлз и, поцеловав ее в щеку, повел танцевать.

Глава 28

День благодарения в этом году был омрачен отсутствием Виктории, и Оливия молча тосковала по сестре. Впервые за много лет они не были вместе.

За ужином Эдвард произнес молитву, но настроение у всех оставалось подавленным: каждый думал о прошлых временах и о потере любимых. Единственное, что хоть немного радовало, это ожидаемое появление младенца. Джефф, правда, немного смущался, но тоже считал, что новый брат или сестричка — совсем неплохо.

Беременность Оливии стала более заметной, несмотря на то что она старательно выбирала туалеты. К январю она не сможет больше показываться в обществе, разве что перед самыми близкими друзьями или на обедах в узком кругу. Ребенок, похоже, необычайно велик, и Оливия втайне надеялась, что будут близнецы, хотя доктор так не считал. Когда она поделилась своими соображениями с Чарлзом, тот закатил глаза и стал уверять, что пока он к такому не готов.

— Может, в следующий раз? — умоляюще заныл он. Но пока жена, в отличие от Сьюзен в таком же положении, прекрасно себя чувствовала и, несмотря на былую нелюбовь к младенцам, сейчас, казалось, только и мечтала о своем ребенке. Она даже не упоминала о том, как боится, подобно матери, умереть в родах. Она больше ничего не опасалась и была совершенно счастлива. Однако, когда Чарлз заикнулся, что одного ребенка мало, жена ответила, что все зависит от него, и он понял: если она откажется снова родить, он смирится и не попросит о большем. Сама же мысль о близнецах отчего-то вывела его из равновесия.

Зима тысяча девятьсот пятнадцатого года стала одной из самых тяжелых в истории Первой мировой войны. Обе стороны укрепляли позиции, готовясь к новым битвам. Подвозили боеприпасы, прибывало пополнение, а обстрелянные солдаты сидели в насквозь промерзших окопах, пытаясь хотя бы немного отдохнуть и отрешиться от мрачных мыслей. Газовые атаки продолжались. К ноябрю Эдуар вернулся из Артуа и заверил Викторию, что пока больше никуда не поедет. Она совсем перебралась к нему, и, хотя всему лагерю было известно об их романе, окружающие относились к влюбленным с нескрываемой симпатией. Офицеры, соседи Эдуара, старались почаще оставлять их одних.

Как-то вечером Виктория весело смеялась, готовя в старой печи крохотную жалкую птичку.

— Нечего издеваться. Это перепелка, — уверял вечный оптимист Эдуар.

— Ну уж нет, — убежденно заявила Виктория, — это воробей. Посмотри, не больше мыши!

— Ничего ты не понимаешь, — проворчал Эдуар, целуя ее и прижимая к себе. Он только что съездил в соседний Верден на два дня и истосковался по Виктории. Больше он не может без нее. И не отпустит домой. Он уже несколько раз пытался уговорить ее жить в Париже вместе с ним после откровенного разговора с Чарлзом и сестрой. Оба они в одинаковом положении. Не могут пожениться, пока ситуация не изменится, и поэтому лучше, вероятно, укрыться в его замке, не слышать возмущенных голосов и ехидных сплетен.

— И возможно, когда нынешняя баронесса умрет или даст мне развод, я сделаю из тебя честную женщину.

— Я и сейчас честная женщина, — упрямо возражала Виктория.

— Да? А кто заставил свою бедную сестру притвориться чужой женой? Чей муж находится в блаженном неведении относительно того, где его супруга?

У Виктории хватило совести покраснеть. Никто в Шалоне-на-Марне не мог понять, почему Эдуар зовет ее Викторией. Все считали это шуткой влюбленных, а Виктория ничего не объясняла.

В эту ночь за скудным ужином Виктория объяснила, что в Америке сегодня День благодарения.

— Помню этот праздник еще с гарвардских времен, — ностальгически вздохнул Эдуар. — Полно вкусной еды, и все такие добрые и милые... Хотелось бы мне как-нибудь познакомиться с твоим отцом, когда все это кончится.

Но никто, ни один человек не мог предсказать эту счастливую дату. Война казалась бесконечной.

— Ты ему понравишься, — пробормотала Виктория, вгрызаясь в яблоко. Это был самый скромный праздничный ужин в ее жизни, но самый радостный. И она старалась не думать о сестре, потому что только с Эдуаром обрела настоящую жизнь. С Чарлзом она влачила жалкое существование.

— Интересно, что ты запоешь, когда увидишь Оливию, — фыркнула она.

— Не нужно, я боюсь. Сама мысль о том, что таких, как ты, двое, меня ужасает, — запросил он пощады.

Позже, лежа в постели, они долго говорили о своем детстве, о друзьях, любимых блюдах, ребяческих проделках. Эдуар упомянул о брате. Виктория поняла, что Эдуар горячо его любил, настолько, что решился заменить покойного у алтаря.

Они долго занимались любовью, и Виктория уже засыпала, когда почувствовала, что он нежно дотронулся до нее.

Она открыла глаза и повернулась к Эдуару. В глазах его светился невысказанный вопрос.

— Вы находите, что нам следует потолковать, мисс Хендерсон?

— Не понимаю, о чем ты, — проронила она с таинственной улыбкой.

— Ты ужасная лгунья, — хрипло выдохнул он, продвигаясь ближе и гладя ее по животу. — Почему ничего не сказала?

В голосе Эдуара звучала неподдельная обида, и Виктории стало стыдно. Она нежно поцеловала его в губы.

— Я сама узнала всего три недели назад... и боялась... не знала, что ты скажешь...

Эдуар невольно рассмеялся. Живот Виктории набух их младенцем. Судя по тому, что она рассказывала о своих отношениях с Чарлзом, это явно не его ребенок.

— И сколько еще, по-твоему, тебе удавалось бы держать это в секрете? — шутливо допрашивал Эдуар. Подумать только, его малыш! Первый, несмотря на то что ему уже исполнилось сорок.

Невзирая на обстоятельства, он был вне себя от радости, но суровая действительность вторглась в радужные мечты.

— Тебе нужно немедленно ехать домой, Виктория, — непреклонно объявил он, хотя сердце мучительно ныло при мысли о разлуке. Но сейчас главное — уберечь ее и ребенка.

— Поэтому я и молчала, — грустно призналась она. — Знала, что ты скажешь. Но не думай от меня избавиться. Я остаюсь.

— А я расскажу всем, что ты живешь по чужому паспорту, — отпарировал он, безуспешно стараясь казаться грозным.

— И чем ты это докажешь? — улыбнулась Виктория. — Смирись с неизбежным — я никуда не поеду.

— Нельзя же рожать здесь, — ужаснулся Эдуар, холодея при одной мысли о том, что она подвергнется смертельной опасности. Сейчас во всей Европе не найдешь спокойного местечка, кроме Швейцарии, так что лучше уж ей ехать в Америку, к родным. Но судя по ее виду, все уговоры бесполезны, и в глубине души он сам не хотел расставаться с Викторией.

— Все будет хорошо, — утешила она. Тяжелая работа ничуть не уменьшила ее привлекательности, и Виктория выглядела, как всегда, прелестной и женственной, разве что немного похудевшей, хотя аппетит у нее сделался прямо волчий.

— Но я не желаю, чтобы ты проводила на ногах по пятнадцать часов в день. И немедленно поговорю с полковником.

— Ничего подобного ты не сделаешь, Эдуар де Бонвиль, — набросилась на него Виктория, — иначе я пожалуюсь, что ты меня изнасиловал, и тебя отдадут под трибунал.

Она с видом полнейшего удовлетворения легла на бок и свернулась клубочком.

— Господи, женщина. Ты настоящее чудовище! У меня идея получше. Хочешь стать моим водителем?

— Шофером? — удивилась Виктория. — Прекрасно! По крайней мере буду работать, пока смогу уместиться за рулем. А мне позволят?

— Да, если я попрошу полковника. Думаю, это занятие полегче, если, разумеется, я вынесу твою манеру водить машину.

Он всегда жаловался, что она ездит чересчур быстро, а она в ответ называла его трусом.

Эдуар на это рассудительно указывал, что здесь Франция, а не Америка и у него пока нет причин совершать самоубийство. Вот и сейчас он согласился рискнуть жизнью ради бедного младенца.

Он засмеялся, но тут же нахмурился:

— Ты не шутишь, Виктория? В самом деле хочешь остаться? Тебе придется многое вынести.

Он знал, как она боится умереть в родах. Хватит с нее одного несчастья. Здесь не место для беременной женщины, даже если роды пройдут без осложнений.

— Я хочу одного — быть с тобой, — шепнула Виктория. — И шагу отсюда не сделаю.

Что же, битва проиграна. Не стоило и затевать этот разговор. Остается лишь выяснить еще кое-что.

— Но ведь мы не женаты. Вынесешь ли ты людские кривотолки и общее пренебрежение?

— Мы женаты, дорогой. Только семьи у нас разные, — пошутила она.

— Ты совершенно аморальна, — вздохнул Эдуар, осыпая ее страстными поцелуями и чувствуя прилив такой всепоглощающей любви, какой никогда ни к кому не испытывал. — Но храбрости тебе не занимать.

И он снова взял ее, со всей страстью и нежностью. По крайней мере теперь нечего беспокоиться, что она вдруг забеременеет.

Глава 29

Рождество в Кротоне прошло куда спокойнее, чем в былое время, но зато на редкость дружно и согласно. Джефф громко восторгался подарками, а Чарлз и отец были на редкость щедры. К сожалению, Эдвард неважно себя чувствовал. Он уже несколько месяцев не мог оправиться от кашля, и за этот год пару раз был на грани пневмонии. Оливия с тревогой отмечала, как он постарел. Возможно, здесь сыграло роль исчезновение дочери, поскольку доктор считал, что с сердцем у него становится все хуже.

После праздников Доусоны вернулись в Нью-Йорк, но через два дня позвонила Берти и попросила Оливию вернуться. Отцу стало совсем плохо. Он снова сильно простужен и лежит в жару с высокой температурой. Доктор не уверен, что сердце у больного выдержит.

Берти хотела послать за ней Донована, но Чарлз решил сам отвезти жену и взять с собой Джеффа. Он боялся отпускать ее от себя. «Виктория» была на седьмом месяце и, по собственному мнению, чересчур раздалась для женщины, носившей одного ребенка. Но ее врач слышал только одно сердце и был уверен, что пациентка ошибается. Как ни странно, Оливия испытала при этом горечь разочарования.

Оливия поразилась, увидев, как ужасно выглядит отец. Совсем одряхлел, лицо серое, а волосы сверкают серебром.

— Не пойму, что с ним случилось, — рыдала Берти, ломая руки. И хотя оглядела Оливию с каким-то непонятным выражением, все-таки ничего не сказала, только громко высморкалась и вернулась на кухню, оставив хозяина в надежных руках. Жаль, конечно, что Оливии нет, — она понимала, как много старшая дочь значит для Эдварда, но хотя бы младшая будет с ним до конца.

Оливия просидела у постели больного весь день, а Чарлз вместе с Джеффом отправились кататься верхом. Да и что ему было делать? Поместье прекрасно управлялось, и занятий для него не нашлось, разве что составлять время от времени компанию жене. Он предупредил на работе, что вернется через несколько дней, и терпеливо ждал, пока Оливия сновала на кухню и обратно, варила бульоны, кипятила чай и готовила травяные настои, которые, по ее мнению, должны были поднять отца на ноги. Такая столь необычная для Виктории деятельность еще больше возбудила подозрения Берти, не верившей собственным глазам. Это невозможно! Они не посмели бы! Она просто бредит!

Но Эдварду Хендерсону становилось все хуже, и на третьи сутки он стал задыхаться. Доктор хотел отвезти его в больницу, но Эдвард наотрез отказался и заявил Оливии, что желает умереть в собственной постели. Здесь его дом.

— Ты не умираешь, отец, — уверяла она, едва сдерживая слезы. — Просто заболел. И скоро поправишься.

Но на этот раз Эдвард упрямо качал головой, а ртутный столбик градусника все полз вверх, и лихорадка не отпускала больного. Оливия всю ночь ухаживала за отцом, клала лед на голову, подносила воду и никому не позволяла занять свое место. Чарлз опасался, что она слишком переутомится, но жена была неумолима.

На рассвете Оливия внезапно поняла, что конец близок. Отец схватился за горло и безумными глазами воззрился на дочь.

— Виктория, позови сестру... я должен увидеть ее, — выдавил он, больно стискивая ей руку. Оливия не знала, что ответить, но послушно вышла и тут же вернулась.

— Оливия, это ты? — спросил он, и она послушно кивнула, украдкой вытирая слезы. Как отвратительно — обманывать умирающего отца!

332

— Это я, папочка, я вернулась.

— Где ты была?

— Далеко, — прошептала она, взяв его горячую ладонь в свою. Он даже не замечает, что она беременна! — Мне нужно было немного подумать, прийти в себя, но теперь я с тобой и очень тебя люблю. Поправляйся скорее, умоляю.

Но отец снова покачал головой, из последних сил пытаясь не провалиться в темную пропасть.

— Я ухожу... пора... твоя мама зовет...

— Но ты и нам нужен, — всхлипнула Оливия.

И тут отец едва слышным голосом задал вопрос, так мучивший его последние месяцы:

— Ты сердилась на меня за то, что я заставил ее выйти замуж?

— Конечно, нет, папа! Я тебя люблю, — повторила она, приглаживая его волосы. От него так и полыхало жаром.

— Ты его любишь, правда?

Оливия улыбнулась и кивнула. Возможно, ему легче знать правду. Пусть хоть немного успокоится.

— Ты простишь меня за все, что я натворил?

— Тут нечего прощать. Теперь я счастлива. Для того и уезжала. Теперь у меня есть все, что я хотела.

По глазам дочери он понял, что это правда, и, опустив веки, на несколько минут задремал, но тут же встрепенулся и с улыбкой посмотрел на Оливию.

— Я рад, что ты счастлива. Мы с твоей мамой тоже безмерно счастливы. Вечером мы едем на концерт.

Он снова бредил и весь день находился в полусне, путая Оливию с сестрой. Он так и не понял, кто перед ним.

К вечеру Оливия валилась с ног.

— Я не позволю тебе губить себя и ребенка, — яростно прошептал Чарлз, выманив ее в коридор.

— Ничего не поделаешь, я ему нужна, — твердо объявила Оливия и снова вернулась в комнату. Ночью начался кризис, жар спал, и она облегченно вздохнула, решив, что отец обязательно выздоровеет.

Перед рассветом сон сморил ее прямо в кресле. Она увидела сначала лицо Виктории, так ясно, словно сестра была рядом, а потом улыбавшуюся мать. Встрепенувшись, Оливия притронулась ко лбу отца и тут же отдернула руку, словно обжегшись. Он отошел во сне, соединился с женой, умер, убежденный, что попрощался с обеими дочерьми.

Оливия, горько зарыдав, бросилась из комнаты, и Берти молча обняла ее. Прошло немало времени, прежде чем Оливия поднялась наверх. Чарлз крепко спал, и она легла рядом, думая о сестре. Ей очень хотелось каким-то образом дать Виктории знать о смерти отца. Разумеется, она сегодня же напишет, но как ужасно, что Виктории не было рядом. Хорошо еще, что папа отошел с миром. Это последний дар, который Оливия сумела дать отцу.

— Как ты себя чувствуешь? — взволнованно спросил проснувшийся Чарлз.

— Папа умер, — тихо сказала она, внезапно почувствовав, что потеряла все. Виктории нет, отец ушел навсегда, и теперь осталось лишь то, на что она не имела права: чужой муж и чужой сын. Что, если и ребенка она лишится?

Но все вылетело из головы, когда Чарлз обнял ее и привлек к себе.

Виктория проснулась в два часа ночи, словно от удара. Сначала ей показалось, что с ребенком что-то случилось, но, положив руку на живот, она убедилась, что он шевелится. Значит, дело не в нем. Виктория закрыла глаза и увидела смертельно бледную сестру, сидевшую в кресле. Она не больна, не плачет, просто сидит. И все же Виктория поняла: что-то случилось.

— Что с тобой? — окликнул Эдуар, поворачиваясь на бок. Теперь, когда она возила его, он постоянно беспокоился, что езда по ухабистым дорогам, постоянные толчки и тряска вызовут преждевременные роды.

— Не знаю, — прошептала она. — Что-то неладно.

— С малышом? — встрепенулся Эдуар.

— Нет, с ним все хорошо. Это что-то другое.

Она не могла признаться, что Оливия пыталась что-то ей объяснить. Он все равно не поверит.

— Ложись, — устало буркнул он, зевая. Через два часа нужно вставать, проверить караулы. — Ты, наверное, что-то съела.

Или голодна. Последнее время еды постоянно не хватало. Впрочем, как и всего остального.

Он притянул ее к себе, и она послушно легла, но странное чувство не проходило.

Письмо Оливии попало к ней лишь в начале февраля, и тогда Виктория все поняла. Значит, той ночью скончался отец.

Она долго не находила себе места, терзаясь угрызениями совести. Ее не было рядом, когда он умирал!

Но вместе с сознанием вины пришло и невероятное облегчение: слава Богу, с сестрой ничего не случилось.

— Как странно, — удивился Эдуар, когда она все объяснила. Он с величайшим благоговением относился к этому свойству сестер и никогда не думал над ним подсмеиваться. — Не представляю, чтобы я мог быть так близок с другим существом, если не считать тебя, конечно. Или его.

Он осторожно положил руку на ее живот.

Глава 30

В Нью-Йорк наконец пришла весна, но Оливия уже ничему не радовалась. Она едва передвигала ноги и выглядела так, словно вот-вот лопнет. И когда вошла в кухню, Чарлз невольно расплылся в улыбке. Он не мог налюбоваться женой. Совершенно умилительное зрелище, хотя она немного напоминает слоненка.

Они оба с нетерпением ждали появления ребенка на свет, но за последний месяц она так отяжелела, что опасалась выходить из дома и дальше сада нигде не бывала. Живот превратился в неправдоподобно огромный круглый шар и словно плыл впереди своей владелицы. Он был такой большой и тугой, что она почти не ощущала, как шевелится младенец. Совсем не то что месяц назад, когда она даже спать не могла от постоянных толчков. Теперь уже не было никаких сомнений в том, что она носит настоящего богатыря, и хотя Чарлза это обстоятельство смутно тревожило, он благоразумно помалкивал, памятуя о том, что случилось с ее матерью.

— По-моему, ты ужасно груб и невоспитан, — весело ухмыльнулась Оливия при виде хихикавшего Джеффа. Она и вправду казалась донельзя смешной, но чувствовала себя прекрасно. Если подсчеты верны, роды начнутся на этой неделе, но доктор уверял, что точно предсказать невозможно. Она сама узнает, когда время придет, и будет рожать здесь, в их маленьком доме на Ист-Ривер. Не стоит ехать в больницу, там и без нее много пациентов.

— Чем решила заняться? — осведомился Чарлз, когда она налила ему кофе.

Берти приехала из Кротона на помощь воспитаннице и поселилась в комнате для гостей. Она хотела приготовить завтрак, но Оливия не позволила. Это единственное, что ей удавалось делать самой. Даже в ванну она садилась, опираясь на руку Чарлза, а уж чтобы вытащить ее оттуда, требовалась по меньшей мере лебедка. Но теперь у нее есть Берти. После кончины Эдварда Берти нечего было делать в Кротоне, и она согласилась провести с ними всю весну. Оливия была в полном восторге.

— Пожалуй, прогуляюсь-ка я по саду, — объявила она. — Посижу немного на стуле или на скамейке. — Прилечь она не могла, поскольку подняться без посторонней помощи тоже стало невозможно.

— Купить тебе книгу?

— Пожалуйста, — обрадовалась Оливия, умиравшая от желания прочесть новый стихотворный сборник. — Если увидишь в зеленной лавке маринованную редиску, тоже захвати.

— Обязательно, — пообещал Чарлз и, поцеловав ее на прощание, погладил по животу. — Смотри, чтобы он не вышел, пока меня не будет.

— Не обольщайся, может, это не мальчик, — фыркнула жена, хотя Чарлз все время твердил, что хочет только девочку.

— Боюсь, если родится девица таких габаритов, у нас возникнет серьезная проблема, — засмеялся Чарлз и поспешил на улицу. У него было полно дел, а домой надо бы вернуться пораньше. Он старался как можно больше времени проводить с женой, особенно теперь, когда она вот-вот родит. Ему казалось, что, несмотря на внешнюю невозмутимость и жизнерадостность, она сильно нервничает.

Но к удивлению Оливии, она была абсолютно спокойна и все больше проникалась непонятной убежденностью в том, что роды пройдут легко. Она постоянно твердила об этом Берти, но та отмалчивалась.

После завтрака Берти вымыла посуду, а Оливия поднялась в будущую детскую и решила немного убраться. Берти, заглянувшая в комнату, улыбнулась: воспитанница выглядела счастливой. Во второй половине дня Оливия вышла в сад, но вскоре вернулась и снова принялась за дела. А вечером, когда вернулся Чарлз, отправилась на кухню и занялась ужином.

— Не пойму, что это с ней, — пожаловалась Берти кухарке. — Скребет и чистит целый день!

— Готовится, — с понимающей улыбкой ответила та, и Берти сокрушенно покачала головой. Оливия рассмеялась и, приготовив ужин, уселась чинить носки. Она в жизни не чувствовала себя лучше и прямо-таки лучилась энергией. Чарлз тихо радовался, глядя на жену.

Они поужинали и, когда Джефф лег спать, немного поиграли в карты. Чарлзу на диво везло.

— Ты жульничаешь! — раскапризничалась Оливия и отправилась на кухню выпить молока. Подняв кувшин, она услышала громкий всплеск. Подумав, что случайно разлила молоко, Оливия опустила глаза и увидела, что стоит в луже воды. И тут она поняла, что случилось. Поставила кувшин и взялась за тряпку. Подоспевший Чарлз увидел, что она делает, и замер.

— Что случилось? Не нагибайся, Виктория!

Она уже привыкла к своему новому имени и не вздрагивала, когда ее окликали.

— Да перестань же... дай я помогу...

Он вытер пол, так и не поняв, что же пролилось, чем ужасно рассмешил Оливию. Но тут внезапная боль пронзила ее, и она схватилась за руку Чарлза.

— Да что это с тобой? — допытывался он, все еще не сообразив, в чем дело.

— Воды отошли. — Она, вмиг посерьезнев, тяжело опустилась на стул. — Кажется, началось. Я рожаю.

— Прямо сейчас? — испуганно охнул Чарлз, словно не знал, что это вот-вот должно произойти.

— Не прямо, но очень скоро. Дай мне несколько минут. Оливия озабоченно нахмурилась. Снова боль, на этот раз сильнее. Что-то неладно?

Никто не говорил ей, что так и должно быть, к тому же она видела, что у сестры все быстро закончилось. Ни один человек не объяснил ей, чего ожидать, а доктор уверял, что беременность протекает отлично. Виктория была куда более сведущей. Но Оливия никак не ожидала, что это будет так болезненно.

— Пойдем наверх, — спокойно велел Чарлз, поднимая ее на ноги. Прошло почти десять минут, прежде чем они добрались до спальни. Он усадил ее в ванной и помог раздеться. Оливия почти не могла пошевелиться. Чарлз метнулся к комнате для гостей и, постучав, попросил Берти позвонить доктору. Та сразу бросилась к телефону. К тому времени, как Чарлз вернулся, Оливия была вне себя от страха и кричала от боли.

— Не покидай меня, — отчаянно молила она, цепляясь за него. Чарлз вместе с подоспевшей Берти повел ее к кровати, предварительно подстелив чистые простыни и полотенца. В отличие от Берти он окончательно растерялся. Сьюзен родила Джеффа одиннадцать лет назад, над ней хлопотали акушерка и родственницы, а он сбежал из дома вместе с шурином, и оба надрались до беспамятства, а когда вернулись, все благополучно закончилось. Виктория, похоже, не собиралась отпускать его и с каждой новой схваткой все сильнее стискивала его пальцы, стараясь не кричать из опасения, что услышит Джеффри.

— Это ужасно, — сообщила она вошедшему доктору.

Доктор и Берти обменялись понимающими улыбками, но Чарлз сходил с ума от волнения.

— Сколько это будет продолжаться? — наивно осведомился он. Джефф, кажется, появился на свет через час-другой, хотя он был настолько пьян, что уже не помнит точно.

— Возможно, всю ночь, — спокойно ответил доктор, и Оливия разразилась плачем.

— Я не могу. Лучше мне вернуться в Кротон, — рыдала она, как ребенок, вспомнив при этом сестру.

Виктория словно неожиданно очутилась здесь и терзалась той же болью, от которой нет спасения. Опять повторялся кошмар, который преследовал Оливию в ночь крушения «Лузитании», только на этот раз было еще хуже, потому что Оливия от боли потеряла способность соображать. Ей никак не удавалось сдержаться, она кричала все пронзительнее и как сквозь туман видела, что Берти уводит Чарлза. Тот растерянно озирался, и Оливия взмолилась, прося вернуть его.

— Невозможно, — рассудительно заметила Берти. — Ты и без того его расстроила. Не хочешь же...

— Хочу! — вскрикнула Оливия. — Хочу, чтобы он был рядом, позови...

Но Берти не соглашалась, и Оливия кричала все громче. Наконец силы ее иссякли. Откуда-то издалека доносились голоса Берти и доктора, безуспешно уговаривавших ее тужиться.

— Позовите Викторию, — простонала она, и Берти, отстранившись, пристально взглянула на нее. Но тут накатила новая волна боли, и Оливия вновь забылась. — Виктория, — снова прошептала она и внезапно услышала отклик сестры.

— Осторожнее! Придержи язык! — прошипела Берти. — Ты себя выдашь!

Она сжала руку Оливии, но та была слишком измучена, чтобы понять, о чем толкует Берти. Она непрерывно кричала.

Наступил рассвет, но все оставалось по-прежнему. Оливия, истерзанная болью, почти теряла сознание. Даже Берти шатало, и Чарлз сварил кофе для нее и доктора. Он осторожно постучал и спросил, как себя чувствует жена.

— Ужасно, — простонала она. — О, Чарлз...

Она начала всхлипывать, и ему на миг показалось, что все ее опасения были оправданны. Может быть, она унаследовала от матери слабую конституцию и ребенок убьет ее!

— Милая, — выдохнул он, но доктор вежливо предложил ему подождать в гостиной, уверяя, что там ему будет удобнее.

Ситуация в самом деле была не из легких. Доктор и сам втайне тревожился за пациентку. Но прежде чем Чарлз успел ответить, схватки начались с новой силой, и, пока врач и Берти суетились возле роженицы, он потихоньку встал у стены. Однако час спустя его все же заметили.

— Я попросил бы вас выйти! — рявкнул доктор.

Но Чарлз, ко всеобщему изумлению, гневно вскинулся:

— Я никуда не уйду! Это моя жена, и я ее не оставлю!

Несмотря на боль, Оливии сразу стало легче. Он держал ее за руку, просил тужиться, но все было бесполезно. Наконец доктор, обследовав роженицу, объявил, что у младенца неправильное предлежание.

— Мне придется перевернуть его, — сказал он, и Чарлз едва не зарыдал сам, видя муки жены. Наконец схватки возобновились. Но ребенок, как и боялся Чарлз, оказался слишком велик. Ну почему они не заставили ее лечь в больницу! Беда в том, что доктор постоянно успокаивал ее, уверяя, что все обойдется.

— Я больше не могу, — сокрушенно пробормотала Оливия между схватками. Ее вырвало и вновь скрутило судорогой боли.

Чарлз во всем винил себя, жалел, что вообще занимался любовью с женой. Ему хотелось схватить ее в объятия и бежать отсюда. Но тут она поморщилась, напряглась, и на кровать внезапно выскользнул крошечный, как куколка, малыш — розовая, умилительная, идеально сформировавшаяся девочка. Раздался тихий мяукающий плач. Доктор поднял ее, и все с изумлением уставились на младенца.

— О, как она прекрасна! — охнула Оливия.

— Ну вот, все не так уж плохо, — утешил доктор, и Оливия улыбнулась, но улыбка тут же превратилась в гримасу боли.

— Что случилось? — завопил насмерть перепуганный Чарлз. — Ребенок уже появился!

— Такое иногда случается, — пояснил доктор. — Это идет послед. Бывает, это даже больнее, чем сами роды.

Оливия снова закричала, и Берти бросилась к ней.

— Не нужно... больше... пожалуйста... — взмолилась Оливия, глядя на Чарлза так, словно безжалостные волны уносили ее навсегда, и Чарлз мысленно поклялся не иметь больше детей.

— Кажется... — понимающе начала Берти, но доктор перебил ее:

— Через минуту покажется послед.

Но у Оливии вдруг началось сильное кровотечение, и она, превозмогая муку, внезапно начала тужиться, без всяких подсказок.

— Доктор, это нормально? — выдавил Чарлз. И тут между бедрами роженицы показалась вторая головка, на этот раз чуть побольше. — Виктория, — ошеломленно выдохнул Чарлз, улыбаясь жене. Та, задыхаясь, цеплялась за него. Он и Берти смеялись и плакали одновременно.

— Что? О Боже... — поняла наконец Оливия, и через несколько минут, в начале десятого утра, появилась вторая девочка, а потом вышел и послед. Крошки были совершенно одинаковыми, совсем как она и Виктория. Оливия, не веря собственным глазам, смотрела на близнецов. — Не может быть! — слабо засмеялась она.

Ей вдруг стало необыкновенно легко. Доктор положил ей на грудь малышек, кровотечение почти прекратилось, а Берти поспешно меняла простыни. Она была шокирована присутствием Чарлза, хотя про себя считала, что он помог куда больше доктора.

— Я тебя обожаю, — прошептал Чарлз и, поцеловав жену, понес показывать новорожденных Джеффу. Мальчик изумленно таращился на сестренок. Подумать только, такие маленькие, хорошенькие и совершенно одинаковые. Позже доктор объяснил, что их сердечки бились в унисон, поэтому он и ошибся, посчитав, что ребенок один.

Пришлось наложить Оливии несколько швов, а потом Берти протерла ее прохладной надушенной водой. Как только за доктором закрылась дверь, старушка с сокрушенной улыбкой уставилась на воспитанницу.

— Что ты наделала, глупая девчонка? — пробурчала она, и Оливия сразу поняла, в чем дело. Удивительно еще, что ей так долго сходила с рук их авантюра. Почти год прошел!

— Она заставила.

— Что, и с мужем спать тоже? — засмеялась Берти.

— Ну... не совсем, — расплылась в улыбке Оливия, такая счастливая, что даже пережитые страдания казались чем-то незначительным.

— Где она? — шепотом спросила Берти.

— В Европе.

Но прежде чем Оливия успела все рассказать, в комнате появились Чарлз с Джеффом.

— Они такие миленькие, тетя... Виктория, — вовремя поправился мальчик, испуганно глядя на роженицу, но та улыбнулась и поцеловала его.

— Твой папа говорит, что ты выглядел точно таким же, когда родился, — мягко пояснила она.

Джефф окончательно смутился и поскорее удрал, чтобы рассказать соседям о великом событии. Оливия и Чарлз остались одни. Берти собралась искупать малышек в соседней комнате.

— Прости, что пришлось столько вынести из-за меня, — виновато промямлил Чарлз, хотя не мог скрыть гордый блеск глаз.

— Все не так уж страшно, я, пожалуй, сумела бы повторить, — призналась она, и Чарлз в полнейшем изумлении раскрыл рот.

— Как ты можешь так говорить? — взмолился он, содрогаясь при воспоминании о пережитом кошмаре.

— Но ведь все было не зря, — возразила она, думая о драгоценных существах, которым дала жизнь.

— Не уверен, что смогу еще раз вынести такое, — пролепетал он, садясь на постель. — И сумею ли достойно выдержать все их проделки? Даже твой отец не мог вас различить!

— Я научу тебя, — уверила Оливия и поцеловала его. Вернувшаяся Берти подала малышек матери, с тревогой думая о том, что станется с Оливией, когда вернется сестра. Глупышка собственными руками уничтожила свое будущее.

Этой ночью в Шалоне-на-Марне в мирный сон Виктории нежданно вторгся кровавый ужас. Эдуар, подскочив к ней, ударил кинжалом, раз, другой, третий, и боль была такой нестерпимой, что Виктория вскрикнула, но тут же поняла, что это Оливия корчится под неумолимым натиском неведомого убийцы, истекая кровью. Сестра вопила не переставая, визг ввинчивался в уши, пока Виктория не сунула голову под подушку. И мгновенно ощутила, как ее тело раздирают чьи-то когти.

Она проснулась вся в слезах, и Эдуар прижал ее к себе, укачивая, как ребенка.

— Тише, малышка... успокойся... это просто дурной сон. Сон? Такой живой и яркий?

Виктория, тяжело дыша, растерянно озиралась и вдруг поняла, что лежит на мокрой простыне и боли продолжаются. Чья-то невидимая безжалостная рука медленно скручивала внутренности, словно выдавливая из ее живота тяжелое бремя.

— Не понимаю, что со мной... — прошептала она, и Эдуар, вскочив с постели, поспешил зажечь лампу. И отшатнулся. Она лежала в луже воды и крови, беспомощно обхватив руками чрево.

— Ребенок просится на свет?

Виктория кивнула, и Эдуар принялся поспешно одеваться.

— Пойду за доктором.

— Нет... не надо... не оставляй меня, — попросила она, сжавшись от страха. Слишком свежо было в памяти пережитое. Виктория смертельно боялась родов. Ей казалось, что только присутствие Эдуара заставит смерть отступить.

— Без него не обойтись, Оливия. Я не знаю, как принимать роды. Привык иметь дело исключительно с лошадьми.

— Пожалуйста, не уходи, — заплакала она, но тут же очередная схватка заставила ее вскрикнуть. — Он сейчас родится... уже выходит... я знаю...

Она была вне себя от паники и огромными безумными глазами неотрывно смотрела на него.

— Милая, позволь мне хотя бы позвать на помощь... Квинар — наш лучший хирург... он обязательно согласится прийти и приведет сестру.

— Мне они не нужны, — пропыхтела она, вцепившись железной хваткой в его руку. — Только ты... ты один...

Дыхание у нее на минуту перехватило, но она так и не отпустила Эдуара.

— Мне снилось, что Оливия рожает.

Даже в такой момент она думает о сестре!

— Это единственное, что она не может сделать за тебя, любимая. Ни она, ни я. Но мне хотелось бы принять на себя твою боль.

Эдуар опустился на колени и притянул ее к себе. Очевидно, мучения ее могут продолжаться часами, и кто знает, чем все кончится? Нет, доктор нужен непременно.

Он попытался натянуть рубашку, но Виктория не позволила.

— Он движется, Эдуар, я чувствую... движется!

Она ощущала невыносимое давление и боль, и Эдуар смертельно перепугался при виде крови. К несчастью, в эту ночь в домике никто, кроме них, не ночевал. И он не мог воспользоваться полевым телефоном, чтобы вызвать доктора.

— Я скоро вернусь, — попытался он объяснить, но Виктория уже не слушала. Ему ничего не оставалось делать, кроме как сидеть рядом и ждать.

А в это время в Нью-Йорке у Оливии снова началось нечто вроде схваток. Она позвала Чарлза, и тот, делая вид, что падает в обморок, взмолился:

— Господи, только бы не тройня!

Берти быстро его разуверила, объяснив, что такие послеродовые боли в порядке вещей. Оливия закрыла глаза и задремала. И увидела во сне сестру.

— Эдуар... пожалуйста! — жалобно вскрикнула Виктория и, сев, подвинулась к самому краю. Он недоуменно смотрел на возлюбленную.

— Мне нужно тужиться, — выдохнула она, и, хотя не знала, что делать, какая-то неизвестная сила вела ее.

— Держись за меня, — велел Эдуар, и она немедленно повиновалась, пытаясь вытолкнуть мешавшее ей чужеродное тело. Эдуар приказал ей лечь на спину и упираться в него ногами. Виктории сразу стало легче. Она проделала это несколько раз, и наконец, когда она снова напряглась, он увидел светлую прядь волос.

— О Боже! — охнул Эдуар. — Виктория... он сейчас выйдет! Еще немного!

Две минуты спустя на постели лежал их требовательно вопивший сын. Эдуар с величайшей осторожностью поднял мальчика и показал матери.

— Только посмотри на него! — воскликнула Виктория, не в силах поверить, что все так быстро закончилось. Ее чудесный малыш! И так похож на отца! — Он так прекрасен! О, я люблю тебя, — прошептала она, обнимая Эдуара. По его щекам катились слезы. Господь послал им свое благословение, и в этой обители тоски, боли и смерти их посетил ангел.

— Он самое красивое создание на свете, если не считать его матери, — почти всхлипнул Эдуар. — Я так люблю тебя, Виктория, гораздо больше, чем ты способна представить.

Он положил мальчика на грудь матери и принес воды и чистые полотенца. Подумать только, всего за час на свет появился его сын!

— Как мы назовем его? — спросил Эдуар, невероятно гордый тем, что сумел заменить и доктора, и акушерку.

— Ты настоящий герой, — улыбнулась она и смущенно добавила: — Прости, что струсила... просто все было так неожиданно и ужасно быстро...

И очень больно. Ребенок был на удивление большим, но все прошло куда легче, чем она ожидала. Виктория постоянно опасалась, что роды будут мучительно долгими и ее ждет та же участь, что постигла ее мать.

— Слава Богу, хоть не близнецы, — облегченно вздохнула она.

— Наоборот, очень жаль, — возразил Эдуар с видом счастливого отца. Он закурил и предложил ей папиросу, но Виктория отказалась. Она все еще не пришла в себя и должна кормить ребенка.

Эдуар снова, в который раз напомнил себе, что ее необходимо как можно скорее отправить домой. Здесь не место для ребенка. Он улыбнулся и, пригладив непокорные черные волосы, покрепче укутал мать и сына в армейское одеяло.

— Так как зовут будущего барона? — допытывался он, и Виктория задумчиво нахмурилась.

— Как насчет Оливье Эдуарда — в честь моей сестры, отца и тебя? Кажется, никого не забыли, если не считать Чарлза, хотя вряд ли ему этого захочется.

— Пошлем ему формальное извещение или все-таки напишешь бедняге?

Она решила открыть обманутому мужу правду, иначе Оливии придется вечно играть роль жены Доусона. Виктория собиралась также обо всем известить Оливию, хотя и она, и Чарлз, несомненно, очень рассердятся. Но для Оливии будет огромным облегчением избавиться наконец от навязанного ей маскарада. Как жаль, что она не увидит своего племянника! Виктория отдала бы все на свете, чтобы обнять сестру и поделиться всеми радостями и горестями. Несмотря на счастье материнства, она проплакала два дня и впервые за все это время смертельно затосковала по дому.

Глава 31

Виктория и Эдуар долго раздумывали, что делать с ребенком, пока наконец не попросили о помощи хозяйку замка. Графиня, ставшая любовницей генерала, оказалась, однако, женщиной добросердечной, и к тому же замок стоял довольно далеко от линии фронта и находился в сравнительной безопасности. Правда, Эдуару было бы намного спокойнее, если бы удалось отправить Викторию с сыном в Швейцарию, хотя бы на несколько месяцев, пока не придет время отнять мальчика от груди.

Виктория провела дома пару недель, но удивительно быстро оправилась. Сестры милосердия часто ее навещали, а маленький Оливье быстро стал счастливым талисманом для всего лагеря. Солдаты посылали ему подарки и вырезанные из дерева игрушки. Дидье даже связал крошечные носочки, и кто-то разыскал бог весть где плюшевого мишку.

Обожающий отец часто наблюдал, как мальчик дремлет у материнской груди. Оливье Эдуард де Бонвиль был поистине счастливым младенцем, потому что родился у влюбленных и любящих родителей. Для всех он стал цветком жизни, выросшим среди мук и крови.

К июню Виктория полностью обрела силы и былую фигуру, к полному восторгу Эдуара, и снова приняла на себя обязанности водителя, поскольку кормила сына только утром и вечером. Они оставляли его на попечение графини, и Виктория всегда рвалась поскорее увидеть своего малыша. Иногда молока бывало столько, что на лифе платья появлялись темные пятна. Но добродушный мальчик без криков и жалоб довольствовался козьим молоком, если родителям предстояли далекие поездки. Иногда приходилось возвращаться только на следующий день. Но Эдуар неизменно брал с собой Викторию, и, несмотря на все тяготы войны, они ухитрялись почти не расставаться. К счастью, генерал прекрасно относился к Эдуару и часто посылал его с поручениями в Американскую эскадрилью, где служили добровольцами семеро летчиков-американцев. Виктория всегда с радостью отправлялась на встречу с соотечественниками, да и они были в полном восторге. Двое пилотов оказались жителями Нью-Йорка, что еще больше сближало их с Викторией.

В июне Доусоны крестили детей. Оливия настояла, чтобы девочек назвали Элизабет и Викторией, в честь ее матери и сестры. Чарлз немного удивился, но решил, что жене приятно будет иметь свою тезку. Элизабет дали второе имя — Шарлотта, в честь отца, а Виктории — Сьюзен.

Джефф был совершенно очарован сестричками, а Берти с головой ушла в дела: кормила, одевала, умывала малышек. Оливия пыталась было кормить их грудью, но она была очень слаба и долго не могла оправиться от трудных родов. Доктор велел ей набираться сил, поэтому близняшек перевели на искусственное питание, и теперь все домочадцы едва не дрались за право поднести бутылочки к крошечным ротикам.

Но Оливия постепенно поправлялась, и в июне уже чувствовала себя прекрасно. За день до второй годовщины свадьбы они стояли в церкви Святого Фомы, и Оливия искренне считала себя счастливейшей женщиной на свете, пусть и по-прежнему задавалась вопросом, что станет делать, когда вернется Виктория. Может, им придется навсегда поменяться местами. Оставалось надеяться, что Виктория не вообразила, будто сестра безумно влюблена в Чарлза: Оливия старалась не упоминать о своих истинных отношениях с мужем сестры, и в ответных письмах Виктория вообще о нем не спрашивала. Оливия подозревала, что сестра встретила кого-то, хотя она в основном рассказывала о делах на фронте, насколько позволяла военная цензура. Но Оливия твердо знала, что Виктория довольна и спокойна.

В июне, во время сражения при Вердене, Эдуар и Виктория возвращались в Шалон из Анкура после секретного совещания с командованием союзников. На совещании присутствовали все высокопоставленные офицеры, включая Черчилля. Настроение было подавленным. Весы клонились на сторону противника, и бойне, казалось, не будет конца.

Виктория вместе с остальными водителями все это время терпеливо ждала в коридоре. На обратном пути Эдуар мрачно молчал и почти не смотрел на дорогу. Виктория давно научилась не отвлекать его в такие минуты, но сама торопилась к сыну. Груди, как обычно, набухли молоком, промочившим платье, и она не могла дождаться, когда наконец покормит малыша Оливье.

Неприятные ощущения тяжести и ноющей боли заставили ее на секунду забыть об осторожности.

— Что там? — неожиданно спросил Эдуар, вглядываясь в какой-то предмет на обочине дороги, но Виктория только улыбнулась в ответ. Эдуар сильно устал и расстроен. Союзники проигрывают войну, а американский президент Вильсон не спешит присоединиться к воюющим. Если бы только он видел, как нуждаются в помощи англичане и французы, тогда все, возможно, пошло бы по-другому.

Она зазевалась и едва не выпустила руль, когда машина наткнулась на бугорок и, вильнув в сторону, остановилась в нескольких дюймах от толстого дерева. Эдуар тихо выругался. Оба были измучены и раздражены.

Они были почти у границ Шалона, когда Эдуару показалось, что он снова что-то увидел. Он попросил Викторию сбросить скорость, но она слишком торопилась в замок. Они немного поспорили, и он полушутя приказал ей подчиниться.

— Немедленно притормози, Виктория, мне нужно видеть, что там.

Но когда вопреки протестам Виктории, считавшей это самоубийством, они остановились, он не разглядел ничего подозрительного. Она снова рванула вперед, и тут на дорогу выбежала собака. Виктория успела свернуть, но опять едва не врезалась в дерево. Она в который раз попыталась успокоиться, но вдруг услышала тихое жужжание, странным образом напомнившее ей о «Лузитании». Нечто вроде негромкого, но противного воя. Виктория обернулась к внезапно сжавшемуся Эдуару и ахнула, увидев его широко раскрытые глаза.

— Пригнись! — заорал он, и оба нырнули вниз.

Виктория уже хотела было приподняться, как заметила багровую струйку, медленно сочившуюся по мундирному сукну. Она попыталась перевернуть Эдуара, но он покачал головой и, едва выговаривая слова, велел на полной скорости ехать в Шалон. В этот момент вторая пуля ударила в него: очевидно, немецкие снайперы подстерегали запоздавших офицеров. Виктория что было сил жала на акселератор, время от времени дотрагиваясь до Эдуара. Его полевой телефон на таком расстоянии не действовал.

Вскоре изо рта Эдуара потекла кровь; он терял сознание. Она не знала, что делать: везти его скорее в госпиталь или попытаться самой остановить кровотечение. Но было поздно: он обмяк и смертельно побледнел. Виктория поняла, что конец близок.

— Эдуар, — прошептала она, нажимая на тормоз и кладя его голову себе на колени. Она уже видела такие лица, похожие на маски смерти, видела сотни раз, но представить не могла, что такое случится с ним. Этого не может быть... не сегодня... не сейчас... невозможно...

Она звала его по имени, кричала, трясла, хотя понимала, что это бесполезно. Странно, что он еще дышит.

— Эдуар! — вопила она, рыдая. — Послушай, послушай...

Что, если снайперы ее услышат? Они слишком далеко от лагеря и, конечно, побоятся сунуться туда, но ее не задумываясь прикончат.

— Эдуар, пожалуйста...

Он вдруг открыл глаза и, улыбнувшись, слабо сжал ее руку.

— Я люблю тебя... всегда буду... с тобой.

Глаза его распахнулись чуть шире, словно от изумления, и невидяще уставились куда-то вдаль. Больше он не дышал. Все кончено.

— Эдуар... — жалобно прошептала она во тьму. — Не уходи... Не покидай меня.

Она в ужасе смотрела на него, не замечая, что вся перепачкана кровью. И так и не услышала короткого свиста пули, ударившей ее в шею. Виктория осторожно уложила Эдуара на сиденье и, чувствуя, как по спине течет что-то горячее, прибавила скорость. Нужно отвезти его в госпиталь, там помогут! Доктора сделают все возможное... приведут в себя... он просто в обмороке.

Виктория была вне себя от потрясения и не чувствовала боли. Он ее капитан, она водитель, он ее капитан... и...

Она ворвалась в лагерь, едва не сбив двух сестер. Одна бросила что-то грубое, но тут же с недоумением уставилась на Викторию.

— Он ранен, — пробормотала она, тупо глядя на них. Лица сестер отчего-то плыли перед глазами. — Сделайте что-нибудь, он ранен! — вскрикнула она, хотя с первого взгляда было ясно, что де Бонвиль мертв. Но, увидев кровь, капавшую с ее рубашки, они поняли, что происходит.

— Ты тоже, — объяснила сестра и попыталась вытащить ее из машины, но Виктория уже соскользнула в темную бездну. Девушки едва успели ее подхватить. Вся спина Виктории была залита кровью.

— Давайте носилки! — велела сестра. Тут же подбежали два санитара. Один из них узнал Викторию и покачал головой при виде Эдуара.

— Капитан? — спросил он, но сестра покачала головой. Безнадежно.

— Их обстреляли. Несите ее в операционную. Позовите Квинара... или Дорсе... кого угодно.

Пуля, засевшая в позвоночнике, оставит ее калекой на всю жизнь, если прежде инфекция не прикончит несчастную.

Санитары унесли раненую и вернулись за Эдуаром. Его доставили в морг, а один из шоферов отогнал машину и отправился в штаб доложить о гибели капитана де Бонвиля.

Хирурги удалили пулю, но опасались, что Виктория никогда не сможет ходить, даже если выживет, на что шансов было весьма немного. Повреждения, причиненные снайперской пулей, были слишком серьезны.

В лагере только и говорили, что о трагедии, а сержант Моррисон, просмотрев бумаги «Оливии Хендерсон», выписала адрес и имя ближайшей родственницы, некоей Виктории Доусон. И со слезами на глазах сама послала телеграмму с просьбой приехать.

Глава 32

Коляска для близнецов была поразительно неуклюжим сооружением, в котором возили когда-то еще ее и Викторию, но Берти настояла на том, чтобы привезти ее из Кротона. Однако несмотря на жалобы матери, близнецы прекрасно чувствовали себя в этой колымаге.

К сожалению, дом стал для семьи слишком мал. Новорожденных пришлось поместить вместе с Берти, и Чарлз все чаще поговаривал о переезде в особняк на Пятой авеню, унаследованный Викторией. Но Оливия не знала, что скажет на это сестра, когда приедет. Ей самой принадлежал Хендерсон-Мэнор, но не могли же они перебраться туда! Нет, сначала она должна все выяснить с сестрой!

Поэтому Доусоны и теснились пока в старом доме, буквально на головах друг у друга. Джефф также вносил свою долю во всеобщую сумятицу, не говоря уже о Чипе, так что Чарлз постоянно был на взводе.

Последнее время Оливия постоянно мучилась бессонницей и ужасно уставала. У нее ныло все тело, как при сильной простуде. Вот и сегодня, втаскивая тяжелую коляску на крыльцо, она совсем потеряла терпение и решила, что пора прислушаться к просьбам Чарлза и переехать, а уж потом объясниться с Викторией.

— Могу я помочь, мэм? — вежливо спросил мужчина в униформе. Оливия машинально поблагодарила и, мельком взглянув в его сторону, увидела, что он держит телеграмму. Она оцепенела. Сердце, казалось, перестало биться. Она уже несколько дней чувствовала себя не в своей тарелке, но твердила, что просто нервничает, плохо спала и дети ее утомили.

— Это мне? — хрипло спросила она.

— Виктория Доусон? — учтиво осведомился почтальон. — Значит, вам.

Он дождался, пока Оливия распишется, втащил коляску на ступеньки и удалился. Оливия дрожащими руками разорвала телеграмму, и словно стальные пальцы стиснули горло. Слова расплывались перед глазами. Это оказалось официальное извещение от сержанта Моррисон, служившей в союзных войсках.

«С сожалением сообщаем, что ваша сестра Оливия Хендерсон ранена при исполнении воинского долга. Нетранспортабельна. Состояние тяжелое. О дальнейшем телеграфируем».

Виктория никогда не упоминала ни о какой Моррисон, но теперь это не имело значения. Она ранена!

Плачущая Оливия стояла в прихожей, все еще держа телеграмму и не в силах поверить прочитанному. Она ведь чуяла неладное! Та самая непонятная болезнь, которую она объясняла усталостью. Но теперь она поняла, в чем дело. Виктория. Она разделяла боль сестры.

Оливия растерянно оглядывалась, и Берти, выходившая из кухни, сразу поняла, что случилась беда.

— Что с детьми? — вскрикнула она, устремившись к коляске.

— Виктория... она ранена.

— О Боже! Ты скажешь Чарлзу?

Она назвала его по имени, чего никогда не делала в присутствии хозяина.

— Не знаю, — пробормотала Оливия.

Они отнесли спящих девочек наверх, уложили в кроватки, а следом промчался Джефф, которому давно было пора делать уроки. Но Оливия и слова ему не сказала. Сначала нужно поговорить с Чарлзом, а она понятия не имеет, с чего начать и признаться ли во всем или утаить правду. Но что-то непременно нужно делать. Она немедленно отправится во Францию, независимо от того, захочет ли Чарлз ее сопровождать. Никакие силы на этом свете не удержат ее от поездки.

Чарлз вернулся домой поздно, но жена ждала его в гостиной. Вот уже два часа она металась по комнате, изнемогая от страха и тревоги. Он сразу же понял по ее лицу, что стряслась беда. Виктория, бледная как полотно, трясущимися руками снова и снова складывала телеграмму. Первая мысль, пришедшая ему в голову, была та же, что и у Берти: заболел ребенок.

— Виктория, что случилось?

Оливия тяжело вздохнула и решила поведать только самое необходимое. Весь этот день она терзалась, не зная, как быть.

— Моя сестра...

— Оливия? Где она? Что с ней?

— Оливия в Европе. Она ранена.

Самым трудным оказалось начать, потом все пошло куда легче. Незачем приукрашивать печальную правду из страха, что он с ней разведется. Ему это и делать ни к чему. Он может просто выбросить ее из дома. Оливия не была уверена даже, что при подобных обстоятельствах ей оставят детей. Вряд ли Чарлз позволит ей навещать девочек. Но сейчас не это главное. Речь идет о ее сестре.

— В Европе? — недоумевающе повторил он, садясь. — Что она там делает?

— Водит санитарную машину... Ухаживает за ранеными... Ее ранило, — объяснила Оливия, садясь напротив. Чарлз уже заподозрил неладное!

Неожиданно его осенило.

— Ты знала об этом? — напрямик спросил он, пытаясь поймать ее взгляд. Неужели Виктория лгала ему и Эдварду?

Жена смущенно кивнула.

— Как она могла пойти на такое? И все это время она провела там?

Оливия снова кивнула, опасаясь, что он распутает всю интригу, но Чарлзу, человеку глубоко порядочному, и в голову не могло прийти столь невероятное предположение. Они с Викторией слишком далеко зашли, и распутать такое немыслимое нагромождение дел и событий становится все труднее. Никто не поверит, что Оливия всего-навсего хотела помочь сестре, потому что та рвалась получить свободу. Но при этом обе ухитрились перейти все границы, и теперь правда вот-вот выйдет наружу, потому что судьба решила за них.

— Почему ты молчала, Виктория?

Оливия вздрогнула от неожиданности, услышав имя сестры, но, поняв, что обращаются к ней, без запинки ответила:

— Оливия не хотела, чтобы кто-то узнал. Я не имела права предавать ее доверие. Она отчаянно хотела уехать. Несправедливо было ей мешать.

— Несправедливо? А справедливо бросать отца? Господи Боже, да она просто убила его!

По щекам Оливии потекли слезы.

— Это не совсем так! Он много лет жаловался на сердце, — попыталась оправдаться она, но Чарлз и слушать ничего не хотел.

— Уверен, что побег твоей сестрицы не улучшил его состояния, — резко бросил он, возмущенный столь беззастенчивым обманом.

— Возможно, ты прав, — прошептала она, чувствуя себя настоящей убийцей, и, хотя отец был убежден, что перед смертью говорил со старшей дочерью, это служило слабым утешением.

— Я уж скорее мог бы понять, если бы на такое решилась ты, со своими безумными идеями, но Оливия... просто немыслимо.

— А если бы на ее месте была я? — осторожно осведомилась она.

— Да я попросту убил бы тебя! Притащил бы обратно за волосы и запер на чердаке.

Возможно, он так и поступил бы, но представить страшно, чего бы стоило вернуть жену!

Чарлз вздохнул и покачал головой.

— Что ты собираешься предпринять? — спросил он, ожидая, что Виктория немедленно бросится во французское консульство или отделение Красного Креста. — Она серьезно ранена?

— Не знаю. В телеграмме сказано «состояние тяжелое».

Она долго смотрела на него, прежде чем решиться. Но он рано или поздно все равно должен смириться с ее отсутствием. Оливию никто не остановит.

— Чарлз, я еду.

— Что?! — вспылил он. — В Европе война, а ты мать троих детей!

— Она моя сестра, — возразила Оливия, и в ее устах эти три слова стоили сотни пышных фраз, но Чарлз словно с цепи сорвался:

— Не только! Она твоя близняшка, и этим все сказано! Оттого ты считаешь, что можешь бросить все каждый раз, когда у тебя заболит голова, и, следовательно, воображаешь, что она шлет тебе весточку! Так вот, я этого не потерплю! И запрещаю тебе ехать, слышишь? Останешься вместе со своей семьей, там, где твое место! И не воображай, будто можешь разъезжать по всему свету в поисках негодяйки, отрекшейся от своей семьи, чтобы сбежать на край света в поисках приключений. Ты никуда не едешь! — грозно прогремел он.

Оливия в жизни не предполагала, что он способен говорить с ней подобным тоном, но она гордо вскинула голову, и под ее взглядом он даже съежился.

— Ничто на свете не остановит меня, Чарлз. Я отправлюсь в Англию первым же рейсом, нравится тебе это или нет. Моим детям ничего не грозит, а я должна разыскать сестру.

— Я уже потерял одну жену в море! — закричал он так громко, что остальные домочадцы стали с тревогой прислушиваться к семейному скандалу. — И черт меня побери, если соглашусь лишиться второй!

Он был вне себя от ярости и ужаса и сам не знал, что говорит, но Оливия слишком хорошо понимала «мужа».

— Прости меня, — тихо обронила она. — Я еду. Буду рада, если и ты присоединишься ко мне.

— А что, если мы оба погибнем? Если судно торпедируют? Кто позаботится о детях? Об этом ты подумала?

— В таком случае оставайся, — печально кивнула она. — С тобой им будет спокойнее.

Скорее всего она больше не увидит детей: узнав обо всем, Чарлз наверняка не пустит ее на порог.

Только об этом думала Оливия, прижимая к груди малышек. Сердце нестерпимо ныло при мысли о том, что они разлучаются навечно, но она твердо знала, что ее долг — найти Викторию. Интуиция подсказывала ей, что нужно спешить.

Вечером она уложила Джеффа в постель. Тот, как и все обитатели дома, стал свидетелем ссоры и очень волновался.

— Это все Виктория, правда? — прошептал он. Оливия кивнула.

— Папа знает?

— Нет, и ты не должен ничего ему говорить. Прежде мне нужно с ней встретиться, а потом мы вместе во всем признаемся.

— Она очень разозлится, когда узнает о малышках? — испуганно осведомился мальчик, и она снова поцеловала его.

— Конечно, нет, она их полюбит, — заверила она спокойно, хотя сходила с ума от тревоги.

— А ты будешь жить с нами, когда она вернется? Не уйдешь? — допытывался Джефф, и Оливия ободряюще улыбнулась. Сама она от всей души надеялась, что Виктория согласится вернуться, даже если ей самой в этом доме не будет места.

— Поэтому я и хочу добраться до Европы, увериться, что с Викторией ничего не случилось, и все как следует обсудить.

— Она умрет? — неожиданно спросил он.

— Конечно, нет! — воскликнула Оливия, страстно желая верить собственным словам. Она упорно молилась о здоровье сестры. Только бы Господь спас ее!

Этой ночью Чарлз долго лежал молча, прежде чем повернуться на бок и посмотреть на жену. Оливия боялась спросить, о чем он думает.

— Я всегда знал, как ты упряма, даже когда женился на тебе. Но если ты настаиваешь, я согласен сопровождать тебя.

Оливия потрясенно застыла, но где-то внутри нарастало чувство облегчения. Она побаивалась оказаться одна в раздираемой распрями Европе. Какое счастье, что он будет рядом!

— А тебя отпустят?

— Им придется. Объясню, что в семье случилась беда. Что судьба наградила меня ненормальной свояченицей и сумасбродной женой, и теперь придется мчаться в Европу, чтобы помочь им.

Он улыбнулся, и Оливия поцеловала его, преисполненная благодарности за все, чем он для нее пожертвовал. Как печально сознавать, что Чарлза ждет жестокий удар!

— Но позволь сообщить тебе, что, если те две особы, что спят в соседней комнате, вздумают выкинуть подобный фортель, я немедленно обменяю их на двух обыкновенных детей или, на худой конец, соглашусь взять щенками.

Оливия рассмеялась и прильнула к мужу.

Следующие два дня она лихорадочно готовилась к путешествию, а на третий супруги поднялись на борт французского судна «Эспань», прибывающего в Бордо через неделю. Американское судно «Карпатия», в свое время подобравшее пассажиров «Титаника», к сожалению, уже отправилось в рейс. Им отвели небольшую каюту, не слишком роскошную, но довольно удобную. Они старались держать шторы задернутыми и почти не выходили на палубу. Оливия страшно переживала за сестру, и Чарлз изо всех сил старался ее утешить и отвлечь.

— Это, конечно, не «Аквитания», — пошутил он как-то, вспоминая свой мучительный медовый месяц, — но какое же то было отвратительное путешествие по сравнению с нынешним.

Оливия подняла удивленные глаза.

— Почему? — наивно спросила она, и Чарлз подозрительно взглянул на жену.

— Наверное, у меня память лучше, дорогая, но признаюсь честно, первый год нашей семейной жизни едва меня не убил. Если бы все так и продолжалось, просто покончил бы с собой или ушел в монастырь.

Он намекал на целомудренную жизнь, которую вел по вине сестры, и угрызения совести с новой силой принялись терзать Оливию. Как объяснить ничего не подозревающему Чарлзу, во что они его втянули?!

Как ни странно, они благополучно пришвартовались в гавани Бордо, и местный консул рассказал, как добраться до

Шалона-на-Марне. Они наняли машину, выглядевшую так, словно вот-вот развалится на ходу, и отправились за представителем Красного Креста, который должен был стать их проводником. Ожидалось, что поездка займет четырнадцать часов. Обычно времени уходило намного меньше, но кругом шли бои и приходилось выбирать окольные дороги. Их предупредили об опасности, снабдили противогазами, аптечками и водой. Оливия примерила противогаз, но тут же сняла и объявила, что не понимает, как в нем можно дышать. Однако часовой заверил, что в случае газовой атаки она сразу научится, да еще поблагодарит за заботу. Чарлз в который раз поздравил себя за сообразительность. Останься он в Америке, и Виктория никогда бы не сумела попасть к сестре. При виде разрушенных ферм и сгоревших зданий мороз пробирал по коже! Разве здесь место одинокой женщине?

Представительница Красного Креста сопровождала их до Шалона. На полпути у них спустила шина, несколько раз автомобиль останавливали солдаты и просили предъявить пропуска. Они добрались до места уже за полночь, и все трое валились с ног, но Оливия, невзирая на поздний час, рвалась к сестре. Чарлз безуспешно пытался уговорить ее подождать до завтра, но, едва они вышли из крошечного «рено», она спросила у первого попавшегося санитара, где госпиталь, и решительно зашагала в указанном направлении. Молодая сестра милосердия объяснила, где найти Оливию Хендерсон. Чарлз уже успел догнать жену и, медленно последовав за ней в палатку, едва не задохнулся от невыносимого смрада. Куда ни кинь взгляд, повсюду валялись искалеченные, раненые, корчившиеся в припадках рвоты люди. Виктория уже успела привыкнуть ко всем этим ужасам, но для новичков испытание оказалось тяжелым. Оливия отвернулась было, но тут лежавший на полу мальчик протянул ей руку, и она нежно погладила загрубевшие пальцы. Он напомнил ей Джеффа, и она невольно пожелала, чтобы кто-нибудь вот так держал его руку, если случится беда.

— Откуда вы? — спросил он с австралийским акцентом. Юноша потерял ногу под Верденом, но находился на пути к выздоровлению.

— Я из Нью-Йорка, — шепнула Оливия, боясь разбудить солдат, но, похоже, никто и не спал.

— Я из Сиднея, — улыбнулся он и отсалютовал Чарлзу, который ответил тем же со слезами жалости на глазах. Они продвинулись в глубь палатки.

Виктория лежала на складной койке в самом углу; голова и шея были забинтованы, так что Оливия даже не сразу ее узнала, но какой-то инстинкт подтолкнул ее именно туда. Она сама не помнила, как очутилась рядом и встала на колени. Виктория была очень слаба, но отважно улыбалась, и на лице играла счастливая улыбка. Она не сводила глаз с Оливии; сестры обменивались нечленораздельными междометиями и жестами, по-видимому прекрасно понимая друг друга без слов. Оливия наконец обняла сестру. Этого момента она ждала много месяцев. Им так много нужно было сказать друг другу, но слова не шли с языка. Зато какой водоворот чувств захватил обеих!

Виктория подняла глаза на Чарлза и едва слышно, напрягая голос, объяснила, что инфекция все-таки поразила спинной мозг и врачи опасаются, что она распространится на голову и убьет раненую. Но если этого не случится, она поправится. Хорошо еще, что позвоночник не перебит, и она сможет снова ходить. Многим так не повезло. Эта самая жестокая за всю историю человечества война унесла миллионы жизней.

— Спасибо, что приехали, — прошептала она Чарлзу. Он коснулся ее руки и, посмотрев в глаза, поежился. Было в них нечто неумолимое, безжалостное, словно ей пришлось пережить несказанные испытания. Прежняя Оливия не была такой — очевидно, она слишком многое видела и вынесла.

— Я рад, что мы нашли вас, — откликнулся он. — Джефф посылает вам привет. Мы все скучали, особенно Виктория.

Виктория взглянула на сестру, и та едва уловимо качнула головой. Значит, он еще не знает. Даже сейчас, когда она умирает. Ей хотелось спросить у Оливии, когда лучше всего рассказать Чарлзу. Нужно очистить душу перед смертью и попросить Оливию забрать ребенка. Но не сейчас, тем более что сестра милосердия велела им уйти.

Их развели по казармам: для женатых пар здесь не было места. Виктория с Эдуаром оказались редчайшим исключением, но сейчас комнату уже занимал новый капитан. Для них все в прошлом. Эдуар похоронен в холмах за замком, вместе с десятками таких же, как он. Только для Виктории он был один на свете, и боль потери до сих пор терзала ее. Приходя в сознание, она думала только об Эдуаре и Оливии. Но хотя бы сестра теперь рядом...

Наутро Чарлз и Оливия встретились в столовой. Оба почти не спали, но Оливия рвалась к сестре. Чарлз согласился подождать ее на улице. После разговора с санитарами он неожиданно устыдился за себя и свою страну. Они предпочли мирно отсиживаться дома, когда здесь гибли люди!

Санитары, со своей стороны, выразили восхищение поступком Чарлза, не побоявшегося приехать в Европу ради свояченицы. Многие знали «Оливию» и с величайшим благоговением отзывались о ней, выражая надежду, что девушка поправится.

А тем временем Виктория улыбалась так блаженно, словно перед ней открылись врата рая.

— Не могу поверить, что ты здесь. Что заставило тебя приехать?

Она думала, что сестру уведомят письмом, которое будет идти не меньше месяца, и очень боялась не дожить до того времени.

— Получила телеграмму от сержанта Моррисон. Позже обязательно повидаюсь с ней и поблагодарю.

— Добрая старушка Пенни, — выдохнула Виктория, целуя пальцы Оливии. — Господи, как же я стосковалась по тебе, Олли... мне так много нужно рассказать...

А времени осталось мало, и она это чувствует. Сестры уверяют, что она выглядит гораздо лучше, но голова болит нестерпимо. Но все-таки как же удалось Оливии так долго хранить ее тайну?

— Не пойму, как ты сумела не выдать себя.

— Я всегда была куда лучшей актрисой, чем ты, — ухмыльнулась Оливия, и Виктория попыталась засмеяться, но боль становилась нестерпимой. Кажется, если шевельнуть головой, она просто отвалится.

— Нашла чем хвастаться, — устало проронила Виктория. В прошлом месяце им исполнилось двадцать три года, но обе, хотя и по различным причинам, чувствовали себя древними реликтами.

— Мне очень жаль, что не попрощалась с отцом.

— Он был уверен, что ты рядом, — утешила Оливия. — И умер с миром. Я не отходила от него.

— Милая Олли, ты всегда была опорой всем, даже Чарлзу, потому что у меня не хватило духу остаться с ним.

— Виктория... мне нужно кое-что сказать тебе, — смущенно начала Оливия. — Все получилось не так, как мы загадывали.

Хоть бы сестра простила ее! Что, если она навсегда отвернется от Оливии и говорить не захочет? Но и молчать невозможно.

— Три месяца назад у нас родились близнецы, — выдавила она, и Виктория широко раскрыла глаза.

— Близнецы? — охнула она, и Оливии пришлось дать ей глоток воды. Она заверила сестру милосердия, что сама позаботится о раненой. Оставалось надеяться, что их не потревожат. — Ты сказала — близнецы?

— Совершенно одинаковые девочки, совсем как мы... Они прекрасны, — осмелилась улыбнуться Оливия, поскольку Виктория, кажется, вовсе не собиралась ее убивать. — Элизабет и Виктория, в честь тебя и мамы.

— Это я поняла, — слабо усмехнулась Виктория. — Но вот каким образом они появились на свет? Неужели ты украла у меня мужа?

Она широко улыбнулась, но Оливия, ничего не видя, плакала.

— Виктория, пожалуйста... нет... я вернусь в Кротон и стану там жить, когда ты приедешь, только бы время от времени видеться с ними... не нужно...

— О, заткнись, — пробормотала Виктория, превозмогая боль. — Паршивая девчонка! Но все это ужасно забавно. Оливия, я не любила Чарлза и не люблю. Он мне не нужен. Если так уж хочешь — он твой.

Все словно в детстве. Спор из-за куклы... и Виктория великодушно отдает игрушку сестре. Оливия ошарашенно уставилась на нее.

— Поэтому я не вернулась домой прошлым летом... не хотела... не могла... Кстати, когда это случилось? Я хочу сказать, когда в ваших отношениях все изменилось?

— После того как ты спаслась с «Лузитании», — сконфуженно пролепетала она. Оливия была безмерно счастлива, что сестра рядом. Это настоящее чудо! Даже под бинтами угадывались прелестные черты, хотя она по-прежнему казалась несгибаемой, резкой и отчаянной. Недаром эти качества угадал в ней Чарлз.

— Узнала, что я жива, и решила отпраздновать таким образом? — лукаво усмехнулась Виктория.

— Ты отвратительна, — прошептала Оливия, пытаясь не улыбнуться и все же улыбаясь, вне себя от радости, что сестра не набросилась на нее.

— Ну уж нет, это ты мерзкая, противная, бессовестная! Я оставляю тебе приличного доброго человека, с которым мы несколько месяцев жили в целомудрии, который терпеть меня не может и не стал бы спать со мной, даже если бы ему за это заплатили, и что ты вытворяешь? Соблазнила беднягу! Это ты распутница, не я! И заслуживаешь вечного союза с ним! Лично я не могу придумать судьбы ужаснее, но вы оба, кажется, очень счастливы вместе. Он просто счастливчик!

— Я тоже, — прошептала Оливия.

Сердце Виктории наполнилось любовью к сестре, особенно при воспоминании о том, как ей повезло встретить Эдуара и родить от него ребенка.

— Так что же нам теперь делать? — уже без улыбки спросила она. — Мы должны ему сказать.

— Он возненавидит меня! — побледнела Оливия.

— Переживет, — заверила Виктория. — Чарлз порядочный человек, и, хотя наверняка станет рвать и метать, но что ему делать? Бросить женщину, которую он любит, мать его детей? Вздор! Кстати, мне тоже нужно кое в чем тебе признаться.

— Не дай Бог! — шутливо перекрестилась Оливия. — После всего, что я наделала, тебя слушать страшно! Признавайся, какое преступление совершила!

Несмотря на время, тяготы и страдания, теснейшая связь между сестрами была по-прежнему крепка, будто прошел не год, а день со времени их разлуки.

— Три месяца назад у меня появился ребенок. Прелестный мальчик, Оливье Эдуард, — гордо объявила Виктория. Жаль, что у нее нет ни дагерротипа, ни рисунка малыша! — Может, ты догадаешься, в честь кого я его назвала!

По какой-то странной причине новость не удивила Оливию, хотя должна бы.

— Значит, поэтому ты не вернулась домой, — задумчиво протянула она, но Виктория чуть качнула головой:

— Вовсе нет. Просто не хотела. Тогда я еще не знала, что беременна. Его отец был человек особенный.

Она рассказала об Эдуаре, о первой встрече, об их планах на будущее и его безвременной гибели. О том, что она никогда не встречала такого верного друга и великолепного любовника. Жизнь без него пуста и никчемна.

И Оливия поняла, что сестра нашла свою единственную любовь здесь, в огне и страданиях.

— Где сейчас малыш? — спросила она.

Виктория ответила, что сначала ребенка взяла графиня, но два дня назад она уехала к сестре, опасаясь снайперов, которые никого не щадили.

— Оливия, умоляю, увези его. Я вписала Оливье в свой паспорт. То есть твой, так что у тебя не будет никаких затруднений, если Чарлз не станет возражать.

— Думаю, у Чарлза найдется немало возражений, после того как он все узнает, но теперь уже ничего не поделать.

Он вполне способен выгнать ее, но уж ребенка Виктории не отнимет! Не имеет права!

— А ты? — спросила Оливия. — Когда вернешься?

Теперь, когда ее возлюбленный мертв, оставаться не имеет смысла.

— Может, мне не придется... — печально проронила Виктория, и по ее спине пробежал холодок. Она совсем одна. И ничего, ничего нет... Оливия, разумеется, останется с Чарлзом. А она... она не выносит отцовского дома в Нью-Йорке, не говоря уже о Хендерсон-Мэнор. Единственное место, где ей хочется быть, — здесь, рядом с Эдуаром. Она так и сказала сестре.

— Не говори так, — испуганно охнула Оливия.

Но Виктория, кажется, не хотела жить без Эдуара, даже ради своего малыша.

— Эдуар оставил Оливье замок и парижский дом. Сразу же после рождения сына он связался с адвокатами и составил новое завещание. Хотел быть уверенным, что жена ничего не получит, и, согласно французским законам, Оливье — гражданин страны и ему так или иначе полагаются титул и состояние отца. Дома постарайся получить на него документы.

Она, естественно, волновалась за свое дитя, а Оливия безмерно тревожилась за сестру.

— Почему ты не едешь с нами?

— Посмотрим, — неопределенно прошептала сестра. В этот момент вошел Чарлз, но Виктория уже устало прикрыла глаза и задремала. Через несколько минут Чарлз увел Оливию. Ему казалось, что свояченица выглядит ужасно, но жене об этом говорить не стоило. Вместо этого они отправились в столовую пить кофе, а когда вернулись, Виктория спала.

К вечеру они снова пришли в палатку. Сестра милосердия сказала, что у Виктории поднялась температура, и велела не оставаться слишком надолго, но не упомянула, что состояние больной ухудшилось. Виктория шепнула, что хотела видеть Чарлза. Она решила сама все сказать ему, считая, что так будет справедливее. Сейчас она выглядела смертельно бледной, но странно умиротворенной.

— Чарлз, нам нужно с тобой поговорить, — едва слышно выдохнула она. Сердце Оливии бешено колотилось. Она не представляла, что сейчас начнется. Но Виктория всегда была храбрее ее.

— Мы ужасно обманули тебя год назад, — начала Виктория, — но она не виновата. Я заставила ее. Считала, что только так и следует жить.

Чарлза отчего-то передернуло. Он молча вглядывался в раненую. В глазах светились знакомый холод и непонятное возбуждение.

— Не желаю ничего слышать, — отмахнулся он, страстно мечтая как можно скорее сбежать отсюда, словно ребенок, стремившийся избежать наказания. Но Виктория взглядом приковала его к месту.

— Придется. Другого времени может не быть, — твердо объявила она. Скорее покончить с этим, ради всех их! Пора! — Я не та, за кого ты меня принимаешь. Даже паспорт у меня чужой.

Чарлз все понял и с открытым ртом переводил глаза с жены на свояченицу. Значит, настоящая Виктория лежит здесь, в полевом госпитале. А та, с кем он спал в одной постели, та, что родила ему близнецов...

— Хочешь сказать... то есть... ты... — Язык его не слушался.

— Ты все знаешь, но боишься услышать! — удивительно сильным для своего состояния голосом воскликнула Виктория. Несмотря на пренебрежение к этому человеку, стоило ему посочувствовать. По его взгляду было ясно, что он узнал в ней свою жену.

Оливия машинально вытерла глаза.

— Послушай, — продолжала Виктория, — рано или поздно наша взаимная ненависть привела бы к страшному концу. Мы просто уничтожили бы друг друга. Но она... она любит тебя. Оливия бесконечно добра к тебе. И в твоих глазах светится ответная любовь. Чарлз, я была тебе плохой женой.

Она права, но от этого слова еще сильнее жгут. Будь она здорова, он надавал бы ей пощечин, но теперь...

Он мог только в ужасе смотреть на нее, неожиданно вынужденный лицом к лицу столкнуться с тем, от чего все это время старательно отворачивался. И теперь, охваченный яростью, не знал, как поступить.

— Да как ты смеешь плести такое! Вы обе... обе... — Он был готов разорвать их, но даже кричать не мог: кругом было полно народа. — Вы не дети, чтобы вытворять подобное... подмена... вы всегда так гордились, что обманете любого... ты была моей женой... и кое-чем мне обязана... — Он почти задыхался от бешенства.

— Я обязана тебе гораздо большим, чем ты представляешь, но мне нечего было дать в ответ. И я тебе причиняла только боль. А ты... ты никогда не позволял себе любить меня. Слишком боялся... и чересчур переживал свою потерю. Но может, Оливия... может, она дала тебе то, чего ты хотел. Ее ты не страшишься, Чарлз, и, если будешь честным с собой, признаешь, что полюбил. Меня ты ненавидишь.

Она страстно пыталась открыть ему глаза. Ради сестры.

— Я ненавижу вас обеих и не собираюсь стоять здесь и выслушивать твои наставления лишь потому, что тебе удобно сделать из меня послушную куклу! Плевать мне на то, что ты больна или ранена! Вы обе безумны, если вот так играете людьми! Ну так вот, я вам не игрушка, поняли?

И Чарлз решительно устремился к выходу, до сих пор не веря случившемуся, охваченный гневом и горечью. Оливия тихо плакала, а Виктория изо всех своих невеликих сил сжимала ее руку.

— Он справится с этим, Оливия... поверь, он вернется...

Она бормотала быстро, несвязно, и сестра милосердия попросила Оливию уйти. Та поцеловала сестру в щеку и пообещала вернуться, когда обе успокоятся.

Оливия долго искала Чарлза, пока наконец не заметила его за бараками.

— Не смей говорить со мной, — процедил он, протягивая руку как бы для того, чтобы не дать ей подойти ближе. — Ни один порядочный человек не решился бы на подобное! Не день, не неделя, а больше года! Родить детей от собственного зятя! Это омерзительно, непристойно, аморально! Вы сумасшедшие! Вам нужно было жить вместе! К чему вам мужчины!

Его трясло от злости.

— Прости... не знаю, что еще сказать... сначала я сделала это для нее... а потом для тебя и Джеффа. И не хотела, чтобы она тебя покидала. Это правда.

Она рыдала все громче, не в силах вынести мысли, что он от нее отречется. Но за все надо платить.

— Я не верю тебе, — холодно ответил Чарлз. — И не желаю больше видеть ни тебя, ни твою сестрицу.

— Но под конец я уже не могла жить без тебя, — печально продолжала Оливия. — Отец оказался прав.

Она намеревалась выложить все козыри на стол. Терять все равно нечего.

— Я всегда тебя любила, с самого начала, и когда отец потребовал, чтобы Виктория стала твоей женой, поняла, что потеряла все. Поэтому и решилась посвятить себя отцу.

Слезы градом катились по ее щекам, но Чарлз не удостоил ее взглядом.

— Чарлз, я люблю тебя, — изнемогая от горя, выдавила она, и только тогда Чарлз соизволил поднять глаза.

— Не смей лгать! Ты сделала из меня идиота! Врала, соблазняла меня, дурачила, как хотела. Но ты для меня ничего не значишь. Все, что ты делала и говорила, — сплошная фальшь с начала и до конца! Мы даже не женаты, так что я постараюсь выкинуть тебя из своей жизни!

Сердце Оливии куда-то покатилось и разбилось на тысячи крошечных осколков.

— Наши дети — это не обман, — мягко заметила она, безмолвно умоляя простить ее, даже если на это уйдет вся жизнь.

— Нет, — задохнулся он, — но благодаря тебе на них клеймо незаконнорожденных.

Он отвернулся от нее и вошел в мужскую казарму, куда она не могла последовать за ним. Оливия вернулась к сестре. Виктория снова спала, и сиделка, приложив палец к губам, попросила Оливию не будить ее. Она слишком устала, и жар усилился.

В этот день Оливии больше не удалось увидеться с Чарлзом. Он и близко не подходил к госпитальной палатке, и она нервничала, опасаясь, что Чарлз задумал уехать без нее. Но если это и так, придется смириться. Она останется, пока не сумеет переправить домой сестру и племянника. Она всю ночь проспала на стуле у кровати Виктории, пытаясь отрешиться от криков и стонов раненых и умирающих. Сестра несколько раз просыпалась, и, когда бы Оливия ни вставала, чтобы немного размяться, мужчины заговаривали с ней, принимая за Викторию. Это особенно било по нервам, тем более что все называли ее настоящим именем.

Чарлз появился в палатке наутро, как раз в тот момент, когда Оливия ушла выпить кофе.

— Ну и сцену ты устроил вчера! Настоящий спектакль! — бросила Виктория. Она выглядела измученной, но на усталом лице воинственно сверкали глаза.

Чарлз даже улыбнулся: кажется, ничего не изменилось! Теперь он еще яснее сознавал: им ни за что не следовало жениться. Всю ночь напролет он предавался невеселым размышлениям.

— Просто ты застала меня врасплох. Такое открытие кого угодно собьет с ног, — признался он, но Виктория недоверчиво прищурилась.

— Не верю! Хочешь сказать, что ни разу не заметил разницы и ничего не заподозрил? Да посмотри на нас! Оливия — нежная, любящая, добрая, готовая за тебя жизнь отдать, а я... Да еще немного, и мы поубивали бы друг друга, как немцы и французы!

Чарлз смиренно кивнул, признавая правоту жены.

— И не тверди, что никогда не удивлялся, не думал. Подобные мысли у тебя непременно появлялись, хотя бы раз.

— Верно, — к удивлению Виктории, выпалил он. — Может, я действительно не хотел знать. У меня неожиданно началась такая прекрасная, удобная жизнь, о которой я давно мечтал. Оливия именно такая, какой я хотел видеть свою жену.

— Вот и не забывай этого. Не изводи ее, не приноси в жертву собственному гневу, — посоветовала Виктория, готовая на все, чтобы уберечь сестру.

— Вы обе — поразительная, невероятная парочка, — вздохнул Чарлз, невольно восхищаясь Викторией. Такая сильная, отважная и обожает Оливию, впрочем, как и та — ее.

— Мне, да и никому другому, никогда не понять ваших отношений. Господь словно разделил одно целое и дал каждой половинке свои душу и тело.

— Наверное, так и есть, я тоже это иногда чувствую. И твердо знаю, когда она нуждается во мне.

Совсем как сейчас. Оливия потеряла голову от горя. В ее ушах все время звучали жестокие слова Чарлза.

— Она говорит то же самое, — кивнул он. И, вспомнив кое-что, встрепенулся. Да-да, это случилось как раз после мнимого отъезда «Оливии» в Калифорнию.

— Кстати, ты, случайно, не была на «Лузитании»?

— К сожалению. Не везет мне на морские путешествия.

— Ей приснилось, что ты утонула. Мне пришлось вызвать доктора.

— Удалось послать телеграмму только через три дня, в Квинстауне творилось нечто невообразимое. Словами не передашь. По сравнению с тем ужасом... — она вспомнила рожавшую в воде женщину, — этот — ничто. Потому что там были дети.

Она на мгновение прикрыла глаза, и Чарлз сочувственно тронул ее за руку. Похоже, она слабеет с каждой минутой.

— И что теперь? Чего ты хочешь от меня?

Он пришел сюда, чтобы примириться с этой женщиной. Несмотря на пережитое потрясение, война с ней закончилась.

— У меня есть сын. Я просила Олли забрать его с собой, — громко выговорила Виктория, готовая заплакать. Вот уже две недели как она не видела малыша, и истосковалась по нему.

— Как это случилось? — удивился Чарлз, и она сквозь слезы улыбнулась человеку, бывшему когда-то ее мужем.

— Точно так же, как с тобой и Олли. Жаль, что я так и не посмотрела на твоих девочек.

— Еще посмотришь, — пообещал Чарлз, простив ей в эту минуту все на свете. Почему-то все ее грехи казались сейчас такими незначительными! Если Виктория попросит, он согласится на развод. — Вот вернешься домой и познакомишься с моими озорницами.

Но Виктория покачала головой, и по ее взгляду Чарлз понял, что она все знает.

— Нет, Чарлз... никогда...

Она не выглядела испуганной. Скорее задумчивой.

— Какая чепуха! Для чего, по-твоему, мы здесь? Приехали за тобой... и твоим малышом. Кстати, а где его отец?

— Убили, за несколько минут до того, как меня ранило.

— Ну что же, тебе остается поскорее поправиться, чтобы я смог получить развод.

Он с улыбкой наклонился, чтобы поцеловать ее, и она ответила странным взглядом.

— Знаешь... теперь я думаю, что каким-то безумным образом, по-своему, любила тебя. И с самого начала хотела, чтобы у нас все было хорошо... Просто мы не предназначены друг для друга.

— Наверное, — с сожалением согласился Чарлз. — Я так и не смог забыть Сьюзен.

— Иди, найди свою жену... или свояченицу, или кто она тебе...

Она попыталась рассмеяться, но сознание мутилось, а головная боль все усиливалась.

— До встречи, сумасбродка, скоро увидимся.

Чарлз вышел из палатки, обуреваемый непонятными чувствами. Он не знал, что его мучит, но, подобно Оливии, терзался дурными предчувствиями.

Он направился в столовую, но Оливии нигде не было видно. В женских казармах ее тоже не оказалось. Методично обходя лагерь, Чарлз неожиданно сообразил, что сегодня вторая годовщина его свадьбы. Вопрос лишь в том, на ком он женат. Какая абсурдная ситуация!

Он вернулся к Виктории и только там нашел спящую на стуле Оливию. Виктория тоже дремала. Они держались за руки и отчего-то казались детьми.

— Как она? — спросил он сестру милосердия, но та пожала плечами и покачала головой.

Инфекция медленно поднималась вверх, захватывая мозг. Иногда Виктория приходила в сознание и становилась совсем прежней, дерзкой и жизнелюбивой, но чаще бредила и металась. Чарлз осторожно вышел, не разбудив сестер.

В полночь Оливия позвала сестру милосердия. У нее болело в груди, и она поняла, что Виктория задыхается.

— Ей трудно дышать, — пояснила она, но Виктория по-прежнему спала.

— Ничего подобного, — возразила сестра, — все как обычно.

Но Оливии было лучше знать. Она положила на лоб Виктории мокрую тряпку, немного приподняла ей голову, и Виктория, очнувшись, улыбнулась.

— Ничего, Олли... не нужно... Эдуар ждет...

— Нет! — вскинулась Оливия, борясь со страхом. Виктория ускользает... А всем все равно! — Не смей. Ты не можешь сделать такое со мной! Черт возьми, Виктория, да борись же!

— Я так устала, — сонно пробормотала сестра. — Не удерживай меня, Олли. Отпусти.

— Ни за что! — прошипела Оливия, всеми фибрами души ощущая, что борется с дьяволом.

— Ладно, ладно, молчу... спи...

Оливия сидела рядом, пока Виктория не погрузилась в мирный сон. Кажется, жар спадает. Теперь ей станет легче.

Один раз Виктория открыла глаза и улыбнулась. Они поцеловались, и Виктория шепнула, что любит ее.

— Я тоже тебя люблю.

Оливия положила голову на подушку сестры и провалилась в сон. Ей приснилось, что они совсем маленькие и играют на лугу в Кротоне, а отец смотрит на них и смеется. Все такие счастливые, радостные...

Оливия проснулась утром, но сестра уже отошла. Навсегда. На губах Виктории играла легкая, просветленная улыбка, ее рука еще сжимала ладонь Оливии. Но она больше не встанет. Оливия делала что могла, стараясь оставить сестру на земле. Поздно. Она соединилась с теми, кто покинул их раньше.

Глава 33

Оливия не помнила, как выбралась из госпитальной палатки. Ее пошатывало. Двадцать первого июня тысяча девятьсот шестнадцатого года сестра, половинка ее души, половинка существа, покинула этот мир. Как теперь жить одной? Пусть они долго были в разлуке, но Оливия всегда чувствовала, что Виктория рядом и когда-нибудь они обязательно увидятся. А теперь? Всему конец? Она потеряла Чарлза, лишится детей и навсегда рассталась с единственной сестрой. Как жестоко наказала ее судьба!

Оливии хотелось кричать, биться, просить Викторию забрать ее с собой. Она и дня не проживет без сестры.

И тут откуда-то словно послышался голос Виктории, напоминавшей о своем ребенке.

Оливия направилась к штабу и попросила довезти ее до замка. Выслушав ее объяснения, молодой француз улыбнулся и повел ее к машине. Оказалось, он знал Эдуара и «Оливию», хотя еще не слышал о смерти последней, а у настоящей Оливии не хватило духу ему сказать.

Оказалось, что до замка совсем недалеко, и Оливия сначала хотела разыскать Чарлза, но у нее не было сил ничего объяснять, тем более что она утратила на него все права. Недаром Чарлз заявил, что она больше ничего для него не значит.

Оливия была уже на пути к замку, когда Чарлз решил навестить Викторию. Но сестра милосердия печально покачала головой и показала на пустую койку. Как ни странно, Чарлз в эту минуту не испытывал скорби. Он с самого начала понимал, что Виктория с нетерпением ждет, когда сможет навечно освободиться, и теперь хотел одного: поскорее увидеть Оливию. Пусть они безбожно лгали ему, пусть он оскорблен до глубины души, но Оливия, должно быть, безутешна. Ее нужно немедленно найти.

— Вы видели мою жену... ее сестру? — осведомился он.

Женщина ответила, что она ушла, а ее сестра умерла около семи утра. Чарлз направился в столовую, но Оливию не нашел. К этому времени Оливия уже была в замке и, расспросив прислугу, узнала, что хозяйка сейчас в местечке Туль, в двух часах езды отсюда. Парнишка по имени Марсель, привезший Оливию, согласился доставить ее туда.

Почти всю дорогу она молчала. Марсель, украдкой поглядывая на нее, обнаружил, что она тихо плачет. Он предложил Оливии папиросы, но та отказалась и поблагодарила парнишку. Такой молодой, лет восемнадцать, а уже воюет!

Они поговорили немного о войне и благополучно прибыли в Туль. Оливию послали в маленький домик, где жила графиня. Оливия объяснила, кто она и что ее сюда привело, и графиня, выразив свои соболезнования, повела ее к малышу. Оливье оказался веселым, добродушным светловолосым толстячком, чем-то неуловимо напоминавшим Викторию. Дело было не во внешнем сходстве — ее собственные дети куда больше походили на сестру. Просто он был таким прелестным, милым ребенком и мирно заворковал, когда она взяла его на руки. Он словно знал, что за ним приехали, и Оливия ощутила невероятную тоску — не только по сестре, но и по девочкам.

Графиня попрощалась с ними. Она искренне радовалась, что ребенок будет в безопасности, и строго наказала Марселю быть поосторожнее. Линия фронта то и дело менялась, и в холмах засели снайперы.

На обратном пути Оливия не спускала Оливье с колен, и Марсель, внезапно увидевший что-то слева на краю дороги, резко свернул. Пули едва их не задели.

— Черт! — прошипел Марсель. — Ложитесь!

Оливия немедленно повиновалась, скорчившись на полу машины. Снайпер снова выстрелил, но Марселю удалось уйти. Недалеко началась перестрелка, слышались разрывы снарядов, и они решили переждать. Марсель свернул на проселочную дорогу к старой заброшенной ферме. Он спрятал машину в конюшне, а сами они полезли по приставной лестнице на чердак. Оливия старалась сохранять присутствие духа. Похоже, положение обострилось. Как отсюда выбраться в случае нападения?

Они просидели на ферме весь день, боясь двинуться с места. К счастью, немцы так и не появились. Но они рыскали неподалеку, и покидать конюшню было опасно. Вокруг сплошные поля и негде укрыться. В довершение всего у них не было ни капли воды, не говоря уже о еде.

— Что делать? — нервно прошептала Оливия. Малыш начал плакать, а она была далеко не так храбра, как покойная сестра, и в жизни не предполагала, что ее ждут такие испытания. Правда, ради Виктории и ее ребенка была готова на любой героический поступок.

— Подождем до темноты, — с обеспокоенным видом буркнул Марсель. Больше ничего не оставалось. Но к ночи начался массированный артиллерийский обстрел. Оливия молилась, чтобы немцы не вздумали применить газ.

— Нужно покормить его, — прошептала она. Оливье не ел целый день, и теперь надрывался, требуя мать, кого-то из знакомых или по крайней мере обеда. Но он, похоже, признавал Оливию. Правда, она ничем не могла ему помочь, поскольку давно перестала кормить грудью своих девочек, и кто знает, появится ли молоко.

Поздней ночью они наконец выбрались с чердака. Марсель велел ей подождать, а сам решил отправиться к лагерю пешком и привести помощь. Он посчитал, что Оливии идти слишком рискованно, и уверял, что через два часа будет у своих. Его план казался достаточно резонным, но Оливия страшно боялась, что, если немцы захватят Марселя, они вернутся и убьют ее, а если нет, они с Оливье попросту умрут с голоду. Но пусть даже германцы и расправятся с ней, наверное, у них не хватит духу убить малыша.

Так или иначе выбора у них не было. Марсель ушел, и Оливия долго глядела ему вслед. Он уже почти добрался до крошечной рощицы у конца поля, как раздались выстрелы и парнишка упал лицом вниз. Снайперы даже не позаботились проверить, жив ли он — на это не было ни малейших шансов. Оливия осталась одна с голодным ребенком, не имея представления, как быть дальше. Оставалось терпеть и ждать, пока кто-то из союзников не проедет мимо, или попытаться самой вести машину. Но Оливия даже не знала, как она заводится, и только раз или два садилась за руль!

— И что теперь? — спросила она у Оливье, который наплакался, ослабел и уснул.

Но в шесть утра малыш снова огласил округу требовательными воплями. Ей нечего было дать ему. Они не ели уже восемнадцать часов, и, если немедленно не дать мальчику молока или воды, он может погибнуть.

Она уже решила попробовать самостоятельно добраться до лагеря и, если остановят немцы, объяснить, что она американка. Но Оливия опасалась, что они сначала откроют огонь, а потом начнут допрос, и предпочла остаться. Оливье исходил криком, и она, отчаявшись, приложила его к груди. Малыш удовлетворенно зачмокал. Что ж, по крайней мере немцы не услышат детского плача!

Только к концу этого бесконечного дня она услышала шум моторов. Выглянув в крошечное окошко, она увидела два грузовика. Похоже, это союзники!

Оливия испустила торжествующий вопль и, просунув руку сквозь раму с выбитыми стеклами, лихорадочно замахала. Машины остановились и начали разворачиваться. Оливия, одной рукой прижимая к себе ребенка, спустилась вниз и едва не упала от неожиданности. В первой машине сидела сержант Моррисон, во второй оказались водитель и Чарлз. Когда вчера вечером Оливия не вернулась, Чарлз отправился на поиски.

— Слава Богу, — выдохнула она, благодарно оглядывая всех. Оливия была уверена, что о ней забыли и бросили умирать. Надежда почти оставила ее.

Но Чарлз, ни слова не говоря, уселся в машину. Очевидно, он все еще злился.

— Тебя могли убить, — ледяным голосом процедил он; руки его тряслись. Он провел бессонную ночь, воображая всяческие ужасы. Столько всего на него свалилось! Исповедь сестер, смерть Виктории, ужасы войны, вид несчастных жертв, и Оливия, едва не погибшая в грязной конюшне. Такому мирному человеку, как он, все это нелегко пережить, и теперь он едва ворочал языком от усталости и отупения.

— Прости, — тихо ответила Оливия, пытаясь вынести силу его ненависти. Но как ни странно, ему показалось, что это говорит Виктория. Чарлз даже не успел признаться, как он волновался за нее. Пенни Моррисон запихнула ее в грузовик вместе с ребенком, и они помчались по дороге, успев в лагерь еще до сумерек. Оливия рассказала о смерти Марселя, но оказалось, что его уже нашли. Ночью тело мальчика вместе с еще пятью трупами должны были принести в лагерь.

— Простите, — повторила Оливия сержанту, прося прощения за Марселя, за войну, за Викторию и за взгляд Чарлза. Теперь она знала: он никогда не простит.

При первой возможности она побежала в столовую кормить ребенка, а Чарлз отправился в штаб, чтобы попробовать заказать билеты на судно, отплывающее из Бордо. Назавтра были назначены похороны Виктории, но Оливия словно оцепенела и ничего не ощущала.

Похоронная церемония оказалась совсем скромной. Священник пробормотал несколько слов, тело лежало в простом сосновом гробу, а на могиле не поставили даже таблички, только маленький белый крест, как тысячи других. Оливия надеялась только, что сестра упокоилась рядом с Эдуаром. Но сама она была так потрясена, что даже не могла плакать. Сегодня хоронят ее, часть ее души, часть разума, часть сердца. Что она теперь без сестры? Так, пустая оболочка...

И вот теперь сестру опускают в землю, а она держит сына Виктории, который смотрит на происходящее круглыми непонимающими глазенками. Он наелся и всем доволен. И не знает, что видит мать в последний раз.

Чарлз неотрывно смотрел на Оливию. Он с ума сходил от беспокойства за нее, но та, из чистой гордости, не подпускала его к себе. Они держались словно чужие и почти не разговаривали.

Наконец Оливия положила на могилу маленький белый цветочек и, плача, отошла. Она задыхалась от горя и тоски. Все потеряно. Все на свете: сестра, любимый, дочери. Но страшнее всего гибель сестры, сводившая ее с ума, терзавшая, будто незаживающая рана. Вынести все это не было никаких сил.

Они медленно направились к центру лагеря, и, прежде чем Чарлз успел сказать что-то, Оливия исчезла в палатке, откуда не выходила до вечера. Чарлз спрашивал о ней, но усталые, измученные люди отмахивались от него. Последнее время в лагере был большой приток новых волонтеров, и многие действительно не знали ни Викторию, ни Оливию.

Сестры милосердия взяли ребенка у Оливии, и остаток дня она лежала и плакала. И не желала ни с кем разговаривать, даже с Чарлзом. В памяти еще были свежи его безжалостные слова и презрительный взгляд.

Наутро они выехали в Бордо. На прощание Оливия поблагодарила сержанта Моррисон и всех сестер милосердия. У Дидье в глазах стояли слезы. Он нежно поцеловал ребенка и сказал, что никогда не забудет ни его, ни Викторию. Люди махали им вслед, а ведь Оливии даже были неизвестны их имена. Беда в том, что даже это теперь не играло роли.

К вечеру они оказались в Бордо и до полуночи просидели в вестибюле маленького отеля, ожидая, когда можно будет подняться на борт корабля. Багажа у них почти не было, и Оливия только купила кое-что для малыша. Скорее бы добраться домой. Оливье заменит ей целый мир, семью, сестру. Она продолжала прикладывать его к груди, и неожиданно случилось чудо: у нее снова появилось молоко. Пусть Оливье всего лишь племянник, а не сын — он все равно прощальный подарок Виктории, и тем драгоценнее для нее.

— Что ты будешь с ним делать? — спросил Чарлз. Они отплыли из Нью-Йорка всего две недели назад, а казалось, прошла вечность.

— Возьму с собой в Кротон.

— Ты собираешься там жить? — вежливо осведомился он, и Оливия кивнула.

— Наверное.

Больше он не сказал ни слова, и остальное время оба молчали.

На этот раз у них было две каюты. На этом настоял Чарлз, решив, что так будет приличнее. Они путешествовали как мистер Чарлз Доусон и мисс Оливия Хендерсон с племянником. Они почти не виделись. Он все еще зализывал раны, нанесенные самолюбию, и держался на расстоянии. Чувствуя это, Оливия не выходила из каюты, а если и выходила, то старалась не натыкаться на него.

Чарлз тем временем непрестанно думал о Виктории и о ее предсмертном разговоре с ним. Она права, права во всем. Каким ужасным ударом явилась для Оливии кончина сестры! Неизвестно, сумеет ли Оливия жить без нее. Истерзанные души, разбитое сердце...

Но как же они все-таки решились на обман? Заставить Оливию жить с ним как с мужем целый год! Может, он и в самом деле подсознательно чувствовал все, но не хотел видеть истину? Ведь были же моменты, когда он подозревал что-то, но вынуждал себя выбрасывать из головы тревожные мысли, потому что так легче.

Он понял также, что Виктория уговорила сестру согласиться, обещая, что Чарлз к ней не притронется. И так оно и случилось бы, если бы все не изменилось в один прекрасный день... потому что она была такой нежной... милой... И он страстно хотел ее.

Пусть они не были женаты, но таких чувств он не испытывал ни к одной женщине. И ни с одной женщиной.

Чарлз вспомнил утро, когда родились близнецы. Странно, что дети Оливии и Виктории появились на свет в один день, если учесть разницу во времени. Все это было настолько странно и запутанно, так трудно понять, где начинается одно и кончается другое, где правда, а где ложь, где любовь, а где желание... Он в самом деле опасался дать волю своим чувствам к Виктории и не подпускал ее близко. Отказывался открыть душу. Но с Оливией все оказалось по-другому. Он прожил по году с каждой сестрой, и если первый был сплошным безумием, второй — истинным раем, и теперь стало ясно, какую из женщин он любил и хотел видеть своей женой.

На третий день плавания он не смог больше вынести неизвестности и постучал в дверь ее каюты. Каюта Оливии была меньше, чем у него, но она настояла именно на такой и пообещала отдать деньги по прибытии в Нью-Йорк, что Чарлз нашел особенно оскорбительным. Не хватало еще, чтобы ему платили за проезд!

Оливия неохотно приоткрыла дверь. Выглядела она ужасно — исхудавшая, бледная, измученная, глаза красные от слез.

— Можно войти? — вежливо осведомился Чарлз.

Оливия поколебалась и отступила на несколько шагов.

— Малыш спит, — неприветливо бросила она, как бы предупреждая, что сейчас не время для визитов, но Чарлз улыбнулся.

— Обещаю не кричать. Знаешь, я все эти дни хотел потолковать с тобой, но не отважился подойти. Я приходил к Виктории за день до смерти. Мы помирились... и обо всем поговорили.

— Она сказала мне, что ты больше на нее не сердишься.

— Так и есть. И думаю, она во многом была права, а я по глупости этого не понимал. Она куда умнее и отважнее меня. Будь я на ее месте, наверняка пошел бы ко дну вместе с кораблем. Она выбралась.

— Это не всегда легко дается, — вздохнула Оливия.

Она сама слишком много испытала и имела все основания судить по собственному опыту. Но в ее случае надежды бесполезны. Они ведь не женаты. И теперь каждый пойдет своей дорогой.

— Я прошу у тебя прощения, — сухо объявила она. — Все, что ты сказал мне, — чистая правда. Мы не должны были тебя обманывать. Это подлость. Не знаю, что заставило нас думать, будто мы вправе пойти на обман. Я просто думала... не знаю... но это казалось единственным шансом получить тебя, хотя бы ненадолго. Чистое безумие!

— Не совсем, — усмехнулся Чарлз. Он все еще не мог прийти в себя, хотя отчасти понимал ход их мыслей. — Если бы не ваш обман, мы не были бы вместе. И Виктория верно сказала: нам с тобой было хорошо.

— Разве? — грустно проронила Оливия.

— Конечно. Очень хорошо. Лучше не бывает. И было бы ужасно забыть об этом, — едва слышно вымолвил Чарлз, боясь приблизиться к ней. Она казалась такой уставшей и испуганной...

— А чего хочешь ты? — внезапно спросила Оливия, вспоминая полный ненависти взгляд и их объяснение после исповеди Виктории. Тогда у него был такой вид, словно он сейчас прикончит ее. А когда они нашли ее на заброшенной ферме, он буквально трясся от бешенства.

Оливия не знала, что той страшной ночью Чарлз был напуган, как никогда в жизни. К тому времени он был совершенно уверен, что Оливия убита, а вместе с ней, возможно, и ребенок. Все, что ему тогда хотелось, — вернуть ее к жизни и задать трепку.

— Я хочу тебя, — тихо признался Чарлз, — хочу, чтобы все стало по-прежнему, чтобы последний год длился всегда, до конца наших дней. И так было бы с самого начала, посоветуй я твоему отцу оставить свою буйную младшую дочь себе и набрался бы мужества добиваться тебя. Тогда я мог бы влюбиться в тебя, хотя, как заметила Виктория, боялся вас обеих. Я так чертовски трусил, что предпочел жениться на ней, потому что она казалась экзотическим цветком, изящная, безумно возбуждающая и соблазнительная. И с ней мое сердце оставалось в безопасности, потому что я знал, что ни за что на свете не полюблю ее.

— Значит, ты такой же сумасброд, как и мы, — заключила Оливия, прислушиваясь к сонному дыханию малыша. — Слишком идиотская причина для женитьбы.

— В таком случае мы друг друга достойны, — застенчиво признался Чарлз, но последующие робкие объяснения Оливии заставили его расплыться в широкой улыбке.

— Понимаешь... я никогда не думала... Виктория сказала, что вы... — Она густо покраснела.

— Не верю ни единому слову. Ты задумала совратить меня. И даже не отрицай.

Он обнял ее, втайне мечтая, чтобы она снова соблазнила его, но отнюдь не уверенный в том, что Оливия решится на такое. Он невероятно жестоко обошелся с ней. Найдет ли она в себе доброту простить его? Но тут он кое-что вспомнил.

— Джефф знал или подозревал? Он всегда хвастался, что может вас различить.

— Некоторое время мне удавалось его дурачить. Иногда он сомневался в том, что я Виктория, но я старалась ей подражать и время от времени бывала с вами невыносимо груба. Но прошлым летом я поранила руку, и он увидел родинку. Я просила его молчать.

— И за все это время он мне ни словом не намекнул! Поразительно!

Он взял ее руку и повернул ладонью вверх. При виде родинки глаза Оливии снова защипало. Теперь это уже не имеет значения. Больше не будет ни шуток, ни подмен, ни обманов.

Оливия отвернулась и низко наклонила голову, морщась словно от боли.

— Мне так ее не хватает...

— Мне тоже, — согласился Чарлз. — Ужасно сознавать, что она ушла. Я привык к тому, что вы всегда вместе и не можете жить друг без друга. А еще мне тяжело без тебя... без твоей улыбки... твоих поцелуев... Прости за все, что я наговорил тебе. Слишком тяжело мне было. Но мне жаль, что ты потеряла Викторию.

Оливия кивнула и заплакала. Он долго держал ее в объятиях, прижимая к груди, пока она не успокоилась. Наконец она посмотрела в глаза человеку, которого втайне считала своим мужем.

— Я любила тебя, Чарлз. И ты меня прости, если сумеешь.

— Любила? А сейчас?

Оливия снисходительно усмехнулась. Что за глупый вопрос? Она всегда будет его любить.

— Разумеется. Этого уже не изменишь.

— Значит, ты станешь моей женой? — едва дыша, спросил Чарлз.

— Не покажется ли это окружающим немного странным? И не поставит ли тебя в неловкое положение? Представляешь, какой скандал может разразиться, если правда выплывет наружу?

— Мне совершенно все равно. По-моему, гораздо неприличнее воспитывать троих незаконных детей! Пожалуй, стоит попросить капитана обвенчать нас прямо на корабле, прежде чем мы вернемся домой.

Они обменялись нерешительными улыбками. Неужели ее мечта сбудется и они с Чарлзом проживут вместе до конца дней?

Он опустился на колени, поднес ее пальцы к губам и предложил ей руку и сердце.

— Ты согласна? — торжественно вопросил Чарлз.

— Ну конечно!

— Спасибо, — облегченно вздохнул Чарлз, вставая и целуя невесту. — Немедленно иду к капитану.

Проснувшийся мальчик залился плачем, и Оливия взяла его из колыбели.

— Вместе с Оливье у нас теперь нечто вроде тройни.

— Возможно, он внесет некоторое равновесие в их существование, да и поведение, — многозначительно заметил Чарлз и, поскольку Оливия смущенно потупилась, не выдержал и снова ее поцеловал, прежде чем отправиться на поиски капитана.

Свадьба состоялась назавтра в полдень, в капитанской каюте. На невесте было ее единственное приличное платье, зеленого шелка, а в руке белые гвоздики — все, что Чарлз сумел найти. Война, ничего не поделаешь.

Капитан объявил их мужем и женой, и жених поцеловал новобрачную. Они отправили радиограмму Джеффу и Берти и сообщили, что прибудут в пятницу. Подпись гласила: «Папа и Олли».

Пока «Эспань» медленно входила в нью-йоркскую гавань, они стояли на палубе. Берти приехала на пристань с Джеффом и девочками. Два свертка мирно лежали на руках у мальчика и пожилой женщины, а лихорадочно махавший Джефф замер и недоуменно уставился на малыша в отцовских руках. Им придется многое объяснить мальчику и рассказать всю правду, когда он станет постарше.

Но при виде женщины рядом с отцом Джефф встрепенулся и приподнялся на цыпочки, пытаясь определить, которая из двух сестер решила вернуться. Наконец он кивнул и, что-то сказав Берти, восторженно завопил. Он узнал ее! Оливия вернулась к нему! Он не потерял свою любимую Олли!

Но одна потеря оставалась невосполнимой. Ее сестра, подруга, соучастница всех проделок, партнер, исповедница, самое дорогое в ее жизни существо, теперь на небесах. Как жить без нее? Она навсегда останется в сердце и душе Оливии и не будет забыта, хотя сама Оливия будет вечно ощущать, что какая-то часть ее ушла вместе с сестрой. С человеком, которого она любила больше всего на свете, пока не появились Чарлз и девочки. С той, которая была оборотной стороной ее жизни, сердца... другой стороной зеркала.

Уважаемые читатели!
*Даниэла Стил готова ответить
на ваши вопросы.
Присылайте их по адресу:*
**129085, Москва, Звездный бульвар, 21
Издательство АСТ, отдел рекламы**

Литературно-художественное издание

Стил Даниэла
Как две капли воды

Художественный редактор О.Н. Адаскина
Компьютерный дизайн: Ю.Ю. Герцева
Технический редактор О.В. Панкрашина

Общероссийский классификатор продукции
ОК-005-93, том 2; 953000 — книги, брошюры

Санитарно-эпидемиологическое заключение
№ 77.99.02.953.Д.000577.02.04 от 03.02.2004 г.

ООО «Издательство АСТ»
667000, Республика Тыва, г. Кызыл, ул. Кочетова, д. 28
Наши электронные адреса:
WWW.AST.RU E-mail: astpub@aha.ru

Отпечатано с готовых диапозитивов в типографии
ФГУП "Издательство "Самарский Дом печати"
443080, г. Самара, пр. К. Маркса, 201.
Качество печати соответствует качеству предоставленных диапозитивов.